# 김재홍 문학전집 ⑨

## 누가 눈물없이 울고 있는가
## 그대 왜 그리 허둥대는가

국학자료원

## 일러두기

1. 전집은 단행본 발행연도를 기준으로 삼았으나, 학위논문인 『한용운 문학연구』는 1권에, 편저는 9권과 10권에 각각 수록했다.

2. 출판 당시 저자의 집필의도를 살리기 위해, 일부의 보완 원고는 그대로 두었다. 단, 내용이 중복된 것은 삭제하여 전집의 전체성을 유지했다.

3. 원문을 최대한으로 살리되, 의미와 어감을 해치지 않는 범위에서 현행 맞춤법에 따라 고쳤다.

4. 한문과 외국어는 괄호 안에 병기하는 원칙으로 하되, 필요한 부분은 노출하였다. 단, 제1권 『한용운 문학연구』는 원문 그대로 수록하였다.

5. 본문의 '인용' 부분은 필요에 따라 한글 표기를 했으며, 이외의 것은 원문에 충실하려고 노력했다.

# 누가 눈물없이 울고 있는가

金載弘 著

1991年

시와 시학사

# 머 리 말

1991년 새 봄, 강가에 홀로 나가 먼 바다로 흘러가는 강물위에 시의 풀잎쪽 배 하나 띄워 보낸다.

시를 올바로 이해하고 깊이 있게 감상하는데 이 책이 작은 길잡이라도 된다면 참으로 다행이겠다.

봄이 오는 길목에서 저 세상으로 떠나가신 은사 고 정한모 스승님께, 그리고 오늘밤도 눈물 없이 홀로 울며 고달프게 지상 위의 삶을 살아가고 있을 수 많은 분들께 이 책을 올린다.

여러모로 도와주시는 조병화 선생님께 깊이 감사드리고

김영태 시인, 장현숙 교수에게도 고마움 표한다.

1991.3.1.
지은이

# 차 례

# 1월
# 새해, 겨울의 서정시들

# 박용래

1925년 충남 강경 출생. 강경 상업 졸업. 1955년 『현대문학』으로
데뷔, 현대시학작품상 수상. 시집으로 『싸락눈』, 『먼바다』 등 다수

**겨울밤**

잠 이루지 못하는 밤 고향집 마늘밭에 눈은 쌓이리.
잠 이루지 못하는 밤 고향집 추녀 밑 달빛은 쌓이리.
발목을 벗고 물을 건느는 먼 마을.
고향집 마당귀 바람은 잠을 자리.

저녁눈
늦은 저녁때 오는 눈발은 말집 호롱불 밑에 붐비다.
늦은 저녁때 오는 눈발은 조랑말 발굽 밑에 붐비다.
늦은 저녁때 오는 눈발은 여물 써는 소리에 붐비다.
늦은 저녁때 오는 눈발은 변두리 빈터만 다니며 붐비다.


## 눈물과 그리움의 시

눈물의 시인 朴龍來(1925~1980)를 기억하시는지요. 요즘같이 거칠고 소
란한 세상에는 도무지 어울릴 수 없는 사람이지만요, 그렇기에 더욱 그립고

소중하게 생각되는 시인이랍니다. 그야말로 토종 한국인이고, 진짜 서정 시인이라고 생각하는 분들이 저 말고도 많으실 겁니다. 저랑은 꼭 한번, 그분이 돌아가시기 직전에 그분 댁에서 잠깐 만났을 뿐이었지만요, 만나자마자 덥석 손을 잡으시고 뜨거운 눈물을 펑펑 쏟으시는 게 아니었겠습니까? 문단 말석의 무명 평론가를 그리도 따뜻하게 손잡아 주시던 그 순수한 마음이 지금도 마음에 찡하게 다가옵니다.

아마도 그러할 겁니다. 시와 인간이 그렇게 잘 어울리는 분이 세상엔 그리 많지 않을 겁니다. 그의 시에는 그만큼 인간의 본원적인 쓸쓸하면서도 아름답고, 슬프면서도 따뜻한 영혼이 스며들어 있는 듯싶습니다.

그의 시에는 유난히도 '겨울'·'저녁'·'노을'·밤과 같은 쓸쓸한 시간 배경과 '가랑잎'·'눈발'·'달빛'·'들풀'·'잡목'·'숲' 등의 소박한 전원 심상, 그리고 '운다/ 떨어지다/ 사라지다/ 뉘우치다/ 묻히다' 등과 같은 하강시어들이 많은 것이 특징이지요. 언젠가 제가 "전원 상징과 낙하의 상상력"이라고 부른 적도 있습니다만, 그의 시에는 자연과 인간에 대한 근원적인 향수가 짙게 깔려 있다고 하겠습니다. 그것은 바로 자연이 지닌 본원적인 모습으로서의 쓸쓸함과 인간의 영혼 깊이 자리한 생리적인 외로움에 대한 탄식이며 슬픔이라 할 수 있지 않을까요.

인용시에는 이러한 박용래 시의 특징이 선명히 드러나 있다고 할 겁니다. 이 시의 공통 정서는 겨울밤의 쓸쓸한 아름다움이며, 비애에 젖은 향수라 할 수 있겠지요. 그러면서도 두 시가 "마늘밭/ 여물 써는 소리", "발목/ 조랑말 발굽", "달빛/ 호롱불", "마당귀/ 변두리 빈터"라는 이미지의 대응을 보여 줍니다. 그것은 각각 생명감각의 발현이며, 생의 고달픔의 표출이고, 따뜻함과 밝음에 대한 그리움이자 소외감을 표상하는 것이라고 할 수 있지 않을는지요. 특히 「겨울밤」에서 "눈은 쌓이리/ 달빛은 쌓이리/ 바람은 잠을 자리"나 「저녁 눈」에서 "눈발은 말집 호롱불 밑에 붐비다/ 여물써는 소리에 붐비다/ 변두리 빈터만 다니며 붐비다"와 같이 생명감각을 일깨워 주는 서정적인 소재와 리듬의식의 섬세한 결합은 한국적 서정의 한 극치라고도 할 수 있지 않을까 합니다.

　오늘밤같이 함박눈이라도 내리는 날에 먼 고향집에라도 가면 거기서 문득 그립던 고향의 얼굴로서 박용래 시인을 만나볼 수 있지 않겠습니까?

# 허영자

1938년 경남 함양 출생. 숙명여대 국문과 졸업. 1962년 『현대문학』
으로 데뷔. 한국시협상 등 수상. 현재 성신여대 교수. 시집으로 『어여
쁨이야 어찌 꽃뿐이랴』 등

## 幸福(행복)

눈이랑 손이랑
깨끗이 씻고
자알 찾아보면 있을 거야

깜짝 놀랄 만큼
신바람 나는 일이
어딘가 어딘가에 꼭 있을 거야

아이들이
보물찾기 놀일 할 때
보물을 감춰 두는

바위틈새 같은 데에
나뭇구멍 같은 데에

幸福은 아기자기
숨겨져 있을 거야.

## 새해의 행복학

행복이란 무엇이며, 과연 어디에 있는 것인지요? 어떤 이는 "저 산너머 멀리 헤매어 가면/ 행복이 산다고들 말하기에/ 아, 남들처럼 나도 얼려 찾아갔건만 / 울면서 되돌아왔다네/ 저 산너머 멀리멀리에는/ 행복이 산다고들 말하건만……"이라며 슬퍼하지요. 또 누구는 행복이란 날개가 달려서 붙잡으려면 포르르 날아가 버린다고 아쉬워도 합니다. 그런가 하면 또 다른 사람은 행복이란, 남자에게는 "내가 하고 싶다"라는 것이고, 여자에게는 "그가 하고 싶어 한다"라고 말하기도 합니다. 과연 그런 것인가요? 행복이란 것, 사람이라면 그 누구나가 찾고 갈망하는 행복이란 것이 도대체 어디에 있는 것일까요? 이 행복을 허영자 시인은 앞의 시처럼 노래하였습니다.

먼저 행복은 깨끗한 마음과 몸가짐에서 비롯된다고 생각하는 듯싶습니다. 그것은 "눈이랑 손이랑/ 깨끗이 씻고/ 자알 찾아보면 있을 거야"라는 구절에서 보듯이 밝고 착한 자세로서 추구할 때 문득 다가오는 것이라는 뜻이겠지요. 그러기에 행복은 어쩌면 깜짝 놀랄만한 사건으로 다가올런지도 모릅니다. 바로 두 번째 연에서 시인은 우리에게 기대감을 한껏 고조시킵니다.

그러나 행복은 그리 크고 거창한 것이 아닌가 봅니다. 여기에서 이른바 낭만적 아이러니, 즉 환상과 기대가 고조되다가 급격히 붕괴되는 과정으로서의 시적 기법이 구사되는 것이겠지요. 행복은 그리 거창한 것도, 어마어마한 곳에 숨겨져 있는 비밀스런 것도 아닐 겁니다. 그것은 아마도 아이들이 보물찾기 놀이를 할 때 보물을 숨겨두는 곳처럼 평범한 바위 틈새나 나무구멍 같은 곳에 놓여 있는 모양입니다. 그러한 평범한 곳, 우리가 늘상 보고 지나치면서 무심코 살아가는 일상생활 속에 행복이 아기자기 숨겨져 있다는 말이겠지요. 그래서 조금만 애정을 갖고 찾아보면 행복은 어디서나 불쑥 해맑은 얼굴로 떠오르는 것이랍니다. 행복은 우리의 생활 속 어디에나 숨겨져 있지만, 우리가 그것을 미처 발견하지 못할 뿐이고 깨닫지 못할 따름이란 말이지요. 건강하게 일상을 살아가면서, 스스로의 운명을 뜨겁게 감싸 안고 자기와 이웃을 사랑하는 어진 마음을 갖는 것, 그것 자체가 바로 행복이기 때문이지요. 우리 주변에서 분수에 안 맞게 권력이나 금력, 명예만을 찾는 게 행복인 줄 알다가 가련해지는 사람이 어디 한 둘인가요.

우리 모두 새해에는 이런 가난한 생활, 평범하나마 소중한 삶의 진실 속에서 진정한 행복을 찾아 즐거운 마음으로 보물찾기 놀이를 시작해야 하지 않겠습니까?

# 김영태

1936년 서울 출생. 홍익대 회화과 졸업. 1959년 『사상계』로 등단. 무용평론가협회 회장 역임. 시집으로 『결혼과 장례식』, 『매혹』 등 다수.

## 첼로

흰 말(馬) 속에 들어 있는
古典的인 살결,
흰 눈이
소리없는 저음
흰 살결 안에
람프를 켜고
나는 소금을 친
한 잔의 食水를 마신다.
살빠진 빗으로
내리 훑으는
漆黑의 머리칼 속에 나는
三冬의 활을 꽂는다

# 첼로, 그 저음, 겨울 영혼의 내면 풍경

우리 시단에서 김영태 시인만큼 특이한 존재도 그리 많지 않을 게 분명합니다. 본업이라 할 시작활동 뿐만 아니라 음악, 미술, 특히 무용분야에 이르기까지 그의 활약은 현란하기만 합니다. 최근에는 무용평론가협회 회장 일까지 보는 모양이니, 그러한 분야에서도 아마 프로 이상의 실력을 인정받고 있는 게 사실인가 봅니다. 그렇게 보아선지 그의 시에는 음악소리가 울려나오고, 선과 색체가 빛을 발하며, 발레의 동작들이 그윽하게 펼쳐지고 있는 듯 싶습니다. 시「첼로」는 그 한 대표적인 예라고 하겠지요. 이 시에는 샤갈의 그림 속에 나오는 환상적인 정경과 함께 바하의 무반주 소나타가 낮고 그윽하게 울려오고 있는 듯하기 때문입니다. 그리고 수녀와 '내'가 환기하는 몇 가지의 동작들이 마치 발레라도 공연되고 있는 듯 정밀한 분위기를 자아내기도 하기 때문이지요. 흰 말과 흰 눈, 어두운 집과 수녀라고 하는 白과 黑의 무한대비가 이 시의 정결 이미지를 뚜렷하게 부각시키면서 전체적인 인상을 환상적으로 만들어 주는 듯합니다. 일종의 결벽증 또는 순결 콤플렉스가 시 속에서 엿보이는 것이지요. "흰 말/ 흰 눈/ 흰 살결/ 얼음/ 소금"과 그에 대비되는 "어두운 집/ 수녀/ 칠흑/ 머리칼"이 그러한 때문지 않은 영혼의 내면 풍경을 이루고 있기 때문입니다. 그러면서도 "고전적인/ 얼음 속에들은/ 엄격한/ 소리 없는/ 소금을 친"등과 같은 관형어들이 서로 어울려 고전적인 품격과 지적 절제미를 돋구어 주는 것도 특이합니다. 여기에 다시 "흰/ 어두운/ 銀빛/ 람프 불빛"이라는 시각 심상과 "低音/ 變奏曲/ 첼로의 활"과 같은 청각 심상을 공감각적으로 결합하여 신비성과 환상적 분위기를 연출하는 것입니다. 따라서 이 시는 그 어떤 현실적인 정신의 내면풍경을 흰 말과 흰 눈, 첼로의 저음과 칠흑의 머리칼, 람프 불빛과 三冬의 활, 그리고 은빛가구와 無名의 修女들의 이미지들을 통해 환상적으로 그려내 보이고 있을 뿐입니다.

그러고 보면 온통 삭막하고 거칠어지기만 하는 오늘의 현실 속에서 이러한 내밀한 정신의 내면풍경을 그윽하고 아름답게 드러내는 일 또한 우리 시의 내면을 넓혀 주고 깊게 해준다는 점에서 이 시인의 시가 지닌 소중한 미덕을 발견 할 수 있을 게 분명합니다.

# 이가림

1943년 만주 출생. 성균관대 불문과 졸업. 1966년 동아일보로 데뷔. 프랑스르왕대 문학박사. 현재 인하대 교수. 시집으로『빙하기』,『유리창에 이마를 대고』등.

## 빙하기

그 헐벗은 비행장 옆
낡은 에레미아 병원 가까이
스물 아홉 살의 강한 그대가 죽어 있었지
쟝 바띠스트 클라망스
스토브조차 꺼진 다락방 안 추운 氷壁밑에서
검은 목탄으로 뎃상한 그대 어둔 얼굴을 보고 있으면
킬리만자로의 눈 속에 묻혀 있는 표범 이마,
빛나는 대리석 토르소의 흰 손이 떠오르지.
지금 낡은 에레미아 병원 가까이의 지붕에도
눈은 내리고
겨울이 빈 허리를 쓸며 있는 때.
캄캄한 안개 속
침몰하여 사는 내 선박은
이제 고달픈 닻을 내리어 정막하고서
축축히 꿈의 이슬에 잠자는 영원인 것을,

짙은 밤 부둣가 한 모퉁이로
내 아무렇게나 혼자서 떠나보네
갈색머리 혹인여자의 서러운 이빨같이
서걱이는 한겨울 밤바다 살갗은
유리의 달에 부딪쳐 바스러지고
죽음보다 고적한 외투 속의
내 사랑은
두 주일이나 그냥 있는 젖빛 엽서
조금씩 미쳐가며 나는 무서운 醉眼인 채
황폐한 자갈밭을 건너
흐린 가스등 그늘이 우울한 시장가에서
눈은 내리고
하얀 囚衣입은 천사처럼 잠시 죽어 봤으면 생각하다가
포효의 거대한 불꽃으로나 멸망하기를 소망하다가,
아아 자꾸만 목이 메이고 싶어지는
내 고단한 木管의 노래는 떨려
나목 끝에 마지막 한 장 가랑잎새로 지는 것을
쓸쓸히 웃으며 있네.
지난 생 마르뗑의 여름 밤주막에서
빨갛게 등불을 켜 달고
여린 불빛들이 우리 잔등에 떨어져 와닿는,
들끓는 소주를 독하게 마시며 울었지.
쟝 바띠스트 클라망스
그대 건강한 의사가 되겠다고 여름내 엄청난 야망은 살아
자기 안의 한 무더기 폭양에 放火도 했지만
참혹하게 파손되어 간 內室이었음을,
어느 저녁 식탁에선가, 눈물 글썽이게 하는
그대 슬픈 소식 건네 들었지.
지금은
옷고름처럼 나부끼는 달빛에 젖어
마른 갯벌 바닥으로 배회하다

무릎까지 빠지는 맨발의, 괴로운 밤 게(蟹)가 되어서 돌아오는
오뇌의 회오리 바람에 은빛 음계들이 머리칼마다 흩날리며 있네.
그 드뷔시 찻집 유리 속의 금발이 출렁이는 인형을
젖은 눈이 성에 낀 창밖을 보고
수런대는 목소리들 잔 둘레로 넘쳐나
비듬처럼 쌓여 가는데
잊히인 의자 아래 이랑져 오는 음악의 꽃빛 눈부시는
바람소리여,
이 침전하는 葬送의 파도가에 앉아서 단 한번
고운 색깔이 아롱진 魚眼의 나는
뜨거운 두 손으로 피곤한 이마를 묻어보네.

## 1960년대 겨울, 낭만적 우울의 꿈

'바람구두'를 신은 멋쟁이 시인 이가림, "당신의 편질 읽고 있노라니/ 무심코 떠오르는 알쥴 랭보의 얼굴/ 사연사연 꿈을 먹고 사는/ 배곯는 영혼의 벌레/ 산다는 게 이렇게 저런 것인가/ 그래 얼마나 외로운 혼자요?/ 나날이"라고 조병화 시인이 노래하던 그대가 이 세모의 저녁에 문득 떠오르는 건 무슨 까닭인지요. 지금도 프랑스 서북 해안 가까이 루앙의 겨울 언덕에 머리칼 날리고 서 있을 그대, 이 세밑에는 그 누구와 함께 거닐던 모파상의 훼깡(FeCamps) 바닷가 별장 부근의 선창가에 다녀올런지요. 다시 한 번 그대의 출세작 「빙하기」를 외워 봅니다. 그러노라면 60년대의 광화문 골목, 학사주점 근처에 묘령의 바람처럼 나타났다가 사라지던 그 때 그 창백한 젊은이의 모습이 떠오르는군요. 그러면서 저 을씨년스런 60년대 후반 이 땅을 뒤덮었던 알 수 없는 쓸쓸함이며, 가난이며, 그 분노와 우수가 하염없이 밀물져 옵니다.

그대의 시 「빙하기」에는 바로 60년대 문학 지망생들을 사로잡고 있었던 그 낭만적인 우울이 넘쳐흐르는 듯싶습니다. 우선 그 시절의 시에 유행하던

'겨울'상징이 그렇고요, 또 "에레미야 병원/ 쟝 바띠스트 클라망스/ 킬리만자로/ 쌩 마르탱의 밤주막/ 드뷔시 찻집"과 같은 양풍의 소재들이 막연하면서도 신비스런 그 어떤 아련한 환상과 그리움을 불러일으키기 때문이지요. 어떠하던가요? 이십여 년 전부터 그대가 꿈꾸며 동경하던 그곳 프랑스의 겨울 하늘과 오늘 그대가 외로움에 떨면서 작은 등불 하나 켜들고 서 있는 그곳 루앙언덕의 겨울밤 풍경이 과연 그대로이던가요? 스토브조차 꺼진 낡은 아파트, 덜컹거리는 엘리베이터며 어둠 속에 자주 멈춰 서던 고물 자동차 때문에 속 썩으면서 오늘도 갈색머리 프랑스 여자며 흑인 여자와 마주하여 들끓는 깔바도스며 독주를 아프게 마시면서 홀로 울고 있지는 않으신지 걱정입니다.

그렇지만 저는 분명히 느끼고 있습니다. 그것에서 아무리 멋지고 아름다운 낭만이 그대를 손짓하고 잡아끌더라도 그대는 어쩔 수 없이 마흔 여섯 살 먹은 이 슬픈 반도 꼬레의 가난한 시인이라는 것을, 그리고 그러한 숙명을 엄숙하게 느끼기까지에는 지난날의 무모하고 황당한 서구취향의 겉멋이나 감상적 방황과 우울이 반드시 필요했었다는 것을 말입니다. 그것은 시적인 자아 발견의 과정이면서 인간애와 운명애에 깊이 눈뜨는, 빌헬름 마이스터 수업시대의 한 도정이었다고 하겠지요.

오늘밤 이 슬픈 반도의 한 주막에 홀로 앉아서 새삼 선하면서도 애수어린 그대의 영혼을 떠올리면서 등불의 심지를 돋우어 봅니다.

# 박봉우

1934년 전남 광주 출생. 전남대 졸업. 1956년 조선일보로 데뷔. 현대 문학상 수상. 시집으로『휴전선』,『황지의 풀잎』등 다수. 1990년 작고.

## 백두산

높고 넓은
또 슬기로운
백두산에 우리를 올라가게 하라
무궁화도
진달래도
白衣에 물들게 하라
서럽고 서러운
분단의 역사
우리 모두를
백두산에 올라가게 하라
오로지 한줄기 빛
우리의 백두산이여
사랑이 넘쳐라
온 산천에 해가 솟는다
우리만의 해가 솟는다
우리가 가는

백두산 가는 길은
험난한 길
쑥잎을 쑥잎을 먹으며
한 마리 곰으로 태어난
우리 겨레여

## 백두산, 그 분단 극복에의 염원

새해가 밝아왔습니다. 그야말로 20세기의 세기말이면서 새롭게 시작될 90
년대가 펼쳐지기 시작 한 것이지요. 이 연대에는 우리 민족 모두의 소망인 남
북분단이 극복되어 통일로 다가서는 발판이 마련돼야만 하리라 생각하고, 또
기대하는 마음입니다.

이즈음엔 이러한 분단극복이나 통일지향을 노래하는 시가 유행처럼 부쩍
많아진 게 사실입니다. 그렇지만 저 어둠의 시대인 70년대 초에 힘주어 분단
극복을 노래한 시는 찾아보기 어렵던 실정이었지요. 그러한 폭압과 질곡의
시대인 유신시대에 박봉우 시인은 바로 이 「백두산」을 써서 힘차게 분단극복
과 통일에의 갈망을 노래하여 관심을 끕니다. 하기야 이미 50년대에 "저어 서
로 응시하는 쌀쌀한 風景, 아름다운 風土는 이미 고구려 같은 정신도 신라 같
은 이야기도 없는가. 별들이 차지한 하늘은 끝끝내 하나인데……"라는 시 「休
戰線」으로 분단의 비극을 노래했던 시인이 바로 그 자신이 아니었습니까? 그
만큼 박 시인의 현실인식이 날카로웠으며 예언자적 지성이 돋보였다고나 할
까요. 여하튼 시 「백두산」은 오늘날 우리민족의 가장 큰 소망인 분단극복에
의 염원을 노래하고 있다고 하겠습니다. "백두산에 우이를 올라가게 하라"는
힘찬 명령법의 반복이 그러한 소망과 염원을 단적으로 말해 주기 때문이겠지
요. 백두산이 우리 민족이 발상지인 연원지이고, 신앙적인 聖所의 상징이라
는 점을 부정할 사람은 아무도 없을 겁니다. 무궁화와 진달래로 표상되는 분

단의 비극도 백두산과 白衣라고 하는 민족적 운명 공동체의식의 상징 앞에서는 한낱 일시적인 현상일 뿐인 것이지요. 비록 통일의 상징으로서 백두산 가는 길이 험하고 함할지라도 "쑥잎을 쑥잎을 먹으며/ 한 마리 곰으로 태어난/ 우리 겨레"로서는 충분히 이겨낼 수 있는 민족적 저력이 잠재해 있는 게 분명할 것입니다. 바로 이처럼 투철한 민족의식과 민족에 대한 신앙적 애정이 이 시의 뼈대를 이루고 있는 것이지요. "오로지 한 줄기 빛/ 우리의 백두산이여/ 사랑이 넘쳐라/ 온 산천에 해가 솟는다/ 우리나의 해가 솟는다"라는 구절 속에는 겨레의 소망으로서의 민족통일과 민족의 밝은 앞날에 대한 신앙적인 낙관과 기다림이 담겨 있는 게 분명하기 때문입니다. 모쪼록 새해엔 우리 민족이 백두산 가는 길에 밝은 서광이 비추이길 기도하는 마음 하늘만 합니다.

# 2월
## 겨울 · 죽음에서 봄 · 소생으로

# 오탁번

1943년 충북 제천 출생. 고려대 영문과 동대학원 국문과 졸업. 1967년 중앙일보 신춘문예로 등단. 시집『아침의 예언』,『너무 많은 가운데 하나』등.

### 純銀이 빛나는 이 아침에

눈을 밟으면 귀가 맑게 트인다.
나뭇가지 가지마다 純銀의 손끝으로 빛나는
눈내린 숲길에 멈추어 선
겨울 아침의 행인들

原始林이 매몰될 때 땅이 꺼지는 소리,
천 년 동안 땅에 묻혀
딴딴한 石炭의 發言,
연통을 빠져나간 뜨거운 기운은
겨울 저녁의
無邊한 世界 끝으로 불리어 가
은빛 날개의 작은 새,
작디 작은 새가 되어
나뭇가지 위에 내려 앉아
해뜰 무렵에 눈을 뜬다.

눈을 뜬다.
純白의 알에서 나온 새가 그 첫 번째 눈을 뜨듯
구두끈을 매는 시간만큼 잠시 멈추어 선다.

행인들의 귀는 점점 맑아지고
지난 밤에 들리던 소리에
생각이 미쳐
앞자리에 앉은 예장 이름도
버스·스톱도 급행번호도
잊어버릴 때, 잊어버릴 때,
분배된 해를 純金의 씨앗처럼 주둥이 주둥이에 물고
일제히 날아오르는
조용한 동작 가운데
행인들은 저마다 불씨를 분다.

행인들의 純粹는 눈내린 숲 속으로 빨려가고
숲의 純粹는 행인에게로 오는
移轉의 순간,
다 잊어버릴 때, 다만 기다려질 때,
아득한 世界가 運搬되는
은빛 새들의 무수한 飛翔가운데
겨울 아침으로 밝아 가는 불씨를 분다.


## 자연의 질서와 생명법칙

새해가 밝아오면 저는 이 「純銀이 빛나는 이 아침에」를 읽어보는 게 한 습
관처럼 되었답니다. 그만큼 이 시가 고달픈 삶 가운데 신선한 감동과 힘을 느
끼게 해주기 때문이지요. 이 시의 핵심은 눈과 석탄, 숲과 새의 유추관계에 놓
여 있는 듯싶습니다. 그리고 겨울과 行人, 즉 삶의 의미가 그 중심에 자리 잡

고 있는 듯 하구요. 눈의 회고 찬 이미지를 중심으로 해서 나뭇가지, 숲길, 원시림, 석탄, 새, 스토브, 불씨, 행인, 화차 등과 같은 보조심상들이 서로 어울려 겨울풍경과 그 속에서의 삶의 모습을 조형하고 있는 것이지요.

이 시에서 특히 돋보이는 것은 아마도 생명의식의 신선함과 시적 감각의 섬세함이라고 할 수 있을 겁니다. "눈을 밟으면 귀가 맑게 트인다/ 나뭇가지 가지마다 純銀의 손끝으로 빛나는/ 눈 내린 숲길에 멈추어 선/ 겨울 아침의 행인들"이라는 구절에서 보듯이 시각과 청각, 청각과 촉각, 후각과 근육감각들이 섬세하게 교직되어 생명의 식으로 빛나는 고양된 감각을 느끼게 해 주기 때문입니다. 이러한 감각적 유추에 의한 생명의식의 앙양은 다시 눈과 석탄의 이미지 결합에 의해 구체적인 관념의 육화를 얻게 된다고 하겠지요. 눈과 석탄은 하늘과 땅, 땅과 땅속의 세계를 하나로 연결해 주는 서정성과 생활의식의 표상이기에 말입니다. 눈과 석탄은 흰색과 검은색, 차가움과 뜨거움, 가벼움과 무거움 등의 상대적 속성으로 말미암아 정신과 물질, 밝음과 어둠, 이성과 감성, 하강과 상승을 표상함으로써 생의 양면성을 드러내 주기도 할 겁니다. 특히 눈과 석탄은 그것이 서정성과 생활성이라는 상징성을 내포함으로 해서 이 시가 단순히 감각시에 떨어지는 것을 제어해주기도 하는 힘이 되지요. 아울러 석탄이 지니는 열과 빛의 내포적 의미는 눈과 겨울이라는 정지적 의미를 역동적으로 변화시킴으로써 겨울의 비극적 상황인식을 황홀한 아름다움으로 초극시키는 계기를 마련해 준다고도 할 수 있습니다. 이 시에 스토브, 불꽃, 연통, 불씨 등의 이미져리가 등장하여 생의 열기 또는 생명력의 분출을 유발하는 것은 이 점에서 자연스런 일이겠지요. 따라서 숲과 새의 이미져리가 등장하는 것도 당연할 겁니다. 숲은 석탄의 원초적 질료이지만, 동시에 그곳은 눈이 내리는 하강의 공간이자 새가 날아오르는 상승의 터전이기 때문이지요. 이 점에서 이 시는 하강과 상승, 소멸과 생성이라는 자연 법칙을 통해서 인생과 세계의 순환질서를 아름답고 힘있게 투시해 겨울出發을 노래한 겨울 서정시의 한 전범이라고 할 수 있지 않겠습니까?

# 유정

1922년 함북 경성 출생. 일본 상지대 수학. 인하대 강사. 시집으로
『사랑과 미움의 시』등.

**램프의 詩**

날마다 켜지던 창에
오늘도
램프와 네 얼굴은 켜지지 않고
어둑한 황혼이 제 집인 양 들어와 앉았다.
피라도 보고 온 듯 선득선득한 느낌
램프를
그 따뜻한 것을 켜자.
얼어서 친 등피여 호호 입김이 愁心되어
갈앉으면
석웃내 서린 골짜구니
뽀얀 안개 속
홀로 울고 가는
가냘픈 네 뒷모습이 아른거린다.
전쟁이 너를 데리고 갔다 한다.
내가 갈 수 없는 가물가물한 길은 어디냐.
안개와 같이
끝내 뒷모습인 채 사라지는 내 그리운 것아.

# 어둠과 빛의 긴장력

　겨울이 깊고 깊어서 이젠 거의 그 끄트머리쯤에 도달한 듯싶습니다. "겨울이 오면 봄도 머지 않으리"(If Winter comes, can Spring be far behind)라던 쉘리의 「西風賦」(Ode to the West Wind)가 새삼 생각납니다. 그러고 보면 시인이란 일종의 예언자적 지성의 면모를 지니고 있는게 아닐까 합니다. 실상 일제 강점하의 어둠 속에서 「님의 沈默」을 노래하던 萬海나 "千古의 뒤에 白馬 타고 오는 超人"을 노래하던 陸史, 그리고 "나의 별에도 봄이 오면"을 기다리던 尹東柱, 그리고 「해」의 夕山이나 「푸른 하늘을」의 金洙暎에 이르기까지 시인은 해 저문 벌판에서 그 무언가를 애타게 찾고 기다리는 예언자적 지성 또는 구도와 순례자로서의 한 모습을 지닌다고 할 겁니다.

　왜 갑자기 2월에 이르러 겨울이 더욱 깊고 막막한 느낌이 드는지 모르겠습니다. 아마도 지난 겨울을 지내오면서 주변에 가깝게 지내던 분들께서 세상을 떠나신 분들이 많았기 때문이나 아닐까 합니다. 태어나는 건 차례가 있어도 가는 것은 차례가 없다고 하더니, 참으로 허전하고 막막하기 짝이 없습니다.

　이제 지상에선 만나 뵐 수 없는 그분들, 떠나가신 많은 분들이 이 겨울의 끄트머리에서 유난히 떠오르고 그리워지는 건 무슨 까닭인지요. 어쩌면 겨울이 동면과 죽음의 계절이기 때문이 아닐런지요. 그러나 이제 머지않아 새봄이 다가올 건 분명하고, 또한 이 겨울에 가신 분들이 새 풀꽃으로, 새 생명으로 되살아나실 게 분명합니다. 이럴 즈음에 제게 문득 그리워지는 시 한편이 바로 이 「램프의 시」입니다. 이 시에는 "않고/ 선득선득한/ 얼어서 찬/ 울고 가는/ 가냘픈/ 가물가물한/ 갈 수 없는"등과 같이 비관적인 현실인식이 애처롭게 드러나 있습니다. 6·25로 인한 전후의 폐허 속에서 느낄 수밖에 없었던 상실감과 허무감, 그리고 삶의 적막감과 비애감이 내면에 흐르고 있는 것이지요. "황혼/ 피/ 석웃내/ 전쟁"을 배경으로 "홀로 울고 가는/ 가냘픈 네 뒷 모습이 아른거린다/ 전쟁이 너를 데리고 갔다 한다"처럼 깊은 허망감과 쓸쓸함을 우리에게 던져주는 것입니다. 그러기에 "램프를/ 그 따뜻한 것을 켜자"라고 하여, 밝은 것, 따뜻한 것을 그리워하게 되는 것이지요. 하기야 민족적 애상과 울분으로 유랑민의 정서를 노래하던 시인 이용악의 다정한 후배로서 함북 경성에서 지내다가 월남한 실향민으로서 시인 자신께서 겪고 느낀 고통과 비애가 깊고 깊은 것도 그분으로 하여금 더욱 따뜻하고 밝은 불빛을 갈망하게 한 이유가 되기도 할 겁니다.

이 어둔 겨울의 끝을 통과하면서 떠나가신 많은 분들, 그리고 지난 날 다정하던 柳모선생님이 새삼 그리워지는 것은 무슨 연유인지요. 새봄에는 부디 어느 하늘 아래 사시더라도 더욱 건강하시고, 좋은 시 쓰시기를 기원합니다.

# 박정만

1946년 전북 정읍 출생. 경희대 국문과 졸업. 1968년 서울신문으로
데뷔. 현대문학상 수상. 1988년 작고. 시집으로 『잠자는 돌』, 『무지개
가 되기까지는』 등 다수.

## 오지 않는 꿈

초롱의 불빛도 제풀에 잦아들고
어둠이 처마 밑에 제물로 깃을 치는 밤,
머언 산 뻐꾹새 울음 속을 달려와
누군가 자꾸 내 이름을 부르고 있다.

문을 열고 내어다보면
천지는 아득한 흰 눈발로 가리워지고
보이는 건 흰눈이 흰눈으로 소리없이 오는 소리 뿐
한 마장 거리의 기원사(祈願寺)가는 길도
산허리 중간쯤에서 빈 하늘을 감고 있다.

허공의 저 너머엔 무엇이 있는가.
행복한 사람들은 모두 다 풀뿌리같이
저마다 더 깊은 잠에 곯아떨어지고
나는 꿈마저 오지 않는 폭설에 갇혀

빈 산이 우는 소리를 저흘로 듣고 있다

아마도 삶이 그러하리라.
은밀한 꿈들이 순금의 등불을 켜고
어느 쓸쓸한 벌판길을 지날 때마다
그것이 비록 빈 들에 놓여 상할지라도
내 육신의 허물과 부스러기와 청춘의 저 푸른 때가
어찌 그리 따뜻하고 눈물겹지 않았더냐.

사랑이여,
그대 아직도 저승까지 가려면 멀었는가.
제 아무리 밤이 깊어도 잠은 오지 아니하고
제 아무리 잠이 깊어도 꿈은 아니 오는 밤,
그칠 새 없이 내리는 눈발은
부칠 곳 없는 한 사람의 꿈없는 꿈을 덮노라.


## 죽음과 시인

바람 한 점 없는데 온 세상의 풀꽃들이 일제히 시들어 버렸구나. 朴正萬! 그대 또한 저와 같아서 적막한 그대의 한 생애가 가을 들풀처럼 저물어 버렸구나. 바로 그 얼마 전만 해도 그대 생애 처음이자 마지막이 되어 버린 시화전을 하며 "살인적으로 행복하다"던 그대, "한세상 살다보니 병도 그만 홑적삼 같다"고 조그맣게 행복해하던 그대가 그토록 쉽게 무너져 갔구나. 正萬아! 사람의 운명이란 것이, 그것이 서로 엇갈린다는 것이 정녕 백지 한 장 차이라더니, 그게 바로 이런 것이구나.

시인 朴正萬! 그대 이름은 우리에게 저 무모하기만 하던 60년대 후반의 낮고 우울한 그 겨울을 생각나게 한다네. 4·19와 5·16의 뒤끝에서 어둔 기류가 안개처럼 이 땅을 뒤덮고 있던 우리의 文靑시절, 무너져 가던 명동「은성」이나 무교동 낡은 골목 주점을 허기져 기웃거리던 저 목마름 속에서. 함께 시를 논하고 인생을 다투던 그 때 우리의 그 유치함과 맹목의 순수함이 새삼 생각 난다네. 그대는 옛 모습 그대로 남루한 입성과 어렴풋한 취기로 순수 하나만을 그냥 더불고 살아가고 있더니만 이렇게 그대 먼저 인가의 불빛 하나 없을 저 차운 바람 속 저승의 어둔 모퉁길을 홀로 걸어가고 있을 것인가. 저 고통스런 70년대와 참혹하기만 하던 80년대의 뒤안길, 헐벗은 가로 어느 골목길에서 홀로 절망과 허무라는 天刑의 病苦를 통음하면서, 모든 허욕을 떨쳐버리고 한올 한올 절망의 실로 처절하게 시의 피륙을 짜내면서 시인의 자존심과 시의 위의를 지켜 나아가려던 그대 朴正萬! "이마를 짚어다오/ 산허리에 걸린 꽃 같은 무지개의/ 술에 젖으며/ 잠자는 돌처럼/ 나도 눕고 싶구나/ 가시풀 지천으로 흐드러진 이승의/ 단근질 세월에 두 눈이 멀고/ 뿌리 없는 어금니로 어둠을 짚어 가는/ 마을마다 떠다니는 슬픈 귀동냥"이라는 그대 싯구 하나가 끝내 아픔 화살이 되어 우리 심장에 날카롭게 박혀오는구나.

과연 그 무엇이 그대를 그토록 아득한 절망에 이르게 하였고, 마침내 저 죽음의 세계로 치닫게 하였던가? 아마도 그것은 무엇보다도 천성이 자유인이었던 그대 성격 탓이 클 것이려니와 직접적으로는 저 참혹했던 80년대 초의 어이없는 횡액과 뒤이은 방황 때문이 아닐는지, 그 무자비한 군사정권의 폭력과 온갖 상업주의가 판치는 이 불모의 연대에 그대는 인간적인 자존심과 시인의 양심을 지켜보려다가 처참하게 좌초해 간 것이 아닐까 말일세. 그러기에 자네의 시구에는 온통 시퍼런 허무와 한의 칼날이 섬뜩섬뜩 빛나고 있었던게 아니었겠나? 우리 뜻있는 사람들이 모두 아끼고 사랑하던 그대 詩人 朴正萬! 그대 깊고 깊은 잠의 머리맡에 끝없이 떠돌고 있는 초록별 하나 보이고, 그 곁에 살아서 그리도 고단하던 목숨 하나가 비로소 편안히 놓이는구나. 그래 이승에서의 그대 삶이 얼마나 고달프고 힘겨웠길래 그대는 "그리운 저 무덤"을 생각하면서 죽음과 그리도 가까워지려 했었는가? 그대만큼 죽음을 따뜻하게 감싸 안으면서, 처절하게 허무를 전신으로 끌어안고 싸워간 진짜 시인들이 우리 시사에 과연 몇 사람이나 있었던가? 이제 이미 죽음을 그대 속에 통과시킨 그대, 죽음보다 강한 그대가 어찌 무엇을 더 두려워하랴. "침잠하는 돌 속에 산이 잠기고/ 산자락에 엎드린 수정무지개/ 잘 있거라 눈부신 잠의 木棺 위에서/ 생은 다만 玉 같은 어둠의 浮標였으니"라고 자넨 노래하지 않았던가. 어쩌면 그대는 素月보다 깊은 한과, 말라르메보다도 더 그윽한 허무를 간직하고 있지는 않았는지. 새삼 아프고 안타까울 뿐이네.

부디 편안히 잠들거라. 우주 저편으로 아스라이 사라져 간 그대 朴正萬! 우리 모두 아끼던 자유인, 천부적인 서정시인 朴正萬! 지금쯤 그대 죽어 홀로 걸어가고 있을 저승길 모롱이 천지 가득 오늘처럼 함박눈 나리여 이승에서 그토록 고단했던 그대 목숨 하나 포근하게 위무해 주려니.

"사랑이여, 보아라/ 꽃초롱 하나가 불을 밝힌다/ 꽃초롱 하나로 천리 밖까지/ 너와 나의 사랑을 모두 밝히고/ 해질녘엔 저무는 강가에 와 닿는다/ 저녁 어스름내리는 서쪽으로/ 流水와 같이 흘러가는 별이 보인다/ 우리도 별을 하나 얻어서/ 꽃초롱 불밝히듯 눈을 밝힐까/ 눈 밝히고 가다가다 밤이 와/ 우리가 마지막 어둠이 되면/ 바람도 풀도 땅에 눕고/ 사랑아, 그러면 저 초롱을 누가 끄리"라고 노래하던 「작은 戀歌」가 문득 아프게 되살아오네.

그대 부디 이승에서 못다한 사랑, 그곳에서 꽃피워 보시게. 그리고 시의 별로 떠올라 우리 어둔 지상의 삶을 비춰 주게. 이제 마른 눈물로 간구하노니, 그대 고혼의 명복을 빌 따름이로다.

# 박남철

1955년 경북 영일 출생. 경희대 국문과 동대학원 졸업. 1979년 문학과 지성으로 데뷔. 시집으로 『지상의 인간』 등 다수.

## 겨울강

겨울강에 나아가
허옇게 얼어붙은 강물 위에
돌 하나를 던져 본다
쩡 쩡 쩡 쩡 쩡

강물은
쩡, 쩡, 쩡,
돌을 튕기며, 쩡,
지가 무슨 바닥이나 된다는 듯이
쩡, 쩡, 쩡, 쩡, 쩡

강물은, 쩡,

언젠가는 녹아 흐를 것들이, 쩡
봄이 오면 녹아 흐를 것들이, 쩡, 쩡,
아예 되기도 전에 다 녹아 흘러버릴 것들이

쩡, 쩡, 쩡, 쩡, 쩡

겨울 강가에 나아가
허옇게 얼어붙은 강물 위에
얼어붙은 눈물을 핥으며
수도 없이 돌들을 던져 본다
이 추운 계절 다 지나서야 비로소 제
바닥에 닿을 돌들을,
쩡 쩡 쩡 쩡 쩡 쩡 쩡

## 겨울강, 그 절망과 극복의지

　삼동에 문득 겨울 강가에 나아가 봅니다. 그러면 꽁꽁 얼어붙은 강물의 빙판이 천년의 슬픔처럼 두껍고 싸늘하게 펼쳐져 있습니다. 그리고는 지난 날 이육사가 "섣달에도 보름께 달밝은 밤/ 앞 내ㅅ강 쨍쨍 얼어 조이던 밤에/ 내가 부르던 노래는 江 건너 갔소"라던 시 「江 건너 간 노래」가 떠오르기도 합니다. 그러면서 또한 생각난 게 바로 박남철 시인의 「겨울강」이었습니다. 박 시인은 주지하다시피 80년대에 중요한 흐름을 이룬 이른바 해체시의 선두주자의 한 사람입니다. 그는 시집 『地上의 人間』, 『반시대적 고찰』에 이르기까지 의욕적으로 해체의 시법을 밀고 나옴으로써 자기의 개성을 뚜렷하게 부각시킨 80년대의 중요시인의 한 사람인 것이지요. 해체시란 과연 무엇입니까? 쉽게 대답하기 어려운 질문이지만, 그것은 대체로 기성의 정신 또는 기존의 시법으로부터 자유로워지고자 하는 문학적 몸부림을 드러낸 일종의 정신의 해방운동 또는 자유시 운동이라고 할 수 있을 겁니다. 이것은 온몸으로 현실에 뛰어드는 실천적인 현실참여 대신에 기존의 관습이나 언어파괴, 이미지 해체 또는 이데올로기의 부정을 통해서 시적 자유를 실천하려는 문학적 안간힘이라고도 하겠지요.

서구에선 쟈끄 데리다나 크리스테바 또는 라깡이나 푸코 등에 의해 보편화된 하나의 문예사조라고도 하겠습니다. 우리시의 해체시 운동은 서구의 그것과 일치하는 것이 아니겠지만, 그 광범위한 영향을 받은 것이 아마도 사실일 겁니다. 박남철 시인은 바로 이러한 해체시를 지속적으로 창작해 온 사람인 것이지요.

시 「겨울강」은 그의 다른 시에 비해 해체의 정도가 그리 심한 경우는 아닙니다. 그렇지만 여기에도 그러한 흔적이 엿보이는 게 사실이지요. 바로 "쩡, 쩡, 쩡, 쩡, 쩡"이라는 파찰음을 파격적·반복적으로 사용한 것 자체가 기존 시의 관습으로부터 벗어나 크게 자유로워진 것이라고 할 수 있기 때문입니다. 이 시의 핵심은 바로 두꺼운 얼음이 상징하는 자아와 세계와의 단절감 또는 쩡쩡쩡 소리가 상징하는 불안의식과 강박관념에 놓여진다고 할 수 있습니다. 이 시뿐만 아니라 그의 많은 시에는 바로 이러한 단절감과 소외감이 지속적으로 작용하고 있는 것으로 판단되기 때문입니다. 아무도 없는 겨울강에 나아가 얼음판에 돌을 던지는 행위, "허옇게 얼어붙은 강물 위에/ 얼어붙은 눈물을 핥으며/ 수도 없이 돌을 던져 본다"라는 구절이 감동을 불러일으키는 까닭도 사실은 절망으로부터 일어나려는 눈물겨운 자기극복의 노력과 안간힘이 진실미를 내포하고 있기 때문인 것이지요.

90년대엔 이 시인의 삶과 시가 겨울강과 같은 절망감으로부터 새봄을 맞이해서 더욱 힘차고 밝은 생명력으로 충만할 것을 기대해 봅니다.

# 안도현

1961년 경북 예천 출생. 원광대 국문과 졸업. 1984년 동아일보 신춘문예로 등단. 시집 『서울로 가는 전봉준』, 『모닥불』

## 2월

진눈깨비 속에서 졸업식이다
붉고 큰 꽃다발 가슴으로 슬프고 기쁜 기념사진을 찍는다
식구들과 한 판 벗들과도 한 판 그리고 독사진도 한 판
발등에서 머리끝까지 밀가루 하얗게 뒤집어 쓰고
눈발처럼 키득거리는 놈도 있다 평소에 밥 먹듯이 매맞던 녀석이다
그래도 장차 시대구분할 임자는
이 흥청대는 아이들 중에 있다
내 눈에는 이 튼튼한 장정들의 아침의 나라가 보인다

## 봄편지

점심시간 후 5교시는 선생 하기 싫을 때가 있습니다. 숙직실이나 양호실에 누워 끝도 없이 잠들고 싶은 마음일 때, 아이들이 누굽니까, 어린 조국입니다. 참꽃같이 맑은 잇몸으로 기다리는 우리 아이들이 철 덜 든 나를 꽃피웁니다.

## 졸업, 또는 새로운 출발

2월이 되니 바야흐로 여기저기서 졸업식이 펼쳐지고 있습니다. 간간이 진눈깨비도 내리고, 을씨년스런 바람이 휘몰아쳐 가는가 하면, 햇빛이 반짝 산등성이 너머로 눈부시기도 합니다. 그러고 보면 "2월이야말로 겨울이 조금씩 녹아내리면서 겨우내 얼어붙기만 했던 대지가 조용히 잠을 깨기 시작하는 환절기가 아닌가 싶군요. 실상 우리 속담에 "이월 바람에 검은 쇠뿔이 오그라진다"든지 "이월 보리 還上갔다 얼어 죽는다"라는 말이 있듯이 2월은 추위가 풀리면서 봄의 숨결이 문득문득 느껴지기도 하는 전환의 절기인 것입니다. 겨울이 끝나면서 새봄이 움트기 시작하는 것이지요. 그러기에 2월에 졸업식이 치루어지는 건 나름대로 의미가 있다고 할 수 있지 않을까요. 바로 하나가 끝나면서 동시에 새로운 출발이 시작되는 것이니 말입니다. 서양말로도, 졸업이란 말 그대로 "학업을 마치다"라는 뜻의 graduation과 함께 "새로 시작한다"는 뜻의 commencement가 함께 쓰이지 않습니까?

안도현 시인의 시 「2월」에는, 이러한 졸업식과 2월의 모습이 자연스럽게 연결되면서 졸업생들에 대한 애틋한 소망이 밝고 건강하게 표출되어 있어 관심을 끕니다. 먼저 진눈깨비와 졸업식 광경의 이미지는 썩 잘 어울리는 듯싶습니다. 진눈깨비의 이미지는 "발등에서 머리끝까지 밀가루 하얗게 뒤집어쓰고/ 눈발처럼 키득거리는 놈/ 평소에 밥 먹듯이 매맞던 녀석"과 암유적인 상관성을 지니고 있기 때문입니다. 그러기에 "붉고 큰 꽃다발 가슴으로 슬프고 기쁜 기념사진을 찍는다"에서처럼 "슬프고 기쁜"이라는 모순어법을 유발하게 되는 것이지요. "슬프고 기쁜"이란 바로 끝남과 시작, 낙망과 희망, 어둠과 밝음이 교차하는 생의 근원적인 모습을 예리하게 투시해 낸 것에 해당할 겁니다. 그것은 어쩌면 "외로운 황홀한 심사"의 芝溶이나 "찬란한 슬픔"같은 永郎의 정서와도 맞닿아 있는 것이겠지요. 특히 "식구들과 한 판 벗들과도 한

판 독사진도 한 판"이라는 구절속에는 어울려 사는 삶과 홀로 사는 삶의 두 대조적인 모습이 함께 음각돼 있는 듯도 싶어 흥미롭습니다. 하기야 이 시인은 연전에 출세작 「서울로 가는 全琫準」을 통해서 역사의식과 예술의식의 탄력 있는 조화를 지향하고 있음을 보여 준 바도 있고 보면, 이러한 인식이 새삼스러울 게 없겠지요. 무엇보다도 이 시는 "내 눈에는 이 튼튼한 장정들의 아침의 나라가 보인다"로 마무리됨으로써, 어둠 속에서 빛을, 낙망 속에서 희망을 발견하려는 치열한 안간힘을 보여 주고 있습니다. 이점에서 이 시인의 건강한 시정신과 함께 앞으로 이 시인의 정진이 기대된다고 하겠습니다. 모쪼록 새봄엔 "참꽃같이 맑은 잇몸"으로 새 출발하는 이 땅의 수많은 학생들, 젊은이들, 젊은 시인들께 건강과 평화가 가득하시길 기원합니다.

# 3월
# 새 봄, 童心과 순결한 사랑

# 정지용

1903년 충북 옥천 출생. 일본 동지사대학 졸업. 『문장』지 추천위원. 이화여전 교수 역임. 『정지용시집』, 『백록담』, 『지용시선』등 다수. 6·26때 납북.

### 春雪

문 열자 선뜻!
먼 산이 이마에 차라.

雨水節들어
바로 초하로 아츰,

새삼스레 눈이 덮힌 뫼뿌리와
서늘옵고 빛난 이마받이하다.

얼음 금가고 바람 새로 따르거니
흰 옷걸음 절로 향기롭어라.

웅숭거리고 살어난 양이
아마 꿈같기에 설워라.

미나리 파릇한 새 순 돋고
옴짓 아니 기던 고기입이 오믈거리는

꽃 피기 전 철아닌 눈에
핫옷 벗고 도로 칩고 싶어라.

## 꽃샘 눈바람과 생명감각

어느 먼 산에 殘雪이 녹아내리고 梅花꽃 벙글어 봄이 성큼성큼 다가오고 있습니다. 하기야 진즉에 대동강물도 풀리기 시작한다는 雨水가 지나고 경칩도 지났으니, 이제 곧 녹음방초 피어나는 새 봄의 잔치가 온 천지에 펼쳐지겠지요. 그렇지만 三月에 접어들어서도 여전히 바람의 끝자락이 맵고 차운 날이 많군요. 이른바 春來不似春이라고 하나요. 꽃샘바람 거센 걸 보니 올해도 꽃이 요란하고 봄이 그지없이 화사해질 모양입니다. 바로 이 즈음처럼 겨울과 봄이 서로 밀고 당기는 환절기를 참으로 절묘하게 표현한 시가 한 편 있지요. 芝溶의 시「春雪」이 바로 그것입니다. 실상 분단 이래 남에서도 북에서도 실종되어 오랜 동안 어둠의 겨울 속에 놓여 있다가 근년에 들어 봄을 맞이하기 시작한 지용 자신이고 보니, 새삼「春雪」의 상징적인 의미가 느껴질 수밖에요.

시「春雪」은 제목부터가 다소의 아이러니를 내포하고 있지요. 봄에 내리는 눈이란 애초에 철 아닌 철에 내리는 눈이기에 얼마간은 모순이 느껴지면서도 의외로 신선한 느낌을 함께 던져줍니다. 봄 속의 겨울 이야기라고나 할까. 물러가기 아쉬워하는 겨울이기에 봄이 오는 길목에서 새삼 차가운 눈을 뿌려 보며 앙탈을 부린다고나 할까요. 그러기에 새 봄은 더욱 신선한지도 모릅니다. "서늘옵고 빛난 이마받이하다"나 "얼음 금가고 바람 새로 따르거니"라는 구절에는 그러한 새 봄의 신선한 기운이 생동하고 있다고 하겠지요. 특히 "웅숭거리고 살어난/ 미나리 파룻한 새 순 돋고/ 옴짓아니 기던 고기입이 오믈거리고"라는 구절 속에는 모진 겨울의 추위와 바람을 이겨내고 새롭게 태어나는 생명의 약동이 담겨 있다고 알 겁니다. 실상 "서늘옵고 빛난"이나 "흰 옷고름 절로 향기로워라"와 같이 촉각과 시각 또는 시각과 후각이 함께 어울리는 공감각적 심상결합도 새 생명, 새 기운 생성이 유발하는 청정함을 반영한 것이라고 하겠습니다. 그러기에 "웅숭거리고 살어난 양이/ 마치 꿈같기에 설워라"라고 하는 구절처럼 생명의 환희와 함께 슬픔이 교차하는 것이지요. 따라서 "꽃피기전 철아닌 눈에/ 핫옷 벗고 도로 칩고 싶어라"와 같이 모순과 역설의 정감이 새로이 배태되어 마음이 설레이게 될 수밖에 없지요.

그리고 보면 이 시는 꽃샘 눈바람 속에서 새 봄의 기운이 되살아나는 모습을 차가우면서도 빛나는 계절 합금(合金)의 이미지로 형상화하여 생명감각을 싱싱하게 일깨워 주고 있는 봄 시편의 가작이라고 하겠습니다.

# 조병화

1921년 경기 안성 출생. 도쿄고등사범학교 졸업. 경희대 교수·인하대 대학원장 역임. 예술원 정회원. 시집으로『버리고 싶은 유산』(1949)을 비롯하여『남남』,『안개 속에서』,『나귀의 눈물』등 30여권 및『조병화 시전집』등 다수.

### 해마다 봄이 되면

해마다 봄이 되면
어린 시절 어머님의 말씀
항상 봄처럼 부지런해라
땅 속에서 땅 위에서
공중에서
생명을 만드는 쉬임 없는 작업
지금 내가 어린 벗에게 다시 하는 말이
항상 봄처럼 부지런해라

해마다 봄이 되면
어린 시절 어머님의 말씀
항상 봄처럼 꿈을 지녀라
보이는 곳에서 보이지 않는 곳에서
생명을 생명답게 키우는 꿈

지금 내가 어린 벗에게 다시 하는 말이
항상 봄처럼 꿈을 지녀라

오, 해마다 봄이 되면
어린 시절 어머님의 말씀
항상 봄처럼 새로워라
나뭇가지에서, 물 위에서, 뚝에서
솟는 대지의 눈
지금 내가 어린 벗에게 다시 하는 말이
항상 봄처럼 새로워라.

## 동심과 역사의식

겨울 햇살이 차츰 따뜻해지고 차운 바람 또한 한결 부드러워진 듯싶습니다. 그래서 그런지 창 밖에 어린 아이들이 재잘거리는 소리가 마치 푸른 하늘에 참새떼 지저귀는 소리처럼 투명하게 울려옵니다. 봄이 오는 소식은 어쩌면 어린 아이들에게 제일 먼저 기별이 오는 것인지도 모릅니다. 양지녘에 조금씩 머리를 내밀고 세상을 몰래 엿보는 새 풀잎들처럼 어린이들의 눈과 귀가 맑게 트여오나 봅니다. 그래서 "연못가에 새로 핀/ 버들잎을 따서요/ 우표 한 장 붙여서/ 강남으로 보내면/ 작년에 간 제비가/ 푸른 편지 보고요/ 조선 봄이 그리워/ 다시 찾아옵니다" (서덕출 「봄편지」) 와 같이 봄을 노래한 시로서 동시가 유독 많은 게 아니겠습니까. 봄의 정경은 바로 매일 매일 새로워지는 어린이의 심성과 매우 닮아 있다는 뜻이 될 것입니다.

봄 소식이 창 밖에 들려올 즈음이면 으레 생각나는 시가 몇 편 있습니다. 특히 편운 조병화 선생의 「해마다 봄이 되면」이 그 중의 하나입니다. 이 시의 내용은 비교적 단순하다고 하겠습니다. 그것은 "봄처럼 부지런해라/ 봄처럼 꿈을 지녀라/ 봄처럼 새로워라"처럼 어느 면 평범하면서도 건강한 메시지를 담고 있는 것이지요. 봄에 환기하는 정서가 각각 "부지런해야 함·꿈을 지녀야 함·새로워져야 함"이라는 윤리적 당위성을 지니며 제시된다는 말씀입니다. 봄은 "생명을 만드는 쉬임 없는 작업"처럼 생명탄생과 창조의 계절이며, "생명을 생명답게 키우는 꿈"으로서 희망과 동경의 시작이고, 아울러 "항상 봄처럼 새로워라"처럼 생명력이 솟구쳐 오르는 소생과 부활의 계절이기 때문입니다. 그러고 보면 이 시는 세대간의 유대의식 속에 탄생과 부활, 창조와 신생을 향한 새 출발의 의지와 갈망을 담고 있는 것이 분명합니다.

그러기에 이 시가 지닌 보다 중요한 의미는 역사의식의 한 표현에서 찾아볼 수 있을 것입니다. 그것은 어머님의 말씀에서 내가 깨달은 봄의 교훈이 "내가 어린 벗에게 다시 하는 말"과 같이 "나"를 통해서 다시 "어린이"로서 새로운 세대로 전해짐으로써 역사적인 생명력을 새롭게 획득해 가는 과정을 뜻한다고 하겠습니다. 지나간 과거의 잘·잘못을 따지고 현실을 비판하여 적극적으로 올바른 역사의 방향성을 모색해 가는 비판적·능동적인 역사의식이라고 하기보다는 과거와 미래를 이어주는 다리로서 현재를 정확하게 인식하고 미래를 슬기롭게 예감하는 그러한 따뜻하면서도 소박한 의미의 창조적 역사의식을 담고 있다는 말씀입니다. 이 점에서 이 시는 "지금 어드메쯤/ 아침을 몰고 오는 분이 계시옵니다/ 아침을 몰고 오는 어린 분이 계시옵니다/ 그 분을 위하여/ 묵은 의자를 비워드리겠어요/ 먼 옛날 어느 분이/ 내게 물려주듯이// 지금 어드메쯤/ 아침을 몰고 오는 어린 분이 계시옵니다/ 그 분을 위하여/ 묵은 의자를 비워드리겠습니다"라는 시인의 시「椅子」를 떠올리게 합니다.

시간 속에서 태어나 시간 위를 살다가 언젠가는 시간 밖으로 사라져가고 마는 인간의 시간적 존재론이라고 할까요, 아니면 세대교체의 숙명성으로서 역사의식을 잘 형상화했다고 할 수 있기 때문입니다. 사회·역사와 맞서 싸우며 외치는 우렁찬 저항의 목소리라기보다는 삶과 시간을 끌어안고 그 속에서 인생을 따뜻이 긍정하는 運命愛의 모습을 담고 있다는 말씀입니다.

실상 조병화 시의 미덕은 바로 이처럼 인생이라는 크고 어려운 주제를 평이한 어법과 솔직한 목소리로 형상화함으로써 친근감을 불러일으킨다고 할 수 있지 않을런지요. 때로 지나치게 솔직하고 소박한 것이 단순성을 초래하여 오히려 시의 격을 떨어뜨리는 경우도 간혹 없지는 않지만 말입니다. 적어도 1949년에 등단 한 이래 40년 이상을 오로지 詩의 외길을 걸어오면서 30여 권의 시집을 펴낸 그 성실성과 진실지향성만으로도 편운 선생의 시사적 위치는 분명해진다고 하겠지요. 이제 古稀를 넘긴 선생의 앞날이 더욱 밝고 건강하시길 기원하는 마음입니다.

# 오규원

1941년 경남 삼랑진 출생. 동아대 법과 졸업. 현재 서울예전 교수. 연암문학상 수상. 시집으로『순례』,『이 땅에 쓰여지는 서정시』등 다수.

### 한 잎의 여자

나는 한 여자를 사랑했네. 물푸레나무 한 잎같이 쬐그만 여자, 그 한잎의 여자를 사랑했네. 물푸레나무 그 한 잎의 솜털, 그 한 잎의 맑음, 그 한잎의 영혼, 그 한 잎의 눈, 그리고 바람이 불면 보일 듯 보일 듯한 그 한 잎의 순결과 자유를 사랑했네

정말로 나는 한 여자를 사랑했네. 여자만을 가진 여자, 여자 아닌 것은 아무 것도 안 가진 여자, 여자 아니면 아무 것도 아닌 여자, 눈물 같은 여자, 슬픔 같은 여자, 병신 같은 여자, 詩集같은 여자, 그러나 누구나 영원히 가질 수 없는 여자, 그래서 불행한 여자
그러나 영원히 나 혼자 가지는 여자, 물푸레나무 그림자 같은 슬픈 여자.

## 봄사랑, 그 순결과 자유

봄이 오니 온 산천 가득히 풀꽃들이 아지랑이처럼 새실대며 피어오르고 있

습니다. 사람들은 여기저기 집단장을 하면서 밝고 가볍게 새 옷을 차려입고 봄의 신선한 미각을 찾아나서기도 합니다. 그야 말로 온 동네마다 봄소동이 요란하게 벌어지고 있다고나 할까요. 특히 여성들은 젊은 분이나 연세 드신 분이나 그 누구 할 것 없이 하루하루 어딘가 몰라보게 달라지는 듯 싶습니다. 그러니 "화냥기처럼/ 설레는/ 봄, 봄날이다// 종다리는 까무라치게/ 자꾸/ 울어쌓고/ 산마다/ 피가 끓어/ 꽃들 피는데// 아, 나는 사랑도 말도 못하는/ 벙어리 사내// 봄 밤/ 꿈에서만/ 너를 끌어안고 죄를 짓느니……"라는 이수익의 시 「봄날에」가 문득 떠오르는 것도 자연스런 이치겠지요.

봄이 오면 제게 청신하게 다가오는 시가 한 편 있습니다. 오규원의 시 「한 잎의 여자」가 바로 그것이지요. 이 시는 사랑의 순결한 영혼, 또는 자유로운 정신의 가벼움을 느끼게 해주기 때문입니다. 「한 잎의 여자」라는 제목이 우선 그렇지요. 봄이 되어 더욱 가볍고 투명해지는 몸과 마음, 그리고 영혼을 갖고 싶다는 소망을 담고 있는 것입니다. 그것은 눈부시거나 화려한 꽃의 모습도 아니고 또한 우람한 거목의 모습도 아닙니다. 오직 "물푸레나무 한 잎같이 쬐그만 여자"일 뿐이지요. 그러기에 이 시에는 微視的인 상상력이 작용하게 됩니다. 그 물푸레나무 한 잎 속에서 솜털과 눈을 발견하고, 맑음과 가벼움의 영혼을 느끼게 되는 것이지요. 그러한 솜털같이 가벼운 영혼, 그지없이 맑은 눈에서 시인은 새삼 무엇을 깨닫고 갈망하게 될까요? 그것은 사랑의 순결과 정신의 자유가 아니겠습니까? 단지 순결함과 자유로움만으로 더욱 빛나는 사랑을 갈망하는 뜻이 담겨 있다는 말씀이지요. 둘째 연에서 이 사랑은 삶의 본래 모습과 서로 등가를 이루고 있는 듯싶습니다. "눈물 같은 여자, 슬픔 같은 여자, 병신 같은 여자, 詩集 같은 여자, 불행한 여자"라는 구절 속에는 환희와 눈물, 사랑과 미움, 추와 미, 욕망과 절제, 감성과 이성 등 사랑의 온갖 모순 요소들이 아름답고 섬세한 삶의 무늬결로 아로새겨져 있다는 말씀이지요. 실상 이러한 모순되는 사랑과 삶의 속성에 대한 깨달음 속에는 비관적인 생의 인식이 스며들어 있는 게 분명합니다. 아울러 시구의 단순성 속에 섬세하면서도 예리하고, 슬프면서도 따뜻한 사랑의 눈길이 담겨 있는 것도 사실이라고 할 겁니다. 물푸레나무 한 잎이라는 단순하고 소박한 비유를 통해서 순결한 사랑의 영혼과 자유로운 정신을 갖고자 하는 갈망을 노래하고 있다는 말씀이지요.

실상 오규원의 시들은 이처럼 가벼운 영혼 또는 자유로운 정신을 추구하는 데 그 본령이 놓여져 있는 듯 싶습니다. 그의 시에 지속적으로 사용되고 있는 "뒤집어 보기" 또는 "낯설게 하기"의 방법이나 모순어법 또는 역설의 시정신도 사실은 이러한 자유 지향성을 반영한다고 할 수 있기 때문입니다. 아울러 다양한 은유의 밀도 있는 사용이나 미시적 상상력의 구사도 "새롭게 보기"로서 자유의 정신을 구현하는 효과적인 방법이라고 할 수 있을 겁니다. "봄은 자유다. 자 봐라, 꽃 피고 싶은 놈 꽃피고, 잎 달고 싶은 놈 잎 달고, 반짝이고 싶은 놈 반짝이고, 아지랑이고 싶은 놈 아지랑이가 되었다. 봄이 자유가 아니라면 꽃 히는 지옥이라고 하자. 그래 봄은 지옥이다. 이름이 지옥이하고 해서 필 꽃이 안 피고, 반짝일 게 안 반짝이던가. 내 말이 옳으면 자, 자유다 마음대로 하여라 (오규원 「봄」)"라고 하는 한 시에서 보듯이 "봄=자유=지옥"이라는 자유분방한 은유적 표현과 의미의 뒤틀음을 통해서 봄의 형상과 본질의 한 모습을 새롭게 바라보고 있는 것입니다. 새롭게 보기란 과연 무엇인가요? 그것은 기왕의 관습이나 고정된 인식의 틀을 깨고 낯설음을 통해 새로움과 자유로움에 도달하고자 하는 안간힘이며 창조의 정신을 의미한다고 할 수 있지 않겠습니까.

그러고 보면 오규원의 시정신이란 결국 새로움으로서의 창조정신 또는 가벼움으로서의 자유정신을 그 핵심으로 하고 있음을 확인할 수 있습니다. 「한 잎의 여자」의 경우도 장미꽃 같은 여자, 백합꽃 같은 여자, 찔레꽃 같은 여자, 난초 같은 여자 등 흔하디 흔한 비유를 넘어서서 물푸레나무 한 잎 같은 여자를 새롭게 발견함으로써 가볍고 순결한 영혼의 사랑, 자유로운 정신의 삶에 도달하고자 하는 꿈을 담고 있다고 하겠습니다. 이 새 봄에는 그렇게 가벼운 영혼, 순결한 정신으로 다시금 사랑의 마음을 가다듬어 보아야 하지 않을까 생각합니다.

# 4월

# 4 · 19 또는 진행형 혁명

# 박두진

1916년 경기 안성 출생. 1939년『문장』지로 데뷔. 연세대 교수 역임.
『청록집』,『해』,『거미와 성좌』,『수석열전』,『박두진시전집』등 다수.

### 우리들의 깃발을 내린 것이 아니다

우리는 아직도
우리들의 깃발을 내린 것이 아니다.
이 붉은 선혈로 나부끼는
우리들의 깃발을 내릴 수가 없다.

우리는 아직도
우리들의 절규를 멈춘 것이 아니다.
그렇다. 그 피불로 외쳐뿜는
우리들의 피외침을 멈출 수가 없다.

불길이여! 우리들의 대열이여!
그 피에 젖은 주검을 밟고 넘는
불의 노도, 불의 태풍, 혁명에의 전진이여!
우리들 아직도
스스로는 못 막는
우리들의 피대열을 흩을 수가 없다.

혁명에의 전진을 멈출 수가 없다.

민족, 내가 살던 조국이여.
우리들의 젊음들.
불이여! 피여!
그 오오래 우리에게 썩어내린
악으로 불순으로 죄악으로 숨어내린

그 면면한
우리들의 속의 썩은 것을 씻쳐내는,
그 면면한
우리들의 핏줄 속에 맑은 것을 솟쳐내는,
아, 피를 피로 씻고,

불을 불로 사뤄,
젊음이여! 정한 피여! 새 세대여!

너희들 이미 일어선게 아니냐?
분노한게 아니냐?
내달린게 아니냐?
절규한게 아니냐?
피흘린게 아니냐?
죽어간게 아니냐?

아, 그 뿌리어진

임리한 붉은 피는 곱디고운 피꽃잎,
피꽃은 강을 이뤄,
강물이 갈앉으면 하늘 푸르름,
혼령들은 강산 위에 햇볕살로 따수어,

아름다운 강산에, 아름다운 나라를
아름다운 나라에, 아름다운 겨레를,
아름다운 겨레에, 아름다운 삶을
위해,
우리들이 이루려는 민주공화국
절대공화국

철저한 민주정체,
철저한 사상의 자유,
철저한 경제균등,
철저한 인간평등의,
우리들의 목표는 조국의 승리,
우리들의 목표는 지상에서의 승리,
우리들의 목표는
정의, 인도, 자유, 평등, 인간애의 승리인,
인민들의 승리인,
우리들의 혁명을 전취할 때까지,

우리는 아직
우리들의 피깃발을 내릴 수가 없다.
우리들의 피외침을 멈출 수가 없다.
우리들의 피불길,
우리들의 전진을 멈출 수가 없다.

혁명이여!

## 4·19 또는 진행형 혁명

존경하는 혜산 선생님, 해마다 4월이 오고, 4·19를 맞이하면 제게는 언제나 선생님의 시 「우리들의 깃발을 내린 것이 아니다」가 생각나곤 합니다. 그것은 이 시가 4·19 당시의 모습과 상황을 노래하는 가운데 4·19의 혁명적 이념과 성격을 가장 구체적으로 형상화하고 있다고 생각되기 때문입니다. 물론 4·19 현장시라고 하면 「오빠와 언니들은 왜 총에 맞았나요」라든가 신동문의 「아! 神話같은 다비데群들」이 생각나기도 하고, 또 「진달래도 피면 무엇하리」라는 박봉우 시인의 시가 떠오르기도 합니다만, 지난날 제가 중학 1학년에 갓 입학하여 온 산에 들에 진달래 붉게 피어 있고, 들풀 싱싱하고 푸르게 돋아 오르기 시작하던 그 무렵의 4·19가 오늘도 선연히 살아나고 있음은 과연 무슨 연유인지요. 아마도 창밖의 교정에서 학생들이 온몸으로 외쳐대는 함성 때문인지도 모릅니다. 지난 30년 동안에 이 땅에서 거듭되어 온 정치적 소용돌이와 시행착오에 제가 시달릴대로 시달려서 이제 온몸과 마음이 지쳐있기 때문인지도 모르지요. 오늘도 봄하늘은 높푸르기만 하건만 제 마음은 어둡기 짝이 없습니다.

그렇습니다! 선생님께서 이 시에서 일찍이 예언하신 대로 4·19혁명은 그 당시의 일과성 혁명운동으로 그칠 수 없었고, 또 그쳐서도 안 되는 미완성 혁명이자 진행형 혁명이었습니다. 그야말로 "우리들의 피깃발을 내릴 수가 없다/ 우리들의 피외침을 멈출 수가 없다/ 우리들의 전진을 멈출 수가 없다"라는 구절에서 볼 수 있듯이 당시는 물론 앞으로도 이 땅에서 지속적으로 추구해 나아가야 할 당위적 이념이고 역사적 목표이기 때문입니다.

선생님! 4·19의 근본이념은 과연 무엇입니까? 아마도 그것은 선생님의 말씀대로 이 땅에 "철저한 민주정체/ 철저한 사상의 자유/ 철저한 경제균등/ 철저한 인간평등"을 실현하려는 전민족적, 전민중적 인간해방운동이 아닐까 합니다. 다시 말해서 "정의, 인도, 자유, 평등, 인간애"를 실천하기 위해 싸운 이 땅 온 민중의 반독재, 반봉건, 반인권에 대한 저항이며 투쟁이 아니었겠습니까? 그러기에 저희들은 이 시에서 선생님의 실천적인 지성의 면모와 함께 예언적인 지성의 높고 깊은 향훈을 읽을 수 있는 것일 겁니다.

아마도 그것은 선생님께서 일제강점하의 어둠 속에서 "해야 솟아라. 말갛게 씻은 고운 얼굴 고운 해야 솟아라. 산너머 산너머서 어둠을 살라먹고, 산너머서 밤새도록 어둠을 살라먹고, 이글이글 애띤 얼굴 고운 해야, 솟아라"라고 노래하시던 「해」의 세계와 맞닿아 있는 것이라고 생각합니다. 그 일제당점하의 혹독한 추위와 어둠 속에서 민족의 독립과 인간의 해방을 갈망하고 예감하던 탁월한 예언자적 지성이 제 어둔 마음속을 환하게 비춰오는 것입니다. 아마도 이러한 실천적인 노호와 예언적인 지성의 원천은 선생님께서 한평생 추구해 오신 신앙의 힘, 즉 기독교적인 역사의식에서 비롯된 것이 아닐런지요. 아울러 행동하는 지성이면서도 행동과 예술의 길을 깊이 있게 분별해 오신 투철한 예술의식에서 연원한 것이라고 생각합니다. 그러기에 이 수년래 선생님께서 탐구해 오신 수석열전의 세계가 바로 선생님의 자연관과 예술관, 인생관과 신앙관이 함께 어우러져서 그윽한 통일과 화해를 이루고 있는 것이 아니겠습니까? 다시 말씀드려서 세속사와 예술사, 그리고 신성사가 서로 화합하여 선생님의 여러 시편에서 아름답고 그윽한 말씀의 무늬결을 이루고 있다고 할 수 있다는 뜻이지요. 연전에 펴내신 신앙시선집 「가시면류관」도 바로 그 한 예가 되겠지요.

선생님! 연구실 창 밖에 울려오는 저 자유를 갈망하는 푸르청청한 함성들은 언제나 그 노호와 절규를 멈추게 될런지요. 모르면 몰라도 이 땅에 분단의 아픔이 가시고 통일이 찾아오기까지, 아니 그 이후에도 오랜 동안 끊임없이 울려올 것이라고 생각됩니다만, 그러기에 선생님께선 또 일찍이 「우리들의 8·15를 4·19에 살자」라는 시를 쓰신 적도 있으셨지 않습니까? 앞으로도 우리들은 우리들의 깃발을 그 얼마 동안이나 더 치켜들고 있어야만 하겠습니까?

선생님! 몇 년 전 뵈었던 인천 송도의 바다풍경이 문득 되살아납니다. 선생님의 해맑은 안경알에 하얗게 날아오르던 흰구름과 갈매기떼의 힘찬 날개짓이 새삼 그리워집니다. 그것은 아마도 자유의 하늘을 향해 비상하던 그날 4·19 푸른 넋들의, 은빛 날개의 모습은 아니었는가 싶습니다.

선생님! 온 천지에 진달래 붉게 피어오를 즈음에 한 번 찾아뵈옵겠습니다.

# 김수영

1921년 서울 출생. 연희대학 수학. 1949년 사화집 「새로운 도시와 시민들의 합창」으로 데뷔. 제1회 한국시협상 수상. 1968년 작고. 시집 으로 『달나라의 장난』, 『김수영시전집』 등.

## 푸른 하늘을

푸른 하늘을 제압하는
노고지리가 자유로왔다고
부러워하던
어느 시인의 말은 수정되어야 한다

자유를 위해서
비상하여 본 일이 있는
사람이면 알지
노고지리가
무엇을 보고
노래하는가를
어째서 자유에는
피의 냄새가 섞여 있는가를
혁명은
왜 고독한 것인가를

혁명은
왜 고독해야 하는 것인가를

## 왜 자유에는 피의 냄새가 섞여 있는가

시인이나 작가가 문학적인 변신을 하는 경우가 많이 있습니다. 사회적 충격에 의한 것일 수도 있고, 개인적 상황변화나 의식의 전환에 말미암을 수도 있겠지요. 그 중 한 분이 바로 金洙暎 시인이라고 할 겁니다. 사화집 「새로운 도시와 시민들의 합창」등 모더니즘 취향의 시를 주로 써오던 그에게 4·19는 하나의 "혁명"으로 다가온 것입니다. 4·19직후인 1960년 6월 15일 작품인 이 「푸른하늘」에는 김 시인의 이러한 혁명적 인식의 전환이 발견되어 주목을 환기 합니다.

4·19란 무엇입니까? 4·19가 광복 이후 이 땅에서 역사전개의 주체가 누구이며, 정치가 "누구를 위한, 누구에 의한, 누구의 정치"이어야 하는가에 대한 근본적인 질문이고, 그 응답이라는 것은 자명한 것일 겁니다. 그러기에 4·19는 반독재 민주와 운동이며, 반봉건 인간해방 운동이고, 반외세 민족자주화를 위한 거족적인 민중혁명의 성격을 지닌다고 하겠지요. 다만 4·19혁명은 뒤이은 5·16군사정변으로 인해 그 이념이 일시 위축되었다는 점에서 미완성 혁명으로서의 성격을 지닌다고 하겠지요. 그러나 오늘에도 그러한 4·19혁명의 기본 이념과 성격은 면면히 이어져 가고 있으며, 또 이어져 가야할 민족사적 당위성을 지니고 있기에 진행형 혁명 또는 형성형 혁명이라고 부를 수도 있을 것입니다.

바로 이 4·19혁명이 이 시의 모티브이자 한 주제라고 하겠습니다. 세 연으로 짜여진 이 시는 먼저 첫 연에서 시의 근본을 이루는 서정성의 문제를 제기하면서 기왕의 서정시에 비판을 던지고 있습니다. 말하자면 보리밭 위를 날으는 노고지리나 읊어서 음풍영월하던 기존 시들의 풍경화적인 서정성을 배격하고, 서정이 현실적인 삶 또는 역사적 삶에 뿌리내려야만 한다는 점을 강조한 것이지요. 그러기에 두 번째 연에서 자유와 혁명의 문제를 제기하게 됩니다. 삶의 본질로서의 자유는 시인의 노고지리 예찬이나 풍류적 서정으로 안이하게 얻어질 수 있는 게 아니지요. 여기에서 노고지리는 피흘리는 새, 즉 자유를 쟁취하기 위해 싸우는 모습으로 변모해 있지 않습니까? 참된 자유란 "자유를 위해서/ 비상하여 본 일이 있는/ 사람이면 알지/ 어째서 자유에는/ 피의 냄새가 섞여 있는가를"처럼 피나는 투쟁과 노력을 통해서만이 비로소 획득할 수 있는 능동적·실천적 개념인 것입니다. 여기에 "혁명"이 등장하는 필연성이 놓여지는 것이지요. 혁명이란 세계의 모순과 허위와 맞서 싸우는 투쟁이며, 부정정신과 비판정신을 통해서 역사를 변혁시키려는 창조적인 힘의 분출이라고 할 수 있을 겁니다. 그러므로 인간의 생명적 요소인 자유를 얻고 확보하기 위한 피나는 싸움의 과정이야말로 4·19가 혁명이 아니고 그 무엇이 겠는가를 말해 줍니다. 자유를 쟁취하기 위한 투쟁으로서의 혁명이란 실상 이땅에서 인간이 인간답게 살기 위한 피어린 싸움의 역사 그 자체를 의미한다고 할겁니다. 실상 인류사의 전개과정에서 사람이 태어나면서부터 천부적으로 지니고 나온 인간다운 삶의 권리로서의 자유와 평등을 실현하기 위해서 싸우다가 희생된 고귀한 인명이 그 얼마나 많습니까? 따라서 자유를 얻기 위한 투쟁, 인간의 참다운 권리와 존엄성을 확보하기 위한 노력으로서의 혁명이란 고독의 문제와 연결될 수밖에 없을 겁니다. 마지막 셋째 연이 그것이지요. 집단행동으로서 끊임없이 피와 눈물을 필요로 하는 자유를 얻기 위한 투쟁 혹은 혁명은 필연적으로 개인의 희생을 요구하게 되고, 그에 따른 아픔과 좌절이 뒤따르게 마련인 것이지요. 그래서 마지막 두 행 "혁명은/ 왜 고독해야 하는 것인가를"이라는 결구가 나타나는 것입니다.

혁명은 개인과 집단, 집단과 집단, 역사와 현실, 이념과 실재, 보수와 진보

사이의 괴리 속에서 충돌을 유발할 수밖에 없으며, 이 과정에서 단독자로서의 개인의 무력감과 허망감 그리고 고독을 절감하게 될 게 분명한 것이지요. 따라서 혁명이 고독한 것이고 고독해야 한다는 것은 바로 자유와 자유를 얻기 위한 투쟁 그 자체가 고독한 것이며, 고독한 것일 수밖에 없다는 자유의 본질에 대한 소중한 깨달음을 제시한 것으로 보입니다. 사실 어떤 뜻있는 일에 앞장선다든지 무엇을 창조해 낸다는 등 선구적인 일을 하기 위해서는 그 얼마나 많은 고통과 인내, 그리고 고독의 순간들이 필요한가 하는 것을 우리는 역사를 통해서 익히 잘 알고 있는 게 아닙니까. 혁명이 의로운 일이고, 인류사를 변혁시켜 나아가려는 뜻깊고 획기적인 일임에 비추어 그것이 얼마나 큰 희생과 고독을 필요로 하는가는 불문가지의 일일 겁니다. 그러기에 자유와 그것을 얻기 위한 혁명은 구속과 해방, 열정과 고독이라고 하는 양면성을 포괄할 수밖에 없는 것이겠지요. 바로 이런 점들이 이 시가 당시의 흥분한 많은 상황시들과 달리 이념적인 깊이 또는 철학적인 깨들음을 확보함으로써 시로서 성공할 수 있는 원동력이 됐다고 하겠습니다.

이「푸른 하늘을」은 실천성과 예술성의 조화를 성취함으로써 60년대 이후 이 땅 서정시의 올바른 한 방향성을 확실하게, 또 깊이 있게 제시했다는 점에서 큰 의미를 지닌다고 할 것입니다.

# 신동엽

1930년 충남 부여 출생. 단국대 사학과 졸업. 1959년 조선일보로 데뷔. 시집으로 『아사녀』, 『신동엽시전집』 등이 있음. 1969년 작고.

## 껍데기는 가라

껍데기는 가라.
四月도 알맹이만 남고
껍데기는 가라.

껍데기는 가라
東學年 곰나루의, 그 아우성만 살고
껍데기는 가라.

그리하여, 다시
껍데기는 가라.
이곳에선, 두 가슴과 그곳까지 내논
아사달 아사녀가
中立의 초례청 앞에 서서
부끄럼 빛나며
맞절할지니

껍데기는 가라.
漢挐에서 白頭까지
향그러운 흙가슴만 남고
그, 모오든 쇠붙이는 가라.

## 분단극복과 흙가슴의 의지

해마다 온 산천에 수천수만 진달래 붉게 피어오를 즈음이면 생각나는 시의 하나가 바로 이 「껍데기는 가라」라고 할 것입니다. 그만큼 이 시는 우리 겨레의 가슴마다에 뜨거운 외침을 던져주기 때문이지요. 1967년 시인의 나이 38세에 발표된 이 시는 일반적으로 참여시가 지니기 쉬운 관념적 허구성과 도식성 또는 감상성과 경직성을 상당 수준 극복하고 있다고 하겠습니다. 우선 이 시는 제목에서부터 「껍데기는 가라」처럼 명령법을 사용하여 정신의 힘을 느끼게 만들어 줍니다. 아울러 무려 일곱 번이나 거듭되는 "가라"의 반복은 서정시가 지니기 쉬운 나약함이나 왜소성을 결연히 제거하고 분출하는 남성적인 생명력과 대결정신을 뜨겁게 감지하게 해 줍니다. 또한 그것은 막연한 반발이나 맹목적인 비판을 위한 비판으로써가 아니라 불의로서 껍데기에 대한 정의로서 알맹이를 요구한다는 점에서 한껏 구체성을 지닌다고 하겠지요.

이 시에서 알맹이란 무엇입니까? 또한 진정한 4·19정신이란 무엇입니까? 그것은 대체로 세가지의 큰 범주를 지닌다고 하겠습니다. 그 하나는 동학정신과 연결되는 것으로서 반봉건 인간정신 해방 또는 반외세 민족해방정신이라 할 것입니다. 이 땅의 모든 사람들이 사람답게 살 수 있는 사회, 민중의 역사전개의 주체로서 살아 갈 수 있는 사회를 향해 나아가자는 힘찬 외침인 것이지요.

둘째는 "한라에서 백두까지"가 상징하듯이 분단극복의 의지이며 민족통일의 염원이라 할 겁니다. 이 시에 백제·신라로 나뉘어 끝내 결합을 이루지 못하고 비련에 죽은 아사달과 아사녀를 등장시킨 것도 이러한 분단의 비극으로서 민족사적 비극을 상징화한 것이라고 하겠지요. 그러한 분단의 아픔을 이겨내고 민족의 통일을 이루고자 하는 이 시대의 안타까운 열망을 담고 있는 것입니다. 그가 중립의 방법론을 제시한 것은 그 분 특유의 민족주의가 하나의 역사적 전망을 획득한 것이라고도 할 겁니다.

세 번째는 이 시가 참된 민주사회의 건설 또는 인문주의를 지향한다는 것입니다. 분단 상황의 극복 또는 진정한 통일이란 무엇보다도 먼저 이 땅에 진정한 민주화를 실현하는 데서 비롯되며 그것은 인문주의 또는 인본주의에 기반 해야 한다는 점이 강조된 것이지요. "향그러운 흙가슴만 남고/ 그, 모오든 쇠붙이는 가라"라는 구절 속에는 온갖 전쟁과 피흘림 속에서 전개되어 온 이 땅의 비극적 역사에 대한 통탄과 함께 분단시대를 지배해 온 군사정권에 대한 강력한 저항 정신을 담고 있다고 할 것입니다. "향그러운 흙가슴"으로서의 인본주의와 생명사상 그리고 대지사상이야말로 이 시가 구체적인 리얼리티와 서정적 예술성을 함께 확보할 수 있게 해주는 원천이 되는 것이지요. 이렇게 보면 이 시는 신동엽의 실천적 지성과 예언자적 지성, 그리고 탄력 있는 예술의식을 함께 엿볼 수 있게 하는 4·19시의 대표적인 시로서 이 땅 참여시의 한 꽃을 이룬다고 할 것입니다.

비록 불우 속에서 40세를 일기로 시인은 갔지만, 그가 선구한 분단시대의 현실인식에 바탕을 둔 확고한 역사의식과 민족의식, 민중의식은 이 땅의 어려운 역사 속에서 오래도록 빛과 향기를 더해갈 것이 분명합니다.

# 5월

## 사랑, 그 갈등과 화해

# 이형기

1933년 경남 진주 출생. 동국대 불교과 졸업. 1950년 「문예」로 데뷔. 한국시협상 등 수상다수. 현재 동국대 국문과 교수. 시집으로 『적막강산』, 『심야의 일기예보』 등 다수.

## 落花(낙화)

가야 할 때가 언제인가를
분명히 알고 가는 이의
뒷모습은 얼마나 아름다운가.
봄 한철
격정을 인내한
나의 사랑은 지고 있다.

분분한 낙화……
결별이 이룩하는 축복에 싸여
지금은 가야할 때

무성한 녹음과 그리고
머지않아 열매맺는
가을을 향하여
나의 청춘은 꽃답게 죽는다.

헤어지자
섬세한 손을 흔들며
하롱하롱 꽃잎이 지는 어느 날
나의 사랑, 나의 결별
샘터에 물 고인 듯 성숙하는
내 영혼의 슬픈 눈.

## 사라져가는 것들의 아름다움을 위하여

온 천지에 꽃보라가 흩날리고 있습니다. 어느새 잔인한 달 4월이 가고, 계절의 여왕 5월이 다가왔습니다. 꽃이 지는 모습을 보노라면 그 떨어져 누운 꽃잎이 언젠가는 지상 위에서 가야 할 저 자신의 모습을 예감하게 하는듯하여 왠지 애잔한 마음이 듭니다. 이럴 때 시「落花」를 읽으면 마음이 투명하게 가라앉고 편안해져옵니다. 이 시는 꽃이 지는 모습을 서정적으로 묘사하는 가운데, 이것을 인간사에 있어서 이별의 미학, 죽음의 시학으로 아름답게 승화시키고 있는 것으로 받아들여지기 때문일 것입니다. "분분한 낙화/ 열매맺는 가을을 향하여/ 나의 청춘은 꽃답게 죽는다/ 꽃잎이 지는 어느 날"등과 같은 구절 속에는 낙화의 애상적인 모습이 제시되어 있는 것이지요. 그렇지만 이러한 낙화의 정경은 꽃잎의 비극적인 모습, 즉 자연의 현상 그 자체에만 머물지 않고 인생사와 연결됨으로써 깊이를 더하게 되는 듯합니다. 그것은 바로 이별의 모습, 즉 죽음과 사라짐의 모습이라고 하겠지요. 식물에 있어서 꽃이 지는 것과 사람에 있어서 사랑하는 사람과 헤어지는 모습 또는 죽음의 이미지는 너무나도 흡사하기 때문이지요. 거기에는 상실의 슬픔과 죽음의 아픔이 따르기 마련일 겁니다. 그렇지만 이 시에서는 그러한 슬픔과 아픔을 뛰어넘는 극기의 아름다움이 제시되어 우리에게 은은한 감동을 심어주고 있습니다. "가야 할 때가 언제인가를/ 분명히 알고 가는 이의/ 뒷모습은 얼마나 아름다운가/ 봄 한철/ 격정을 인내한/ 나의 사랑은 지고 있다"라는 구절이 그것입니다. 이 구절에는 삶의 온갖 결별이 던져 주는 슬픔이나 아픔을 딛고 돌아서는, 쓸쓸함의 아름다움 또는 외로움의 비장함이 서려 있는 듯합니다. 깨끗하게 살며 사랑하다가 아름답게 헤어진다는 일은 고통스럽고 힘든 일이지만, 그것은 오히려 더 큰 사랑을 위한 눈물겨운 헌신일 수 있기에 비애미와 숭고미를 지니게 되는 것입니다.

한편 이 시는 여기에서 한 걸음 더 나아가 인간의 탄생과 죽음이라고 하는 보다 근원적인 존재론의 문제로 상승됨으로써 철학적인 깊이를 획득하게 된 것으로 이해됩니다. 인간도 꽃이나 사랑과 마찬가지로 이 세상에 태어나서 스스로의 목숨을 꽃피우며 살아가다가 언젠가는 지상 위에서 사라져 가야만 하는 죽음의 존재, 운명의 존재가 아니겠습니까? 꽃이 지는 모습은 사랑에서의 이별과, 인생에서의 죽음을 표상하는 것이라는 말씀이지요. 꽃이 지는 모습이 사랑에서의 이별로, 인생에서의 죽음의 문제로 전이·상승되면서 운명에 대한 슬프면서도 아름다운 긍정을 마련하게 된 데 이 시의 참뜻이 있다고 할 수 있겠지요. 무엇보다도 헤어지는 모습을 자기극복과 절제의 미덕으로 아름답게 승화시킨 것이 이 시에서 가장 돋보이는 점이라 할 겁니다. 흔히, 피어나는 꽃에 비해 떨어져 가는 꽃잎이 얼마나 초라하며, 헤어지는 사람들의 모습이 때로 얼마나 추해 보이기 쉽습니까? 그렇지만 이 시에선 "가야 할 때가 언제인가를/ 분명하게 알고 가는 이의/ 뒷모습은 얼마나 아름다운가"처럼 추한 것을 아름다운 것으로, 슬픈 것을 기쁜 것으로, 미운 것을 축복하는 마음으로 바꿈으로써, 만남의 의미, 사랑의 가치를 오히려 아름답고 용기있게 고양시키고 있는 것이지요.

그런 점에서 이 시는 "나 보기가 역겨워/ 가실 때에는/ 말없이 고이 보내드리우리다// 寧邊에 藥山/ 진달래꽃/ 아름따다 가실 길에 뿌리우리다// 가시는 걸음걸음/ 놓인 그 꽃을/ 사뿐히 즈려밟고 가시옵소서// 나 보기가 역겨워/ 가실 때에는/ 죽어도 아니 눈물 흘리우리다"라고 하는 素月의 애달픈 시심과 연결된다고 할 겁니다. 아니면 이 시는 "꽃은 떨어지는 향기가 아름답습니다/ 해는 지는 빛이 곱습니다/ 노래는 목마친 가락이 묘합니다/ 님은 떠날 때의 얼골이 더욱 어여쁩니다"라고 노래한 萬海의 시 「떠날 때의 님의 얼골」의 마음, 「님의 沈默」의 시정신과 맥이 닿아 있다고 할 수도 있겠지요. 그만큼 우리 시의 전통에 기대고 있으면서도 개성적인 표현을 획득한 데서 이 시의 절묘함이 드러난다고 할 겁니다.

이렇게 본다면 시 「落花」는 꽃이 떨어지는 모습을 통해서 사랑의 원리와 삶의 법칙을 한국적인 소멸의 아름다움 또는 이별의 미학으로 형상화한 작품이 아닐까 합니다. 꽃이 피어나고 떨어져 가는 생명의 원리를 사랑에서의 만남과 헤어짐의 원리로 파악하고, 다시 이것을 태어나고 죽는 인생의 원리, 생성하고 소멸하는 삼라만상의 원리로 심화시켜 갈 수 있다는 점에서 이 시의 존재론적인 깊이와 그 아름다움이 드러나는 것이겠지요. 싱그럽게 무성해가는 신록 사이로 분분히 흩날리는 낙화, 헤어지자고 섬세한 손길을 흔들며, 하롱하롱 떨어져 가는 봄날의 꽃잎들을 보면서 다시 한 번 우리 자신과 주변의 모습을 맑게 투시해 보면 어떠시겠습니까?

# 유치환

1908년 경남 충무 출생. 연희전문 졸업. 1931년 『문예월간』으로 데뷔. 서울시문화상 등 수상. 한국시협회장 등 역임. 1967년 작고. 시집으로 『청마시초』, 『생명의 서』, 『울릉도』 등 다수.

## 행 복

사랑하는 것은
사랑을 받느니보다 행복하나니라.
오늘도 나는
에메랄드빛 하늘이 환히 내다뵈는 우체국 창문 앞에 와서 너에게
편지를 쓴다.

행길을 향한 문으로 숱한 사람들이 제가기 한 가지씩 생각에 족한
얼굴로 와선
총총히 우표를 삭 전보지를 받고 먼 고향으로 또는 그리운
사람께로 슬프고 즐겁고 다정한 사연들을 보내나니,

세상의 고달픈 바람결에 시달리고 나부끼어
더욱더 의지삼고 피어 헝클어진 인정의 꽃밭에서
나와 나의 애틋한 연분도
한 방울 연연한 진홍빛 양귀비꽃인지도 모른다.

사랑하는 것은
사랑을 받느니보다 행복하나니라.
오늘도 나는 너에게 편지를 쓰나니
그리운 이여, 그러면 안녕!

설령 이것이 이 세상 마지막 인사가 될지라도
사랑하였으므로 나는 진정 행복하였네라.

그리움

파도야 어쩌란 말이냐.
파도야 어쩌란 말이냐.
임은 뭍같이 까딱않는데

파도야 어쩌란 말이냐.
날 어쩌란 말이냐.

## 그리움, 파도야 어쩌란 말이냐

　온 세상에 신록의 꽃잔치가 화려하게 펼쳐지고 있습니다. 그리운이여, 그 누가 오월을 "계절의 여왕/ 오월의 푸른 여신"이라고 노래했던가요. 이제는 눈부시게 라일락 향기 흩날리는 가운데 야외에서 있은 혼례식엘 다녀왔지요. 그리고 저녁에는 어두운 마음으로 다시 상가집에 조문을 다녀왔습니다. 그야 말로 김영태 시인의 시집 제목처럼 「결혼식과 장례식」이 화사한 봄날에 함께 있었던 것이지요. 이게 바로 생명의 본 모습이며 삶의 실상이 아닐까요. 그래 서 永郞시인은 인생을 "찬란한 슬픔의 봄"이라고 노래한 게 아니었겠습니까? 그러고 보니 새삼 제 자신이 지상위에 살아있음이랄까 생명의 소중함과 고마 움에 대한 감각이 제 가슴에 꽃물처럼 은은한 감동으로 번져나는 걸 느낍니다. 그러곤 문득 오랜 동안 잊고 있던 그대에 대한 그리움이 라일락 향기처럼, 아지랑이처럼 아련하게 피어오르는 것이 아니었겠습니까? 그래선지 지난 젊은 날 그리도 설레고 안타까운 마음으로 써 보던 戀書며, 그 끝없는 갈증, 그리고 기다림의 순간들이 생각났고, 급기야는 靑馬의 사랑 시편들이 떠올랐던 것이지요.

확실히 청마의 시에는 끝없는 갈망으로서 사랑의 마음이 하나의 원형질로 자리하고 있는 것 같습니다. 그의 첫 시집인 「靑馬詩抄」에서부터 "바람 센 오늘은 더욱 너 그리워/ 진종일 헛되이 나의 마음은/ 공중의 旗人발처럼 울고만 있나니/ 오오 너는 어디메 꽃같이 숨었느뇨" (「그리움」)과 같이 그리움의 가장 중요한 모티브가 되고 있기 때문입니다. 청마가 실상 그의 수많은 시편에서 애련과 비애를 이겨내고자 치열하게 노력한 것도 이처럼 사랑의 정감에 어쩔 수 없이 함몰되어 가는 자신을 지탱하기 위한 안간힘 또는 반작용이 아니었을런지요. 그만큼 사랑과 그 속성으로서의 그리움 및 애달픔은 청마 시에서 중요한 모티브이자 테마로서 작용하고 있다고 할 겁니다. 인용시 「행복」이나 「그리움」이 그 한 예가 되겠지요. 먼저 「행복」은 편지글 형식으로 연정을 고백하고, 그리움 또는 사랑이 인생의 행복이자 근원적인 의미라는 점을 강조하고 있습니다. 사랑은 세상살이의 온갖 고달픔과 애달픔을 위무해 주고 지친 영혼을 구원해 주는 근원적인 힘이면서 보람이 된다는 깨달음을 담고 있는 것이지요. 사랑은 "연련한 진홍빛 양귀비꽃"으로서 무미건조한 일상에 생의 충동과 약동을 불러일으키는 촉매가 된다는 점을 암시한 것이기도 하구요. 무엇보다도 이 시가 "사랑하는 것은/ 사랑을 받느니보다 행복하나니라"라는 잠언적인 구절을 통해서 사랑의 본 뜻이 주는 것, 베푸는 것에 참뜻이 있음을 강조한 것이 소중하게 생각됩니다. 사랑은 무슨 대가만을 바라거나 타산만으로 이루어지는 게 아니지요. 사랑이라는 서양어원이 Amor, 즉 "죽음에 대한 항거"라는 의미를 지니고 있듯이 사랑은 살아 있음의 증거가 되며 인간답게 살고자 하는 몸부림을 뜻한다고 할 겁니다.

　그러기에 사랑은 순결함이 전제돼야만 하고 사랑 자체가 목적일 수 있으며, 그 과정 속에 소중함이 놓여진다고 할 수 있겠지요. 실상 시「그리움」은 그러한 사랑의 본성이 선명하게 묘사 돼 있지요. 여기에는 사랑의 한 속성으로서 그리움과 괴로움이 격렬하게 표출 돼 있는 것이지요. 파도가 지니는 속성은 물의 끊임없는 파동성이며 굽이치는 부드러움이라 할 겁니다. 그것은 물의 이미지 및 바다의 상징성이 잘 연관돼 있는 듯싶습니다. 물은 그것이 지닌 액체성, 유동성, 결합력, 생성력, 포용력 등으로 인해서 흔히 사랑의 원형적 표상으로 사용됩니다. 특히 파도는 그 간단없는 파동성과 반복성으로 인해 사랑의 지속과 변화를 일깨워주는 촉매가 되는 것이지요. 파도의 일어남과 스러짐, 밀려옴과 밀려감의 끝없는 반복은 바로 욕망과 절제, 그리움과 미워함, 정염과 허무, 감성과 이성의 지속적인 파동으로 이루어지는 사랑의 모습과 크게 다를 바 없기 때문입니다. "파도야 어쩐란 말이냐/ 날 어쩐란 말이냐"라는 결구 속에는 이러한 사랑의 안타까움, 그리움, 열패감, 애달픔, 절망감 등이 복합적으로 표출되어 있다고 할 것입니다. 그리고 보면 이 시는 어느 면에서 플라토닉한 연정을 노래하는 가운데 다소의 사춘기적인 감상과 치기도 담고 있다고 할 것입니다.

　이즈음처럼 상투적인 연애, 부패한 사랑이 판치는 시대에 청마의 이러한 플라토닉한 사랑의 시는 단순히 소녀적 감성의 발현이 아니라 순결한 사랑을 지향하는 생명의 약동을 담고 있다는 데서 그 의미가 놓여진다고 하겠지요. 하롱하롱 떨어져 가는 꽃잎 사이로 지난 날 헤어질 때 그리도 애처롭고 청초하게 빛나던 그대의 그리운 모습을 떠올려 봅니다.

# 최영철

1956년 경남 창영 출생. 1986년 한국일보 신춘문예 당선 데뷔. 시집 『아직도 쭈그리고 있다』

## 연장론

우리가 잠시라도 두드리지 않으면
불안한 그대들의 모서리와 모서리는 삐걱거리며 어긋난다,
우리가 세상 어딘가에 녹슬고 있을 때
분분한 의견으로 그대들은 갈라서고
벌어진 틈새로 굳은 만남은 빠져 나간다
우리가 잠시라도 깨어 있지 않으면
그 누가 일어나 두드릴 것인가
무시로 상심하는 그대들을 아프게 다짐해 줄 것인가

그러나 더불어 나아갈 수 없다면
어쩌랴 아지 못할 근원으로 한쪽이 시들고
오늘의 완강한 지탱을 위하여 결별하여야 할 때
팽팽한 먹줄 당겨 가늠해 본다
톱날이 지나가는 연장선 위에
천진하게 엎드려 숨죽인 그대들 중
남아야 할 것과 잘려져 혼자 누울 것은

무슨 잣대로 겨누어 분별해야 하는가를

또다시 헤어지고 만날 것을 뻔히 알면서
단호한 못질로 쾅쾅 그리움을 결박할 수는 없다.
언제라도 피곤한 몸 느슨히 풀어 다리 뻗을 수 있게
一字나 十字로 따로 떨어져
스스로 바라보는 내일이 있기를
수없이 죄였다가 또 헤쳐 놓을 때
그때마다 제각기로 앉아 있는 그대들을 바라보며

몽키 스패너의 아름다운 이름으로
바이스 프라이어의 꽉 다문 입술로
오밀조밀하게 도사린 내부를 더듬으며
세상은 반드시 만나야 할 곳에서 만나
제나름으로 굳게 맞물려 돌고 있음을 본다
그대들이 힘 빠져 비척거릴 때
낡고 녹슬어 부질없을 때
우리의 건장한 팔뚝으로 다스리지 않으면
누가 달려와 쓰다듬을 것인가
상심한 가슴 잠시라도 두드리고
절단하고 헤쳐 놓지 않으면
누가 나아와 부단한 오늘을 일으켜 세울 것인가

## 조화와 협동의 사상

　1986년 한국일보 신춘문에 당선작인 이 작품은 가끔 복잡한 현대 속을 살아가고 있는 우리에게 인간관계의 의미를 생각해 보게 해 준다고 하겠습니다. 먼저 이 시는 「연장론」이라는 제목부터가 좀 특이하다고 할텐데요, 서정시에 대패, 못, 망치, 몽키 스패너, 바이스 프라이어 등과 같은 연장들이 등장하는 게 색다른 것이지요. 이 모든 연장들은 각기 생김새도 다를 뿐 아니라, 쓰임새 또한 차이가 나는 것들입니다. 그러고 보면 이 연장들의 모습은 마치 우리 인간들이 각기 나름대로의 고유한 생김새와 개성, 그리고 기능과 역할을 수행하면서 이 세상을 살아가고 있는 사실과 서로 대응된다고 할 수 있지 않을까요. 이 점에서 우리는 이 시의 제목인「연장론」에 담긴 뜻과 그 내용을 짐작할 수 있는 것이지요. 이 시는 표면상 연장들의 생김새와 쓰임새를 말하는 듯하지만, 사실은 우리 인간들의 모습을 연장에 비유해서 사람들이 사회 속에서 함께 살아가는 모습을 이야기하려고 한다는 점을 말입니다.

이 시에서 힘주어 강조하고자 하는 것은 이러한 각양의 연장들이 우리의 삶에 모두 필요하다는 사실을 통해서 인간과 인간 사이에 있어서도 화해와 협동을 이루어 가야만 한다는 사실이라고 하겠습니다. 각개의 연장들이 서로 제 기능을 다하면서 서로 함께 어울려야만 어떤 작업이든 원만하게 이루어질 수 있듯이, 인간관계가 형성되고, 나아가서 사람다운 삶을 이끌어 갈 수 있는 정의로운 사회가 구현 될 수 있는 것이기 때문이지요.

오늘날 현실의 세계상은 과연 어떠합니까? 개인과 개인, 개인과 집단, 집단과 집단, 지역과 지역, 인종과 인종, 국가와 국가 등은 서로 "삐걱거리며/ 어긋나고/ 갈라서고/ 빠져 나가고/ 녹슬고 있는"모습이라고 할 수 있지 않겠습니까? 그래서 우리들의 삶은 날이 갈수록 더욱 고단하고 힘들어지는 것이겠지요. 바로 여기에서 이 시의 의미가 드러나는 것입니다. 이 시에는 오늘날과 같이 서로 단절되고 불신이 깊어만 가는 시대에 있어서 서로 화해하고 협동함으로써 바람직한 삶의 길로 나아가고자 하는 조화의 사상, 평화의 철학이 담겨져 있는 것이지요. 연장과 일의 관계, 개인적 실존과 사회적 삶의 관계는 서로 분리되는 것이 아니라 각기 개성과 다양성을 유지하면서도 서로 조화를 이루고 통일을 지향해 나아가는 데서 올바른 현대적 삶의 지평이 획득될 수 있다는 소중한 깨달음과 확신이 연장의 비유를 통해서 적절하게 형상화된 것입니다.

# 6월
## 砲聲(포성)과 들꽃의 아이러니

# 조지훈

1920년 경북 영양 출생. 혜화전문 졸업. 1939년 『문장』으로 데뷔. 고려대 교수 재직 중 1968년 작고. 시집으로 『청록집』, 『풀잎단장』, 『역사앞에서』 등 다수.

### 多富院에서

한달 籠城 끝에 나와보는 多富院은
얇은 가을 구름이 산마루에 뿌려져 있다.

彼我攻防의 砲火가
한달을 내리 울부짖던 곳

아아 多富院은 이렇게도
大邱에서 가까운 자리에 있었고나

조그만 마을 하나를
自由의 國土안에 살리기 위해서는
한해살이 푸나무도 온전히
제 목숨을 다 마치지 못했거니

사람들아 묻지를 말아라

이 荒廢한 風景이
무엇 때문의 犧牲인가를……

고개 들어 하늘에 외치던 그 자세대로
머리만 남아 있는 軍馬의 시체
스스로의 뉘우침에 흐느껴 우는듯
길옆에 쓰러진 傀儡軍戰士

일찍이 한 하늘 아래 목숨 받아
움직이던 生靈들이 이제
싸늘한 가을바람에 오히려
간 고등어 냄새로 썩고 있는 多富院

진실로 운명의 말이암음이 없고
그것을 또한 믿을 수가 없다면
이 가련한 주검에 무슨 安息이 있느냐

살아서 다시 보는 多富院은
죽은 者도 산 者도 다 함께
安住의 집이 없고 바람만 분다.

## 6·25와 휴머니즘

유월이라면 아마도 6·25를 떠올리는게 많은 분들의 인지상정일 겁니다. 그만큼 이 땅 현대사에서 6·25는 처참한 상처로 민족의 가슴에 남아있기 때문입니다. 6·25란 과연 무엇입니까? 그것은 표면적으로 볼 때 한국의 영토 안에서 한국인 동족간의 사상전쟁의 형태로 전개됐지요. 그렇지만 실상에 있어서는 미국과 소련으로 대표되는 양대 세력간의 접경지대에서 전후 일본 제국주의의 패망과 중국대륙의 공산화에 따른 동북아시아의 국제정치질서가 장착

되지 못한데서 파생된 군사적 마찰이라는 성격을 지닌다고 하지 않습니까? 말하자면 미·소 양극체제를 공고히 하기 위한, 강대국들의 세계 정책의 일환으로 강요된 군사적 시행착오 현상이자 2차 세계대전의 마무리 전쟁 성격을 지닌다는 뜻이겠지요. 그 결과 전쟁은 민족사 최대의 대대적인 동족상잔의 비극으로서 이 땅을 송두리째 유린하고 민중을 무참히 짓밟았으며, 마침내는 통일도 강대국들의 세력균형의 변동여하에 따라 영향받을 수밖에 없는 처지가 되고 만 것이지요.

전국토의 초토화 수백 만에 달하는 전사상자 및 천만이 넘는 이산가족은 전쟁으로 인한 손실 그 자체보다도 한 민족을 완전히 양단함으로써 민족의 이질화 내지는 민족문화의 파행화를 부채질하게 된데서 그 비극성이 더욱 두드러진다고 할 수밖에요. 더구나 전쟁으로 인한 분단은 이 땅에 정치적 소용돌이를 겪게 하는 직접적인 역기능으로 지속적으로 작용하고 있었던 것도 사실이라 하겠습니다.

이러한 6·25체험이 문학적으로 수용된 것은 아마도 종군작가들을 중심으로 해서였을 겁니다. 조지훈 시인도 공군 종군작가단의 일원으로 참여한 것은 물론이지요. 대부분의 종군작가들은 쟁의 참상과 폐허를 노래하면서 승전의식을 고취하고 반공의식을 앙양하는 데 힘을 기울인 것이 사실이지요. 지훈의 경우도 크게 예외는 아닙니다. 그렇지만 지훈의 시「다부원에서는」는 단순한 전쟁시가 아니라 차원높은 휴머니즘을 노래하고 있어서 관심을 끄는 것이지요. 실제로 이 시는 단순히 승전의식이나 반공 이데올로기를 강조하는 일반적인 종군시와는 다른 면을 지니고 있다고 하겠습니다. "피아공방의 포화가/ 한 달을 내리 울부짖던 곳"과 같이 격렬한 전투장면이 제시되어 있으면서도 "조그만 마을 하나를/ 자유의 국토 안에 살리기 위해서는/ 한해살이 푸나무도 온전히/ 제 목숨을 다 마치지 못했거니"처럼 자유와 생명에 대한 응시를 보여주고 있는 것이지요. 특히 '괴뢰군 전사'의 시체에 초점이

맞춰져 있는 것은 그것이 죽음 앞에서는 피아가 없는 것이며, 모든 인간은 하나같이 목숨이 소중하다는 휴머니즘을 담고 있는 것으로 풀이되어 주목을 환기하는 듯싶습니다. "살아서 다시 보는 다부원은/ 죽은 자도 산 자도 다 함께/ 안주의 집이 없고 바람만 분다"라는 결구 속에는 죽은 자와 산 자의 대비를 통해서 전쟁이 얼마나 허망한 것이며, 동시에 생명이 얼마나 소중한 것인가에 대한 뼈아픈 깨달음이 담겨 있다고 할 것입니다. 다시 말해서 역사 속에서 전쟁이란 영원한 승자도 없고 패자도 없는, 불행하고 허망한 인간상실 내지 인간성 파멸행위에 불과하다는 날카로운 비판과 그에 대한 저항을 펼치고 있다는 뜻입니다.

이렇게 볼 때 시「다부원에서」는 이 땅 전쟁시의 한 성과라고 할 수 있을 겁니다. 단순한 반공 애국사상이나 적개심 고취에 목표를 둔 것이 아니라 전쟁의 참상을 통해서 인간의 생명과 자유의 소중함을 강조하고 전쟁 테러리즘을 고발한 데서 의미가 드러나기 때문입니다. 실상 이런 류의 목적시가 빠지기 쉬운 구호성이나 영탄성 및 도식성을 절제하고 생명사상, 자유사상, 평화사상을 시다운 시로 고양시킨 점은 지훈다운 생명적 휴머니즘의 반영이 아니고 그 무엇이겠습니까? 시「古寺」등에서 보듯이 서정적인 禪감각과 賞自然, 고전적 민족의식에 다소 경사돼 있던 지훈의 시정신이 6·25라는 민족의 참극과 부딪치면서 능동적인 역사의식의 차원으로 열려가는 계기가 된 것은 또 무슨 아이러니라고 해야 할지요. 새삼 6·25참극 40주년을 맞이하면서 이 유월 아침에 芝薰선생의 드높은 지절과 해맑은 서정이 함께 그리워지는 것은 또 무슨 연유이겠습니까?

# 김달진

1907년 경남 창원 출생. 불교전문 졸업. 1934년 『시원』으로 데뷔.
승려생활 후 환속. 1989년 작고. 시집으로 『김달진시전집』 등 다수.

六月

고요한 이웃집의
하얗게 빛나는 빈 뜰 우에
작은 벚나무 그늘 아래
외론 암탉 한 마리 白晝와 함께 조을고 있는 것
판자 너머로 가만히 엿보인다.

빨간 蜀葵花 한낮에 지친 울타리에
빨래 두세 조각 시름없이 널어두고 시름없이 서 있다가
그저 호젓이
도로 들어가는 젊은 시악시 있다.

깊은 숲 속에서 나오니
六月 햇빛이 밝다
열무우 꽃밭 한 귀에 눈부시며 섰다가
열무우 꽃과 함께 흔들리우다.

씬냉이 꽃

사람들 모두
산으로 바다로
新綠철 놀이 간다 야단들인데
나는 혼자 뜰 앞을 거닐다가
그늘 밑의 조그만 씬냉이꽃 보았다.

이 宇宙
여기에
지금
씬냉이꽃이 피고
나비 날은다.


## 노장적 세계관, 또는 들꽃 하나의 우주

우리 시인 가운데는 참으로 좋은 작품을 썼고, 또 쓰고 계시지만 널리 잘 알려지지 않은 분들이 많습니다. 그런 분 중의 한 분이 바로 月下 金達鎭 시인 (1907~1989)이라고 할 겁니다. 우리 시사, 특히 현대시사만 하더라도 높고 우람한 산맥들이 즐비하다고 해도 과언이 아니겠지요. 아마도 김 시인님은 그러한 우람한 산봉우리라도 하기는 어려울 겁니다. 그렇지만 가만히 들여다 보면 들여다볼수록 깊고 맑은 우물이 아닐까 생각되는 소중한 시인의 한 분 입니다. 소란한 시대엔 별반 잘 눈에 띄지 않는 그러한, 숲속 오솔길에 숨겨진 깊은 샘이라는 말씀이지요. 하기야 그렇지 않습니까? 분단 이래 특히 고단한 시대를 살아온 우리이고, 더군다나 소문난 시인이나 시가 아니면 잘 언급되 기도 어려운 문단풍토도 작용해 온 탓에 그저 묵묵히 산촌에 문혀 시를 써온 분들은 소외되기 일쑤였다고 해도 과언이 아닐 겁니다. 말하자면 문단적인 편견이나 미신, 혹은 상업주의나 정치역량(?)도 시인의 사회적 출세와 무관하다고 하기는 어렵다는 말씀이지요. 새삼 김시인께서 작고하고 나서야 저 자신은 "왜 내가 진즉에 이 어른의 시에 주목하지 못했을까"하고 저의 게으름과 어리석음을 뉘우쳐 본 것입니다. 그만큼 월하 선생의 시는 개성적인 세계를 간직하고 있다는 하겠습니다. 老莊的인 세계관이랄까, 동양적인 無爲自然의 세계 또는 虛靜의 그윽함이 짙게 깔려 있다는 말씀입니다.

무위자연이란 과연 무엇입니까? 그것은 아마도 무위와 자연이 합쳐진 말이라고 하겠지요. 그렇다면 무위는 무엇이고, 자연은 또 무엇입니까? 무위란 문자 그대로 행동하지 않는 것을 의미할 겁니다. 그렇지만 그것은 아무것도 하지 않는다는 뜻이 아니고, 아무것도 하지 않으면서도 하지 않는 일이 없다(至於無爲無爲而無不爲)는 뜻이 될 겁니다. 따라서 무위란 道에 따라 있는 그대로 살아가는 것, 자연과의 조화를 구하는 실천적인 행위라고도 할 것입니다. 그러면 자연은 또 무엇입니까? 자연이란 인위적이고 의식적인 모든 것으로부터 완전히 벗어난 상태, 즉 "스스로 그러한 것"이며, "저절로 그러한 것"을 의미한다고 하겠지요. 따라서 무위자연이란 무위·무욕·무사·무위의 상태에서 자연과의 완전한 조화를 이루는 태도라고 할 겁니다. "비온 뒤 山에 올랐다가/ 아무것도 없어/ 松花가루 젖은 채 어지러이 깔려있는 붉은 흙 보고/ 그저 무심한양 범연한양 시름없이 돌아온다"(「雨後」 전문)라는 심정이라고 하겠지요. 이처럼 자연을 따르는 것으로써 무위·무사·무욕을 통해서 정신의 자유를 누리는 그윽한 경지라고 할 겁니다.

시「六月」에는 이러한 무위자연의 심정이 잘 드러나 있다고 하겠지요. "고요한/ 빈/ 작은/ 외론/ 지친/ 깊은"과 같이 조용하면서도 내밀한 풍정, "벗나무 그늘/ 암탉 한 마리/ 촉규화/ 젊은 시악시/ 햇빛/ 열무우 꽃밭"처럼 자연스런 삶이 풍경, 그리고 "조을고 있는/ 시름없이 서 있다가/ 호젓이 들어가는/ 눈부시게 섰다가 꽃과 함께 흔들리우다"라는 무심한 심사가 함께 조응을 이루면서 무위·무욕·무사로서의 허심의 세계를 이루고 있는 것입니다. 온갖 세상의 번잡한 대립과 갈등이 해소되고 인간과 세계가 하나로 합일되는 조화로운 모습이 아름답게 형상화됐다고 할 것입니다.

시 「샘물」과 「씬냉이꽃」은 이러한 무위자연의 세계인식이 우주적 관점으로 확대되어 관심을 끈다거 하겠습니다. 표현 그대로 "숲 속의 샘물을 들여다본다/ 물 속에 하늘이 있고 흰 구름이 떠가고 바람이 지나가고"처럼 변화무궁한 자연의 모습을 자연 그대로 받아들이는 태도가 기본을 이룬다고 하겠지요. 말하자면 "쉬면서 천지사이에서 유유히 소요하고 마음을 한가로이 자득하여이다. 어찌하여 천하 따위를 일삼겠소이까"라는 노장적 소요의 경지를 드러낸 것이지요. 그렇다면 어떻게 이러한 소요의 경지에 이르게 될 것인가요? 그것은 사람들이 자기의 자아라는 작은 관점에서 벗어나서 자유라는 대국적인 입장에 섬으로써 가능해진다고 할 겁니다. "조그만 샘물은 바다같이 넓어진다/ 나는 조그만 샘물을 들여다보며/ 동그란 지구의 섬 우에 앉았다"라거나 "이 우주/ 여기에/ 지금/ 씬냉이꽃이 피고/ 나비 날은다"라는 내용이 바로 이러한 우주적 관점의 획득이라고 할 수 있지 않겠습니까? 지구와 우주라고 하는 대자연의 거울에 "나"를 비춰 볼 때 삶의 온갖 번뇌와 질곡은 뜬구름처럼 사라져 버리고 초월과 淸淨心의 경지에 들게 된다는 말씀이지요.

이처럼 노장의 세계관 혹은 허정의 세계를 내밀하고 깊이 있게 천착한 김달진의 시세계는 요즘같이 훤소하고 잡답한 세상에서는 하나의 깊고 그윽한 샘물로서 소중한 의미를 지닌다고 할 것이 분명합니다.

# 홍희표

1946년 충남 대전 출생. 동국대 국문과 졸업. 인하대 문학박사.
1967년 현대문학으로 데뷔. 시집으로 『금빛은빛』, 『살풀이』, 『모두
모두꽃』 등 다수.

금빛 은빛

오월이 가고 유월이 오면
임진강변의 민들레
하이얀 낙하산 달고
남으로 남으로 떠가네

한양으로 부산으로
달리고 싶어도
달리지 못하는 鐵馬
오월이 가고 유월이 오면
임진강변의 민들레
하이얀 낙하산 달고
북으로 북으로 떠나가네

피양으로 신의주로
달리고 싶어도

달리지 못하는 鐵馬

금빛 은빛 혼령만 오가고…….

남쪽으로 북쪽으로

제비꽃은
남쪽으로 고개 들고
진달래는
북쪽으로 깽깽 울고.

구름 위의 탄피
탄피 위의 구름
장끼는
북쪽으로 날아가고
까투리는
남쪽으로 내려오고

노을 위의 총알
총알 위의 노을

먼발치에 노을
잠기듯
먼발치에 총알
박히다.

백두산의 꽃일레라.
한라산의 꽃일레라.

## 분단을 넘어 통일을 향해

유월이 오면 온 천지에 아카시아꽃 향기며 밤나무숲 향기가 흩날려서 무언가 알 수 없는 그리움을 일깨워 주곤 합니다. "밤나무숲 우거진/ 마을 먼 변두리/ 새하얀 여름 달밤/ 얼마만큼이나 나란히/ 이슬을 맞으며 앉아 있었을까/ 손도 잡지 못한 수줍음/ 짙은 밤꽃 아래/ 들리는 것은/ 천지를 진동하는 개구리소리/ 유월 논밭에 깔린/ 개구리소리// 아, 지금은 먼 옛날/ 하얀 달밤/ 밤꽃내/ 개구리소리"라는 조병화의 「첫사랑」이 떠오르는 것이지요.

그렇지만 인용한 홍희표의 시들에는 허리 잘린 이 땅의 슬픔 또는 분단의 아픔이 잘 드러나 있다고 하겠습니다. 분단이란 무엇이던가요. 일제강점의 쇠사슬에서 벗어나면서 불어닥친 이념의 소용돌이, 강대국들의 세력다툼에 결국 희생이 되고 만 것이지요. 그리고는 다시 동족끼리 죽고 죽이는 처참한 골육상잔, 6·25의 참화가 이 땅을 휩쓸어 가면서 남과 북은 155마일 철조망을 경계로 철벽 같은 분단의 장벽을 높이 쌓아 가고만 있는 것입니다. 그래서 오늘도 천만이 넘어 되는 남북 이산가족, 실향민들이 분단의 비극을 온몸으로 실감하고 있지 않습니까? 임진강변에 유월이 되면 온통 하이얗게 날아 오르는 민들레 꽃씨들처럼 실향민들의 애달픈 마음은 남과 북으로 헤어진 가족들을 찾아, 잃어버린 고향을 찾아 하늘로 하늘로 시름시름 솟아 오르고 있는 것이지요. 민들레가 표상하듯이 민중들의 풀꽃 같은 삶의 모습, 그러면서도 하얀 꽃씨처럼 가벼운 자유의 영혼이 되어 고향을 찾아, 잃어버린 시간을 찾아서 온 하늘 가득 둥둥 떠다니는 것입니다. 하이얀 낙하산처럼 가볍고 자유롭게 말입니다. 여기에 분단의 상처를 확인해 주듯이 "달리고 싶어도 달리지 못하는 鐵馬"가 하나의 상징으로 다가오지요. 신의주를 향해 달려가던 기차인 듯, 아니면 금강산 유람이라도 떠나던 열차인 듯, 끊어져 버린 철로변에 부서진 채로 멈춰 서 있는 철마의 모습 속에는 처참하던 6·25의 포성이며 아비규

환의 신음소리가 아로새겨져 있는 것입니다. "구름 위의 탄피/ 탄피 위의 구름// 노을 위의 총알/ 총알 위의 노을"이 배경으로 아스라이 깔려 있는 것이지요. 그러기에 "금빛 은빛 혼령만이 오가게"되는 거지요. 오로지 한스런 혼령들만이 분단을 넘어, 비무장지대 지뢰밭을 날아서 남북으로 가볍게 자유로이 오가는 것입니다. 말하자면 그만큼 분단의 아픔과 슬픔이 깊고 크다는 뜻이면서 동시에 분단을 넘어서고자 하는 통일에의 열망이 간절하게 담겨 있다고 할 게 분명합니다. 실상 홍 시인의 시집「금빛 은빛」도 그러하고, 최근의 시집「모두모두꽃」의 주제도 한결같이 이러한 지극한 열망의 반영이라고 할 겁니다. 서정적인 개인의식을 바탕으로 하면서도 사회와 역사의식으로 열려가고 있는데서 홍희표 시의 새로운 지평이 열려가고 있다는 말씀입니다.

# 7월

## 여름비, 물과 불의 긴장력

# 김원호

1940년 서울 출생. 서울대 국어과 졸업. 1962년 동아일보로 데뷔.
현대문학상 수상. 예전사주간. 시집으로『시간의 바다』,『불의 이야기』,
『행복한 잠』등 다수.

## 하얀집

별과 하늘 빛이 맑게 보이는
숲속에 하얀집에 있었네
겨울에도 복된 햇빛이 가려 비추고
뜰에는 제 먼저 봄을 알리는
떡갈나무도 한 그루 자라고 있었네

두 손 잡아 한평생 힘 모으기로 한
그 집에 우리들이 살고 있었네
웃음을 잃지 않고 살고 있었네

바람이 살랑이는 저녁이면
아기그네를 흔들고
큰애들은 숨바꼭질, 반딧불잡이에
행복한 나날이었네 지난 옛여름이었네

떡갈나무 밑
집게벌레 둥지를 뒤지던 아이들은
이제는 가슴 벌어지게 자라
저마다 갈 길로 가 버리고
하얀집엔 쓸쓸히 우리 부부만이 남았네
그렇게 나이 먹었네

어느날 숲이 쓰러지던 날
집 앞으로 널따란 아스팔트가 깔리고
공장이며 큰 집들이 우뚝우뚝 솟아
하얀집은 연기에 더럽혀졌네
아담한 옛모습은 찾을 수 없네

낙엽이 지고, 찬 비가 뿌리고
떡갈나무 잎을 태우는 냄새
幻想의 피리소리는 주위를 돌아
잃어버린 가을을 얘기하고
아득한 기억 속에서
하얀집은 낡아 가고 있었네
우리는 늙어 가고 있었네

떡갈나무 위에는 찬 눈이 내리고
그 위에 눈을 맞고 앉아 있는 새
창을 통하여 우리는 겨울새를 보며
처음 함께 만났던 찻집 얘기를 했네
전쟁터에 가 소식 없는 큰 아이 얘기를 했네

## 동심의 순수와 낭만적 우울

어느 숲속에 하얀집이 하나 있었다지요. 화려한 건 아니고 다만 햇빛이 넉

넉하게 비치고, 떡갈나무 한 그루가 싱싱하게 자라면서 계절을 알려 주는 거기에 다정하고 검소한 젊은 부부가 아이들을 기르며 행복한 마음으로 살아가고 있었던 것입니다. 이윽고 세월은 흘러 숨바꼭질, 반딧불잡이, 집게벌레잡이를 하던 아이들은 자라서 제 갈 길로 떠나가 버리고 말았지요. 아름답던 유년시절이 빛나는 시간의 속력에 실려 과거쪽으로 사라져 간 것이지요. 그리고는 두 나이 든 부부만이 쓸쓸하게 살아가던 어느 날 이 숲에도 개발붐이 일어 숲은 점차 쓰러져 가고 하얀집만 오두마니 남아 있게 된 것이지요. 어느새 깨끗하던 하얀집도 더럽혀지고 낡아만 가고 있었던 것이랍니다. 이윽고 사랑하는 자식들은 어디론가 떠나가 버리고, 추억만을 간직한 채 이들 부부도 늙어 가고 있었던 것이지요. 낙엽이 지고 찬 비가 흩뿌리는 어느 가을날이거나, 떡갈나무 위에 찬 눈이 내리는 어느 겨울날이면 두 노부부만이 쓸쓸히 마주보며 아름답던 지난날을 돌이켜 생각하면서 감회에 젖는다는 얘기랍니다.

이렇게 보면 이 시는 동화 같은 사랑을 펼쳐 보인 이야기시 또는 분위기의 시라고 할 수 있겠습니다. 마치 애드가 앨런 포우의 명시 「애너벨 리」를 연상케 해주는 환상적이면서도 애상적인 꿈의 공간을 펼쳐 보여 준 것이지요. 이 시에는 불과 물의 대립적인 이미지가 상승과 하강의 정조를 형성하고 있는 듯싶습니다. 전반부에는 "반딧불"이라는 소재에 불의 이미지가 함축되어 동경과 희망으로서의 삶을 표상하고 있으며, 후반부네는 "찬 비"가 단적으로 암시하듯이 상실과 소멸의 심상을 제시하고 있는 것이지요.

이와 같이 꿈처럼 아름다운 환상이 창조되었다가 그것이 급격히 무너져 감으로써 좌절과 비애에 젖어들게 하는 시의 기법을 흔히 낭만적 아이러니 (romantic irony)라고 부르지 않습니까? 이 시는 비로 이러한 낭만적 아이러니를 사용해서 삶의 쓸쓸함과 사랑의 외로움을 효과적으로 노래한 것이지요. 이 시의 바탕을 이루는 것은 아마도 상실의식과 동심의 순수함이고, 과거적 상상력과 비애의 정서라고 할겁니다. 그러기에 시의 밑바탕에는 순수에의 꿈과 비애의 아름다움이 출렁이고 있는 것이랍니다. 어느 면에서 이 시에는 다소의 감상성이 엿보이지만 기실 그것 자체가 때묻지 않은 순수와 열정의 한 표현은 아닐런지요.

실상 김 시인의 시에는 이러한 동심의 순수함과 아름다움이 그 기저를 이루고 있다고 할 겁니다. 그의 데뷔작 「과수원」이 한 예가 될 수 있지요. "빈센트 반 고흐의 '과수원'을 아시는지요/ 도깨비도 무서워할 고목뿐인 올리브 숲이었지요/ 불타다 앉은 자리보다 더 쓸쓸한 곳이었어요/ 어쩌면 내가 이런 숲을 생각하는지/ 나 자신 올리브 숲의 도깨비가 되고 싶은 모양입니다// 푸른 달밤에 과일이 익을 때/ 과수원 옆에 초막을 짓고 지내시면/ 단물 고인 과일나무가 되시겠습니다/ 그러나 사람이 보고 싶으실 땐 언제라도 돌아가시지요/ 그래도 우리 이 과수원에서 도깨비가 될 때까지 살고 싶지는 않으십니까"라고 하는 시가 바로 그것입니다. 이 시에는 시인 특유의 순수한 동심과 삶의 쓸쓸함이 아름다운 虛寂美로 형상화되어 있습니다. 실상 이처럼 결벽에 가까우리만치 순수한 동심과 쓸쓸한 아름다움을 내면공간으로 간직하고 있는 시와 시인이 우리 시사에 그리 많지는 않을 겁니다.

이러한 동심과 쓸쓸함의 내면풍경은 그의 요즈음의 시에도 그대로 이어지고 있는 것 같습니다. 시 「종이학」이 그 한 예라고 하겠는데, "종이로 학을 접었습니다/ 하루에 한 마리씩 백일 동안 접기로 했습니다// 술에 취해 들어온 저녁에도 어김없이 한 마리씩 학을 접었습니다// 그렇게 절실한 염원이 있으면 차라리 성경을 읽으라고 아내는 말했습니다/ 학이 한 마리씩 늘 때마다 무언가 좋은 일이 일어날 것 같은 기대와 기쁨이 부풀어 갔습니다/ 그러나 백 마리의 종이학을 접던 날까지/ 나에겐 아무일도 일어나지 않았습니다/ 어느 일요일 오후, 접었던 학을 모두 날려보내기로 했습니다/ 백 마리의 학을 상자에 담아 아파트 옥상에 올라 갔습니다/ 어디선가 한 손가락으로 치는 피아노 소리가 들려오고 햇빛이 눈부시게 쏟아지고 있었습니다/ 아들과 나는 한 마리씩 공중으로 학을 날렸습니다/ 그때 우리는 보았습니다/ 햇빛을 따라 날아오르는 학을/ 푸른 하늘을 향해 일제히 날개를 피는 학의 모습을 말입니다"라고 노래하고 있지요. 이젠 다 큰 아이들의 아버지가 되었고, 현실의 세파에 부대끼며 살아가면서도 시인은 아직도 동심의 순수함과 꿈의 세계를 간직하고 있는 것입니다. "종이학"은 아들과 아버지를 동심으로 연결해 주는 순수의 표상이자 꿈의 촉매라고 하겠지요. 반복되는 일상속에서 종이학을 접으면서 잃어버린 유년의 꿈과 그 순수함을 되살리고자 하는 안간힘이 시 속에 깃들어 있다고 할 겁니다. 그러기에 이 시는 비애에 젖어 있으면서도 꿈이 살아 있고, 쓸쓸함 가운데도 아름다움이 빛나고 있는 정신의 내면풍경을 담고 있는 것이 분명합니다. 푸쉬킨의 "삶이 그대를 속일지라도/ 결코 노여워하거나 슬퍼하지 말라"라는 평범한 한 시구처럼 삶의 따뜻한 비애와 그 아름다운 긍정을 지니고 있는 것이지요.

요즘같이 끝없이 내리는 장마철 빗속에 갇혀 있노라면 문득 김원호 시인의 시집 「불의 이야기」가 생각나고, 불현 듯 그 쓸쓸하면서도 아름다운 그의 내면풍경이 그리워지는 것은 무슨 까닭이겠습니까?

# 이수익

1942년 경남 함안 출생. 서울대 영어과 졸업. 1963년 서울신문으로
데뷔. 현대문학상 등 수상. 현재 KBS근무. 시집으로 『우울한 샹송』,
『단순한 기쁨』 등 다수.

## 우울한 샹송

우체국에 가면
잃어버린 사랑을 찾을 수 있을까
그곳에서 발견한 내 사랑의
풀잎 되어 젖어 있는
悲哀를
지금은 혼미하여 내가 찾는다면
사랑은 또 처음의 衣裳으로
돌아올까
우체국에 오는 사람들은
가슴에 꽃을 달고 오는데
그 꽃들은 바람에
얼굴이 터져 웃고 있는데
어쩌면 나도 웃고 싶은 것일까
얼굴을 다치면서라도 소리내어
나도 웃고 싶은 것일까

사람들은
그리움을 가득 담은 편지 위에
愛情의 핀을 꽂고 돌아들 간다
그때 그들 머리 위에서는
불꽃처럼 밝은 빛이 잠시
어리는데
그것은 져려오는 내 발등 위에
행복에 찬 글씨를 써서 보이는데
나는 자꾸만 어두워져서
읽질 못하고,

우체국에 가면
잃어버린 사랑을 찾을 수 있을까
그곳에서 발견한 내 사랑의
기진한 발걸음이 다시
도어를 노크
하면,
그때 나는 어떤 미소를 띠어
돌아온 사랑을 맞이할까

## 안개꽃

불면 꺼질 듯
꺼져서는 다시 피어날 듯
안개처럼 자욱이 서려 있는
꽃,

하나로는 제 모습을 떠올릴 수 없는
무엇이라 이름을 붙일 수도 없는
그런 막연한 안타까움으로 빛깔진
初戀의

꽃,
무데기로
무데기로 어우러져야만 비로소 刑象이 되어
설레는 느낌이 되어 다가오는 그것은
아,
우리 처음 만나던 날 가슴에 피어오르던
바로 그
꽃!

## 사랑, 또는 밝음과 어둠

　여러분은 이십대 젊은 시절부터 중년이나 노년에 이르기까지 오래도록 순수한 사랑의 열정을 노래하고 있는 시인으로 어떤 분을 기억하시는지요? 모든 문학이, 특히 시가 정치와 사랑을 노래하지 않은 것은 별로 없을 겁니다. 그만큼 정치와 함께 사랑은 인류의 등불이자 문학의 테마라고 할 수 있지요. 우리 시단에서 사랑을 평생의 테마로 하고 있는 시인들이 특히 몇 분 계시지만, 그 중에 특이한 개성을 지닌 한 사람으로 우리는 아마도 이수익 시인을 꼽을 수 있지 않을까 합니다. 본인께선 어찌 생각하실른지 알 수 없습니다만, 제가 보기에는 이 시인이야 말로 천부적인 사랑의 서정시인이라고 여겨집니다. 그만큼 초기시부터 근작시집 「단순한 기쁨」에 이르기까지 사랑의 정감이 청순하면서도 싱싱하게 흘러넘치고 있기 때문입니다. 시 「우울한 샹송」은 시인의 첫 시집 「우울한 샹송」(1969)의 표제시이자 초기의 한 대표작이라고 할 수 있지요. 그야말로 청춘시절을 지배하는 낭만적 우울이 주조를 이루고 있는 시입니다. 제목부터가 이 시는 다소 이국풍이고 낭만적인 정감으로 물들어 있지요. 어떻게 보면 감상적이라고도 할, 젊은날의 비애와 열정을 애틋하게 드러내고 있는 데에 이 시의 한 매력이 놓여 있다고 할 수 있을 겁니다. 과연 흔히 운위되듯이 감상성이란 모든 시에서 무조건 배척되어야 하고 나쁜 것으로 매도되어야만 하는 것일까요? 물론 그것이 지나쳐서 퇴폐적인 예상으로 함몰되어 버린다면 모르겠지만, 적당한 감상성은 때로 시를 풍윤하게 만들어 주는 낭만정신의 원천이 된다고 할 수 있을 게 분명합니다.

이 시는 대체로 오는 것과 가는 것, 만남과 헤어짐, 기쁨과 슬픔, 밝음과 어둠이라는 대립적 이미지가 그 뼈대를 형성하고 있는 듯합니다. 이른바 밝음과 어둠 또는 소멸과 생성이 변증법적인 긴장관계를 이루고 있다고나 할까요. 그러기에 이 시에는 애증의 드라마가 밑바탕에 깔려 있지요. 이 시의 모티브는 "우체국에 가면/ 잃어버린 사랑을 찾을 수 있을까"처럼 잃어버린 사랑을 회복하고자 하는 안타까운 갈망에서 비롯되고 있지요.

이 시에서 이별은 시에 긴장감을 불어넣기 위한 한 방법적 장치에 해당하지만 그것이 우체국과 연결된다는 점에서 참신함을 느끼게 합니다. 우체국이란 무슨 의미를 지니고 있는 곳인가요? 그곳은 편지와 전신, 전보, 소포들을 통해서 끊어져 있던 사람들을 이어 주고, 헤어져 있는 사람들을 맺어 주는 만남의 가교이자 희망의 등대이기도 하지요. 그러기에 그곳은 그리움의 촉매이자 기다림의 표상이기도 할 겁니다. 어쩌면 그것은 슈베르트의 연가곡「겨울 나그네」에서 "우편마차"의 이미지와 연결되어 있는지도 모릅니다. 아니면 "사랑하는 것은/ 사랑을 받느니보다 행복하나니라/ 오늘도 나는/ 에메럴드빛 하늘이 환히 내다뵈는/ 우체국 창문 앞에 와서 너에게 편지를 쓴다"라는 유치환의 시「행복」과도 관련될 겁니다.

그러기에 시「우울한 샹송」에는 사랑의 기쁨과 슬픔, 망설임과 설레임, 끓어오름과 두려움, 미련과 안타까움같이 모순되는 감정들이 서로 부딪치면서 마음 속에 그리움의 파문을 일으키고 있는 것이겠지요. "꽃불처럼 밝은 빛이 잠시/ 어리는데"와 "나는 자꾸만 어두워져서/ 읽질 못하고"라는 구절의 병치 속에는 바로 이러한 사랑의 양면성 또는 모순성이 첨예하게 드러나 있다고 할 수 있을 겁니다. 그러면서도 "풀잎 되어 젖어 있는/ 悲哀"를 간직하면서, 끝내 다시 돌아올 것만 같은 사랑을 기다릴 수밖에 없는 안타까운 심정이 표출되어 있는 것이지요. 이 점에서 이 시는 젊은 날을 지배하던 사랑의 열정과 그 맹목의 순수함이 낭만적인 우울을 통해서 아름답게 형상화된 60년대 사랑시의 한 대표작이라고 할 수 있지 않겠습니까?

이처럼 젊은 날을 들끓게 하던 사랑의 열정과 그 순수한 갈망이 이 시인에게는 중년에 이르러서도 그대로 지속되고 있어서 관심을 끄는데요, 시 「안개꽃」이 그 한 예가 될겁니다. 이 시는 안개꽃을 첫사랑의 꽃, 그리움의 꽃으로 노래하면서 젊은 날에 대한 아련한 그리움과 함께 첫사랑의 추억에 대한 애틋한 안타까움을 불러일으키고 있습니다.

먼저 첫 연에서는 안개꽃의 모습이 "불면 꺼질 듯/ 꺼져서는 다시 피어날 듯/ 안개처럼 자욱이 서려 있는/ 꽃"으로 묘사되고 있지요. 둘째 연에서는 그것이 "안타까움으로 빛깔진/ 初戀의/ 꽃"으로 떠오르면서, 셋째 연에서는 "무데기로/ 무데기로 어우러져야만 비로소 刑象이 되어/ 설레는 느낌이 되어 다가오는 그것"처럼 서로 어울림으로써 비로소 아름다워지는 꽃, 설레임과 애수의 꽃으로 구체화되는 것입니다. 그리고 마지막 연에서는 안개꽃이 "아/ 우리 처음 만나던 날 가슴에 피어오르던/ 바로 그/ 꽃"과 같이 회상의 꽃, 추억의 꽃으로 형상화됨으로써 새삼 안타까운 그리움을 고조시키고 있는 거지요.

따라서 이 시는 안개꽃의 모습을 통해 첫사랑의 순결한 열정을 아름답게 노래하면서 동시에 "홀로"와 "함께"로서 존재하는 삶의 본질적인 모습을 섬세하게 투시했다는 점에서 그 형상미가 돋보이고 있습니다. 여러모로 거칠고 사나워만 가는 현실, 혼탁해지는 삶 속에서 나이가 들어서도 이처럼 순수한 사랑의 열정과 소망을 간직하는 일만큼 소중하고 아름다운 일이 과연 또 있을런지요. 이수익의 여러 사랑시편에서, 어두웠지만 아름답던 젊은날의 초상, 순수하기만 하던 첫사랑의 추억을 느끼는 사람이 어찌 저 한 사람뿐이라고 할 수 있겠습니까?

# 강인한

1944년 전북 정주출생. 전북대 국문과 졸업. 1967년 조선일보로 데뷔. 현재 광주사레지오고교교사. 시집으로『강인한시집』,『우리나라 날씨』등.

## 율리의 초상

의사의 딸 율리.
여학교 때 반장을 하던 단발머리
촉촉하게 젖는 오월의 밤이슬이
외로울 때 맺히곤 했다.
내 싱거운 이야기에 곧잘 웃고
내 비겁한 이야기에도 곧잘 끄덕이고
항상 눈이 흰 겨울을 살고 싶다는 율리,
네 따스한 손바닥에
내 작은 생애를 얹어 보고 싶었다.
때때로 술에 취하면 화가 나서
난폭하게 편지를 쓰고
마리안느의 사슴처럼 장밋빛의 피 흘리며
네 곁에서 죽고 싶었다.
아카시아 향내가 네 눈에서는 풍겨
안타까운 너의 꿈을 찾아간

오월의 어느날
그날 밤 거리에는 안개가 피어올라
네 피로스런 단발머리를 빗질하며 있었다.
율리, 너는 별이 뜨는 오렌지쥬스를 마셨고
불붙는 위티를 나는 마셨다.
깊은 밤 빠알갛게 타는 불씨를 보며
네 순한 고집을 꺾어 버리고 싶었지만
그러나 율리,
떠나오는 내 여행은 언제나 비에 젖는다.
차창 밖으로 뿌려지는 산골짜기의 꽃무데기
주정을 던지고 던지는 나에겐
적막하게 웃는 율리, 네가 보였다.
어머니의 가슴에 자줏빛 카네이션을 달아드리고
돌아서 조용히 우는 내 착한 누이.
네가 지금 보인다.
저 먼 불빛이 영그는 풀잎 사이로
걸어가는 조브장한 어깨.
주일이면 까만 성격책 위에 얼굴을 묻고
자그마한 믿음이 흔들리지 않기를
오래 기도하는 율리,
네 작은 손바닥에 가만히
낙엽같은 내 이름을 얹어 보고 싶었다.


## 젊은 날의 장밋빛 초상

젊은 날의 뜨겁고 순수한 연애감정을 아름답게 노래한 또 한 사람의 서정
시인을 기억하시겠지요. 근년에 시집 「우리나라 날씨」를 간행해서 주목을 받
은 바 있고, 지금 광주 사례지오고교에서 교편을 잡고 있는 멋쟁이 시인 姜寅
翰을 말입니다. 일찍이 李嘉林, 朴正萬 등 전주고교가 배출한 뛰어난 젊은 시

인군의 선두주자로서 이름을 날리던 그 사람을 말입니다.

그런데 그의 최근 시는 60년대 그의 시와는 매우 달라져 있다고 하겠습니다. "이 나라 木版本의 가을/ 한쪽으로 기러기떼 높이 날아/ 칼끝처럼 찌르는 일 획의 슬픔/ 갈대여// 끝끝내 말하고 죽을 것인가/ 어리석은 山 하나/ 말없이 저물어 스러질 뿐/ 역사란 별것이더냐/ 피문은 백지, 마초 한다발" (「가을悲歌」 전문) 이라는 그의 시에서는 날카로운 절제의 정신과 비극적 세계관이 자리잡고 있지요. 또한 서정적인 부드러움을 지니고 있으면서도 단호하고 엄격한 지사적 기품이 스며들어 비극적인 아름다움을 고양시키고 있다 하겠습니다.

그렇지만 저는 오히려 지난날 그의 연애시들을 더 즐겨 읽곤 한답니다. 그의 연애시들은 저에게 시를 읽은 즐거움을 느끼게 해주기 때문입니다. 그의 시에는 젊은 날을 설레이게 하던 "촉촉하게 젖는 오월의 밤이슬"과 "장미빛의 피/ 아카시아 향내"가 살아 숨 쉬고 있으며, "비에 젖는 여행"과 "불붙는 위티"가 잠겨 있고, "밤안개가 피어오르는 거리"와 "눈이 흰 겨울" 풍경이 아스라이 펼쳐져 있기 때문일 겁니다. 또한 그 속에는 "네 따스한 손바닥"처럼 젊은 날의 체온이 간직되어 있으며, "적막하게 웃는" 쓸쓸한 추억이 아로새겨져 있기 때문이기도 하지요. 아울러 사랑하던 소녀 율리와 어머니 그리고 누이가 등장하는 것도 설레임을 더하게 해주는 것이겠지요.

마치 朴寅煥이 1950년대의 폐허 속에서 「木馬와 淑女」를 통해 분위기 있게 사랑과 애상, 허무주의라는 시대정신을 표현해 낸 것처럼, 강인한도 60년대의 음울한 분위기 속에서 마치 김승옥의 「서울 1964년 겨울」이라는 작품집처럼 사랑과 애상을 노래하고 있었던 것이지요. 박인환의 경우처럼 이 시에도 일견 서구풍의 시적 감수성이 멋스럽게 깔려 있으면서도 한편으로는 다소의 유치함과 감상성을 느끼게 하고 있는 것이 사실입니다. 그러나 그것이 이 땅의 50~60년대를 관류하던 한 유행적 징후였음에야 어찌할 수 있었겠습니까.

이 시는 먼저 다양한 감각들이 섬세하게 교직되어 현란함을 더해 줍니다. 즉 "오월/ 장미/ 이슬/ 피/ 별/ 안개/ 불씨/ 비/ 꽃무데기/ 풀잎/ 성경책/ 낙엽" 등과 같이 서정적인 시어들이 "촉촉하게 젖는/ 눈이 흰/ 따스한 손바닥/ 술에 취하면/ 아카시아 향내/ 단발머리를 빗질하며/ 오렌지쥬스를 마셨고/ 깊은 밤 빠알갛게 타는 불씨/ 비에 젖는다/ 먼 불빛이 영그는 풀잎" 등의 공감각적 이미지들과 다채롭게 어울려서 젊은 날의 싱싱하고 열정적인 모습을 형상해 주고 있지요. 어쩌면 거기에는 젊은 날을 지배하던 알지 못할 애상적인 광기와 함께 지적 허영도 깔려 있을 것이 분명합니다. 실상 그러한 것들 자체가 순수함의 표현이라고 할 수 있을 테니까요.

무엇보다도 이 시에는 물과 불의 대립적인 심상이 서로 갈등하면서 그 뼈대를 이루고 있는 듯합니다. 이러한 물의 심상은 "이슬/ 눈/ 안개/ 비/ 풀잎/ 울음" 등의 하강적인 정감들로 연결되고, 불의 심상은 "술/ 피/ 불/ 꽃무데기/ 불빛"처럼 상승적인 熱의 정감으로 구체화 되고 있는 것이지요. 이처럼 물과 불이라는 대립적인 심상들이 서로 부딪치며 들끓고 있는 것은 실상 젊은 날의 정리되지 않은 혼돈과 열정 또는 갈등과 모순의 반영이라 할 겁니다. 어쩌면 그러한 복합적인 감정의 소용돌이와 모순의 작용이야말로 사랑의 한 원형적인 모습일 게 분명하지 않겠습니까? 아울러 이 시에 깊게 흐르는 여성주의, 즉 페미니즘(feminism)과 비애의 정조도 실은 그 젊은 날의 순수에의 지향을 반영한 것이라고도 할 수 있을 겁니다.

그리고 보면 이 시는 낭만적인 애상을 바탕으로 하여 물과 불의 대립적 심상을 감각적으로 묘사함으로써 환상적이면서도 아름다운 젊은 날의 연정을 화사하게 펼쳐 보인 60년대 사랑시의 한 표본이라 할 수 있을 겁니다. 이 쉬임없이 내리는 여름 장맛비 속에서 우리 젊은 날 회상의 불길을 지피면서 그 그리운 시절로 다시 한 번 추억여행을 떠나 보시면 어떻겠습니까?

# 8월

# 바다, 그리움과 삶의 굽이침

# 신석정

1907년 전북 부안 출생. 중앙불전 수학. 1931년 『문예월간』으로 등단. 시집으로 『촛불』, 『슬픈 목가』, 『산의 서곡』 등 다수.

## 작은 짐승

蘭이와 나는
산에서 바다를 바라다 보는 것이 좋았다.
밤나무
소나무
느티나무
다문다문 선 사이사이로 바다는 하늘보다 푸르렀다.

蘭이와 나는
작은 짐승처럼 바다를 바라다 보는 것이 좋았다.
짐승처럼 말없이 앉아서
바다같이 말없이 앉아서
바다를 바라다 보는 것은 기쁜 일이었다.

蘭이와 내가
푸른 바다를 향하고 구름이 자꾸만 놓아가는 붉은 珊瑚와 흰 大理
石 층층계를 거닐며

물오리처럼 떠다니는 靑瓷器빛 섬을 어루만질 때
떨리는 心臟같이 잦으라지게 흩날리는 느티나무
蘭이의 머리칼에 매달리는 것을 나는 보았다.

蘭이와 나는
역시 느티나무 아래에 말없이 앉아서
바다를 바라다 보는 순하디 순한 작은 짐승이었다


## 그리움, 또는 낭만의 바다

바다, 또는 바닷가의 정경을 노래한 경우는 적지 않다고 할 것입니다. 서양의 경우는 우리가 청소년 시절에 즐겨 암송하던 포우의 「에너벨 리」나 발레리의 「海邊의 墓地」, 그리고 타골의 「바닷가에서」가 쉽게 떠오르시겠지요. 그런가 하면 우리 시에선 六堂의 「海에게서 少年에게」나 芝溶의 「바다」 연작시 또는 林和의 「玄海灘」이 생각나시는 분도 계실 겁니다. 아니면 "파도야 어쩌란 말이냐/ 파도야 어쩌란 말이냐/ 임은 물같이 까딱 않는데/ 파도야 어쩌란 말이냐/ 날 어쩌란 말이냐"라던 靑馬의 「그리움」이나 "나를 가르치는건 / 언제나/ 時間/ 끄덕이며 끄덕이며 겨울바다에 섰었네"라는 金南祚의 「겨울바다」가 그리워지는 분도 계시겠지요. 그렇습니다. 시에서 바다는 새로운 문명이 불어오는 나라 밖의 상징이기도 하며, 삶과 함께 죽음, 그리움과 함께 허무를 일깨워 주는 표상인가 하면 억센 생명력이 굽이치는 생활의 고달픈 현장이기도 합니다.

시 「작은 짐승」에서 바다는 애틋한 그리움으로 일렁이는 낭만적인 모습이라고 할 수 있지 않을런지요. 그 바다는 신비한 아름다움으로 가득찬 동화의 세계를 떠오르게 하기 때문입니다. 어쩌면 이 시는 한 폭의 아름다운 동양화 또는 수채화를 떠올리게도 할 겁니다. 멀리 또 가까이 무수한 섬이 갈매빛으로 떠 있는 바다가 보이는 산언덕, 느티나무 아래 앉아 바다를 바라보고 있는 두 사람, 그들은 아마도 서로 사랑하는 사이일 것이 분명하겠지요. 어느 결엔가 문득 아지 못할 꽃향기를 실은 솔바람 소리가 파도처럼 몰려와서 두 사람의 머리칼을 흔들어 놓고는 사라져가겠지요. 그리고 멀리 청자기빛 섬들이 물오리처럼 떠 있는 수평선과 맞닿은 하늘 위에서는 어느덧 저녁노을에 물들어 가는 구름이 붉은 산호를 빚거나 장엄한 대리석 기둥으로 떠오르고 있지는 않을런지요. 그때""잦으라지게 흩날리는 느티나무 잎새" 하나가 그들의 떨리는 심장에 날카로이 내려박히고 있지는 않을런지요. 그러기에 그들은 "짐승처럼 말없이 앉아서/ 바다같이 말없이 앉아서" 먼 바다만 하염없이 내려다보고 있었겠지요.

바로 이처럼 사람과 나무, 하늘과 땅, 바다와 하늘이 하나로 어울리면서 그 속에 삶에 대한 순수하고 아름다운 사랑의 꿈을 담고 있다는 점에서 이 시가 더욱 빛나는 게 아니겠습니까.

# 신석초

1909년 충남 서천 출생. 일본 법정대 졸업. 1937년 자오선 동인. 한국일보 논설위원 역임. 시집『바라춤』,『석초시집』등 다수.

## 바다에

바다에 끝없는
물결 위으로
내, 돌팔매질을 하다
虛無에 쏘는 화살 셈 치고서.

돌알은 잠간
물연기를 일고
金빛으로 빛나다
그만 자취도 없이 사라지다.

오오. 바다여.
내 화살을
어디다 감추어 버렸나.

바다에
끝없는 물결은
그냥 가마득할 뿐……

# 허무, 시간, 존재의 바다

바다는 아름다움으로 다가오는 낭만의 표상이기도 하지만, 정신의 눈으로 보면 그것은 끊임없이 태어나고 죽고 변하고 서로 대치되는 인간사의 모습이 투영된 상징의 공간일 수도 있을 겁니다. 바다는 물을 근본속성으로 하면서 그것이 지닌 엄청난 포용성 또는 무한한 풍요성으로 인해서 삶의 근원적인 모습을 담고 있는 것으로 여겨지기 때문입니다. 바다는 끊임없는 파도의 일어남과 스러짐, 밀려옴과 밀려감의 반복으로 인해서 희망과 좌절, 그리움과 미움, 감성과 이성의 파동이 되풀이되는 인간정신의 모습과 흡사한 것이지요. 그러기에 바다는 일찍이 발레리가 "우리가 귀를 기울이기만 하면 온갖 생존의 다양한 조건들과 복잡성을 제어하려는 생존의 심원한 음조"를 들을 수 있다고 하던, 그러한 삶과 세계의 본질을 엿볼 수 있게 해주는 듯싶습니다. 시 「바다에」에는 이러한 삶의 본질에 대한 철학적인 인식이 담겨 있는 겁니다. 그만큼 내면적으로 상징화된 바다의 모습이라고 하겠지요.

이 시에 제시된 시적 사건은 너무나 단순합니다. 바다에 돌팔매질을 하는 행위와, 바다 위에 잠시 물연기를 일으키고는 금빛으로 자취 없이 사라져 가는 돌맹이, 그리고 그 말없는 바다를 바라보는 시의 화자가 있을 뿐입니다. 그렇지만 이 시 속에 담겨진 의미는 자못 심대하다고 할 것입니다.

이 시는 바다를 통해서 인간의 근원적인 모습을 탐구하고 있는 것으로 이해되기 때문입니다. 먼저 이 시에서 바다는 공간적으로 볼 때 무한의 세계, 또는 시간적으로 영원한 그 무엇을 표상한다고 하겠습니다. 그 무한의 바다 앞에 하나의 점으로서 인간이 마주 서 있는 것이지요. 바로 그 인간이 무한의 세계, 영원의 세계를 향해서 돌팔매질을 하는 것입니다. 그것은 과연 무슨 뜻을 담고 있는 행위일까요? 극히 짧은 순간 바다 위에 물연기를 일으키면서 금빛으로 반짝 빛나다가 사라져 가는 돌맹이 하나의 모습은 무엇을 의미하는 것이겠습니까? 광대무변의 바다에 던져진 돌멩이 하나, 아마도 그것은 세계 위에 홀로 "내어던져진 자"로서 인간의 모습이 아닐런지요. 그리고 까마득한 바다의 물결 위에 허무하게 사라져 버린 돌멩이의 모습은 바로 얼마간 지상 위에 존재하다가 어느 날 갑자기 어딘가로 사라져 버리고 마는 인간의 덧없는 자취를 형상화한 것이 아니겠습니까. 그리고 보면 인간이란 "잠깐 물연기를 일고/ 금빛으로 빛나다/ 그만 자취도 없이 사라져" 버리는 "허무에 쏘는 화살"일 것이 분명합니다. 화살이 날아가는 시간, 돌멩이가 사라져 가는 그 짧은 순간이 바로 인간의 삶이란 말이겠지요. 그러기에 "바다에 끝없는/ 물결 위로/ 내 돌팔매질을 하다"란 행위는 결국 어디론가 사라져버린 돌멩이나 화살같이 덧없는 존재로서의 인간이 그 목숨의 살아 있음을 스스로 증거하고 허무와 맞서 이겨내 보려는 안타까운 몸짓이라고 할 수 있지 않을런지요. 시간 위의 존재로서 인간의 숙명적 한계성과 허망함, 그리고 고절감에서 벗어나려는 애절한 몸부림이 담겨 있다고 할 것입니다. 결국 다시는 되돌아오지 못하는 바다에 던져진 돌멩이처럼 두 번 다시 되풀이될 수 없는 일회적 인생. 그 인생의 허무함에 대한 극명한 인식의 순간에 불현 듯 엄습해 오는 아스라한 절망감과 공포감이 형상화되어 있는 것이라는 말씀이지요.

그리고 보면 이 시는 발레리의 시「잃어버린 술」(Le vin perdu)을 떠오르게 합니다. "나는 어느날 바다 속에/ (그러나 어느 하늘 밑에선지는 이미 잊었지만)/ 쏟아부었다, 虛無에 바치는 하나의 供物로서/ 귀중한 술한잔을……// 누가 너의 사라짐을 바랬겠는가, 오 술이여?/ 내가 어쩌면 운명에 순종한 건가/ 술을 부으면서/ 피를 꿈꾸면서/ 어쩌면 내 마음의 근심에 순종한 것인가/ 술을 부으면서/ 피를 꿈꾸면서/ 어쩌면 내 마음의 근심에 순종한 것인가// 언제나 투명한 물은/ 장밋빛 연기가 일어난 후에 다시 살아났다/ 똑같이 순수한 바다를……// 이 술이 사라지자 파도가 취했다!/ 나는 보았다. 쓰라린 하늘 아래// 가장 그윽한 형상들이 뛰고 있음을……"이라는 절망의 시를 말입니다. 원초적인 그 무엇, 삶의 근원에까지 거슬러 올라가서 우리의 의식 속에 숨어 있는 우리 자신의 실재에 도달해 보려는 안타까운 발레리의 몸짓이 그대로 신석초의 시에 연결되어 있는 것으로 판단되기 때문입니다.

우리 자신은 과연 이 여름 어느 바닷가에서 어디론가 무엇을 향해 허무의 돌팔매질을 하고 있는 것이겠습니까?

# 정일근

1958년 경남 양산 출생. 경남대 국어과 졸업. 1985년 한국일보로 데뷔. 시집 『바다가 보이는 교실』

### 바다가 보이는 교실·4

너희들은 달려가야 한다
한 마리 뻣센 물고기가 되어
작은 시냇물을 만나고 큰 강물을 만나고
마침내 푸른 바다를 만나고 만다
힘차게 달려가야 한다
짧은 초겨울 해는 이미 지고
운동장 가득 길게 누운 어둠
누군가가 죽음의 냄새로
우리 시대의 이름을 부르는 것 같다
열세 살, 물고기 비늘처럼
반짝반짝 살아오는 너희들을 죽이며
형광등 불빛 아래
흰 분필가루를 날리고 서 있는
이 나라의 보충수업 10년
우리 스스로 죽음의 냄새를 풍기고 있다
하루 일곱 시간 여덟 시간 지치고 지친

후진국 교사인 내 수업보다 더 안쓰러운
우리 아이들아
한마디 거부도 없이 침묵하는 우리 아이들아
너희들 겨드랑이에 지느러미를 달아주고 싶다
저마다 금빛 은빛으로 빛나는
해방과 자유의 지느러미를 달아주고 싶다
나도 너희들과 더불어 해방하고 싶다
유리창 밖 저 컴컴한 죽음과 같은
우리 시대의 어둔 바다와 해협을 지나
언제나 맑은 햇살과 바람이 자유로운 그곳으로
함께 알몸으로 뒹구는 그곳으로

## 현실, 또는 삶의 바다

그런가 하면 바다는 현실의 삶이 얼크러져 있는 삶의 현장성을 지닌다고도 할 것입니다. 현실의식이 투영된 삶의 바다모습이라고 하겠지요. 인용한 이 젊은 시인의 시에는 비관적인 현실인식이 짙게 깔려 있다고 하겠습니다. "짧은 초겨울 해는 이미 지고/ 운동장 가득 길게 누운 어둠"이 그 한 표상이 되겠지요. 그러기에 현실의 어둠은 "죽음의 냄새로/ 우리 시대의 이름을 부르는"지도 모릅니다. 바로 이것이 문제이지요. 이 시의 화자는 아마도 어느 중학교의 선생님이기 때문입니다. 바닷가 어촌, 바다가 보이는 어느 자그마한 학교에서 하루 일곱 시간, 여덟 시간 분필가루 날리면서 아이들을 가르쳐야 하는 고달픈 한 선생님의 모습인 것이지요. 그렇지만 이 선생님을 고통스럽게 하는 것은 그러한 과중한 수업부담 때문만은 아닌 것으로 보입니다. 정작 이 선생님을 아프게 만드는 것은 "한 마리 뼛센 물고기가 되어/ 작은 시냇물을 만나고 큰 강물을 만나고/ 마침내 푸른 바다로 힘차게 달려가야 할" 제자 아이들이 되풀이되는 보충수업과 교육제도의 굴레에 갇혀 어둡게 자라나는 서글픈 모습 때문일 것입니다. 어쩌면 그것은 특히 일제강점기 이래로, 분단의 오늘날까지도 여전히 지속되고 있는 교육에서의 권위주의 또는 하향식교육, 주입식 교육으로 인해 "한마디 거부도 없이 침묵하는 우리 아이들"로 일방적으로 길들여져 가고 있는 데 대한 아픈 탄식일런지도 모르지요.

늘 푸른 나무처럼 싱싱하고 청청하게 자라나야 할 어린이들, 창조적이면서도 주체성 있는 인간으로 성장하여 지상 위에 홀로 서서 삶을 헤쳐가야 할 이 땅의 어린이들이 소극적이고 순응적으로 자라가는 데 대한 깊은 우려와 탄식을 담고 있는 것입니다. 그러기에 "너희들 겨드랑이에 지느러미를 달아주고 싶다/ 저마다 금빛 은빛으로 빛나는/ 해방과 자유의 지느러미를 달아주고 싶다/ 나도 너희들과 더불어 해방하고 싶다/ 언제나 맑은 햇살과 자유로운 그곳으로"와 같이, 어둡고 컴컴한 이 시대의 어둠을 뚫고 자유와 희망의 바다로 나아가고자 하는 강한 열망과 의지가 드러나고 있다는 말씀입니다.

그러고 보면 이 시에는 비관적 현실 속에 오늘날의 시대상황과 교육현상에 대한 비판의식을 담고 있다고 할 겁니다. 이 시에서 바다는 낭만의 바다, 사랑의 바다로서의 속성과 함께 현실의 바다로서 삶의 한가운데 놓여 있기도 한 것이랍니다.

# 9월

## 가을, 생명 · 사랑 · 자유

# 고 은

1933년 전북 군산 출생. 1958년 「현대문학」으로 데뷔. 민족문학작가회의 의장 재임. 시집으로 『감성피안』, 『문의마을에 가서』, 『고은전집』 등 다수.

## 열매 몇 개

지난 여름내
땡볕 불볕 놀아 밤에는 어둠 놀아
여기 새빨간 찔레열매 몇 개 이룩함이여

옳거니! 새벽까지 시린 귀뚜라미 울음소리
들으며 여물었나니

3학년 아이들

초등학교 3학년 아이들
4학년 아이들
학교 갔다 돌아오는 길
저희들끼리 노느라고
등에 책짐 진 채 노느라고
집으로 가는 길 꿈도 꾸지 않는다

그런 길 가생이 개망초꽃도
함께 노느라고
어디로 돌아설 줄 모른다
어느덧 하늘에 제비 없다
다 가버렸구나
다 가버렸구나

## 생명, 사랑, 자유

여름이 그 고단한 뒷등을 보이며 사라져가고 있는 어느 먼 들녘으로부터 가을이 귀뚜라미 울음소리에 실려오는 밤, 고은 시인의 근작시집 「아침이슬」을 읽었습니다. 그러면서 문득 릴케 시인을 떠올립니다. "주여, 제 철이 왔습니다. 지난 여름은 참으로 위대했습니다" 라거나 "마지막 열매들이 탐스럽게 살지도록 분부해 주옵시고/ 그들에게 이틀만 더 南國의 나날을 베풀어 주소서"라는 충만과 결실의 이미지들이 다가옵니다. 그런가 하면 "지금 집이 없는 사람은 이미 그것을 지을 수 없을겁니다/ 지금 홀로 있는 사람은 오래오래 그러할겁니다/ 잠을 깨고, 책을 읽고, 길고 긴 편지를 쓰고/ 나뭇잎이 떨어져 흩날릴 때면, 불안스레/ 가로수 사이를 이리저리 방황할 겁니다"와 같이 낙하와 소멸의 애달픈 심사에 사로잡히기도 하겠지요. 바로 고은 시인의 시집 「아침이슬」에는 이러한 삶과 世界相의 두 대조적인 모습이 함께 출렁이고 있어서 관심을 끄는 것입니다. 한마디로 그것을 인고와 결실, 좌절과 희망 또는 어두운 면과 밝은 면의 갈등과 화해라고 할 수 있지 않을는지요. 실상 이러한 두 대조적인 세계의 갈등과 화해야말로 첫 시집 「彼岸感性」으로부터 근작 시집 「아침이슬」에 이르기까지 수십 권의 시집을 관류하는 고은 시 세계의 한 주제라고 할 수 있지 않겠습니까? 특히 이번 시집에서는 어두운 면보다 밝은 면이 두드러지게 나타나서 관심을 끕니다. 그것을 저는 생명사상과 자유사상,

그리고 사랑의 철학이라고 불러 보고 싶습니다만…….

　먼저 시「열매 몇 개」에는 생명사상과 사랑의 철학이 돋보인다고 하겠습니다. 이 시는 새빨간 찔레 열매 몇 개를 통해서 생명의 소중함과 그 성숙과정에 대한 경외심을 노래하고 있으며 아울러 그것을 사랑의 마음으로 고양시키고 있기 때문입니다. "지난 여름내／ 땡볕 불볕 놀아 밤에는 어둠 놀아／ 여기 새빨간 찔레열매 몇 개 이룩함이여"라는 구절이 그것이지요. 땡볕과 불볕이 상징하는 수난과 시련, 어둠이 뜻하는 인고와 절망체험, 그리고 귀뚜라미 울음소리가 표상하는 오랜 기다림의 세월 속에서 찔레열매의 생명은 싹트고 자라고 성숙하여 마침내 하나의 결실을 보게 된 것입니다. 특히 여기에서 "땡볕 불볕 놀아 밤에는 어둠 놀아／ 옳거니! 새벽까지 시린 귀뚜라미 울음소리 들으며 여물었나니"라는 구절 속에는 "놀아"와 "들으며"가 "옳거니!", "여물었나니"로 연결됨으로써 이러한 생명과 그 성숙과정에 대한 찬탄과 외경, 그리고 사랑의 마음을 탁월하게 형상화하게 된 것입니다. 아울러 "한낮→밤→새벽"으로의 시간전이는 "봄→여름→가을"과 연접되면서 생명원리가 시간의 흐름 또는 역사의 순환법칙과 호응되는 것임을 암시해 준다고도 할 수 있을 겁니다. 말하자면 생명법칙이라는 개체원리가 시간의 질서 또는 역사의 전개과정 속에 놓여진다는 점을 암시한다고 할 수 있는 것이지요. 생명법칙에서 역사법칙을 날카롭게 투시해낸다고도 할게 분명합니다. 그러기에 그러한 생명법칙과 역사법칙의 접합을 사랑과 자유라는 매개원리로서 탁월하게 꿰뚫어 낼 수 있지 않았나 싶습니다.

　시「3학년 아이들」이 또 한 예가 될 겁니다. 이 시에는 삶에 대한 사랑, 자유의 본질에 대한 인식이 잘 드러난 것으로 이해되기 때문입니다. 이 시에는 학교를 파하고 집으로 돌아가는 어린 아이들이 도중에서 해찰하고 노는 모습이 제시돼 있지요. 어느 면에서 평범하기 짝이 없는 이 모습 속에 바로 사랑과 자유의 본모습이 잘 드러나 있는 것입니다. 학교란 무엇이고, 집이란 또 무슨 의미를 지닙니까? 이 시에서 그것은 아마도 온갖 삶의 굴레 또는 목적론적 인생의 모습에 대한 상징성을 지니는 게 아닐는지요. 아이들은 온갖 관습과 인위의 틀에 대해 거부의 몸짓을 보이면서 스스로 자유로워지고 있는 것입니다. "학교 갔다 돌아오는 길/ 저희들끼리 노느라고/ 등에 책짐 진 채 노느라고/ 집으로 가는 길 꿈도 꾸지 않는다"처럼 학교가 상징하는 제도와 인위, 그리고 집이 표상하는 구속과 굴레에서 잠시 나마 해방되어 자유를 만끽하고 있다는 말씀이지요. 그러기에 "그런길 가생이 개망초꽃도/ 함께 노느라고/ 어디로 돌아설 줄 모른다"와 같이 개망초꽃 조차 아이들과 하나가 되어 우주의 중심을 이루면서 그 존재의의를 마음껏 과시하게 되는 겁니다. 자유란 과연 무엇입니까? 한마디로 그것은 어떤 외적인 강제나 구속이 없이 스스로의 자율과 자발성에 의해 생각하고 행동하는 게 아니겠습니까? 모든 지상 위의 생명 있는 것들이 자연성 그대로 존재하며 자신의 법칙에 따라 행동한다는 뜻일 겁니다. 그러기에 새가 자유로이 하늘을 날고 나무와 풀들은 스스로 가지와 잎을 펼치며, 사람들이 그들 스스로의 생명의 원리와 도덕률에 따라 사고하고 행동하는 그것이 바로 자유의 소박한 실현이라는 말씀입니다. 바로 이 시에서 아이들은 아이들대로 활발하게 뛰놀고, 개망초꽃이 그들과 어울려 함께 놀고, 하늘의 제비 또한 저들 마음대로 날다가 어디론가 사라져버리는 그 모습들이 바로 생명이 약동하며 자유와 사랑이 올바로 실현되는 참모습이라고 할 것입니다.

아울러 시「만인보」는 바로 그러한 고은 시 사상의 집대성이라고 할 수 있지 않겠습니까? 새삼 위대한 시의 시대란 위대한 역사의 시대라고 강조하는 고은 시인의 사자후가 되새겨져 오는 듯합니다.

생명존중사상과 인간존중사상, 그 실천이념으로서 자유사상과 평등사상 그리고 사랑의 철학과 평화의 정신이야말로 고은 시 세계의 대주제라고 할 수 있을 것이 분명하겠지요. 부디 萬海를 뛰어넘는 큰 시인, 대사상가로서 그가 우리 정신, 문학사에 더 크고 깊은 울림을 던져줄 것을 고대하고 기원하는 마음입니다.

# 김지하

1941년 전남 목포 출생. 서울대 미학과 졸업. 1969년 『시인』지로 등단. Lotus상 수상. 시집으로 『황토』, 『애린』, 『오적』, 『대설』, 『별밭을 우러르며』 등 다수.

## 타는 목마름으로

신새벽 뒷골목에
네 이름을 쓴다 민주주의여
내 머리는 너를 잊은 지 오래
내 발길은 너를 잊은 지 너무도 너무도 오래
오직 한가닥 있어
타는 가슴 속 목마름의 기억이
네 이름을 남몰래 쓴다 민주주의여

아직 동트지 않는 뒷골목의 어딘가
발자욱소리 호르락소리 문 두드리는 소리
외마디 길고 긴 누군가의 비명소리
신음소리 통곡소리 탄식소리 그 속에 내 가슴팍 속에
깊이깊이 새겨지는 네 이름 위에
네 이름의 외로운 눈부심 위에
살아오는 살의 아픔

살아오는 저 푸르른 자유의 추억
떨리는 손 떨리는 가슴
떨리는 치떨리는 노여움으로 나무판자에
백묵으로 서툰 솜씨로
쓴다.

숨죽여 흐느끼며
네 이름을 남몰래 쓴다.
타는 목마름으로
타는 목마름으로
민주주의여 만세

### 애린·8

버들잎 타고
천리를 흘르와
무에 좋다고 이러는가
어쩌다 스스로 또 귀양살인가
차차 눈 침침해 가는 이 나이에
해남 남동 남녘끝까지 흘러흘러와

## 부정정신과 희망의 시학

분명히 김지하의 출현은 70년대 이 땅에서 하나의 신화에 속한다고 할 것입니다. 그는 70년대 내내 영어생활을 되풀이하면서 유신 독재정권과 온 몸으로 맞서 싸움으로써 이 땅 정치적 수난의 한 표징이 되어 왔기 때문입니다. 그러면서도 기존 분단상황하에서 길들여져 왔던 순수편향성과 예술주의 문단풍토에 혁명적 반역을 시도함으로써 크고 깊은 충격을 던져주었기 따문입니다. 그의 문학이 지닌 정치적 대담성과 문학적 파격성은 이 땅 문학에 "시드는 힘과 새로 피어오느는 모든 힘의/ 기인 싸움을 알리는"(「들녘」) 하나의 선전포고에 해당한다고 하겠습니다.

김지하의 문학세계를 관류하는 기본 흐름은 부정정신이며 비극적 세계관이라고 할 것입니다. 그의 첫 시집 「黃土」(한얼문고, 1970)의 표제시라 할 「황톳길」이 그 예가 됩니다. "황톳길에 선연한/ 핏자국 핏자국 따라/ 나는 간다 애비야/ 네가 죽었고/ 지금은 검은 해만 타는 곳/ 두 손엔 철삿줄/ 뜨거운 해가/ 땀과 눈물과 모래밭을 태우는/ 총부리 칼날 아래 더위 속으로/ 나는 간다 애비야/ 네가 죽은 곳/ 부줏머리 갯가에숭어가 뛸 때/ 가마니 속에서 네가 죽은 곳"(「황톳길」)에서 보듯이 폭압적인 힘과 맞서는 뜨거운 대결정신과 함께 한과 울분이 솟구치고 있음을 볼 수 있습니다. 실제로 그의 첫 시집 「황토」에는 이러한 비극적인 세계인식과 부정정신으로서의 대결정신이 지속적으로 작용하고 있는 것으로 보입니다. "없다/ 못한다/ 아니다"로 되풀이되는 부정시어와 "간다/ 죽는다/ 떠난다/ 허물어진다/ 찢어진다"라고 하는 하강시어는 바로 이러한 부정정신과 비관적 현실인식의 표현이라고 할 겁니다. 또한 "몸/ 핏발/ 통곡/ 울음/ 땀/ 눈물" 등과 같은 강력한 원색적 시어와 "마지막/ 끝끝내 / 드디어" 등의 단정적인 부사어, "~마저/ ~뿐/ ~조차" 등의 한정조사의 활용은 강한 의지와 결단, 그리고 비장함을 일깨워 준다고도 하겠지요. 무엇보다도 "총칼/ 쇠창살/ 쇠사슬/ 최루탄" 등의 광물적 심상과 "새/ 꽃/ 물/ 나무" 등의 식물적 심상의 대비 속에는 폭력적인 탄압의 잔인함과 그에 맞서는 인간적인 것의 가냘픈 듯하면서도 강인한 생명력이 담겨져 있다고 할 것입니다. 실상 판소리와 서사민요, 탈춤, 사설시조 등 전통문학의 풍자방법과 형식원리를 활용하여 유신정권과 정면으로 맞선 담시 「五賊」도 그러한 김지하 특유의 부정정신과 민중적, 비판적 리얼리즘을 보여 준 것이라고 할 수 있겠지요.

인용시 「타는 목마름으로」는 지옥과 같은 수형생활 속에서 절망하면서 민주주의를 애타게 갈망하는 처절한 몸부림을 담고 있습니다. 이 시에서는 "신음소리/ 통곡소리/ 비명소리/ 탄식소리"가 들려오는 가운데 "삶의 아픔"과 "푸르른 자유의 추억", 그리고 "끌려가던 벗들의 피묻은 얼굴"이 아프게 떠오르게도 합니다. 그리고 그렇게 만든 불의의 힘, 폭력적인 힘에 대한 치떨리는 분노와 노여움이 끓어오르는 것이지요. 그렇지만 시의 화자는 지금 "기인 긴 지옥의 노동 속에서/ 미쳐 숨겨가는/ 뒤틀린 눈매의 넋" (「지옥·3」) 이며, "어둠 속에서/ 저 시뻘건 시뻘건 육신의 어둠 속에서/ 부릅뜬 저 두 눈" (「어둠 속에서」) 과 같이 영어의 몸일 따름입니다. "손목에 패인 사슬자국"을 어쩌지 못하고, "잘리고 부러지고/ 헐떡거리며 지쳐 여위어 비틀거리며/ 녹슨 연장이 되어 찌그러져 미쳐" (「지옥·1」) 있을 뿐인 것입니다. 그러기에 오직 "떨리는 치떨리는 노여움으로 나무판자에/ 백묵으로 서툰 솜씨로/ 쓴다// 숨죽여 흐느끼며/ 네 이름을 남몰래 쓴다/ 타는 목마름으로/ 타는 목마름으로/ 민주주의 여 만세"처럼 민주주의에 대한 애절한 갈망을 안타깝게 드러내게 되는 것입니다. 그리고 보면 이 시는 가열하면서도 처절한 독재의 폭압 속에서, 그 절망적 상황 속에서 새산 자유와 평등으로서 민주주의의 소중함을 깨달으면서 그에 대한 회복의 열망을 그야말로 "타는 목마름으로" 노래한 것이 분명합니다.

그가 그토록 소망하고 예언했던 것처럼 오래지 않아 유신독재정권이 무너지고, 그가 자유의 몸이 되고 그의 작품 또한 햇빛을 보게 되면서 그의 시세계는 서정시집 「애린」처럼 점차 구도적이고 내성적인 경향으로 바뀌어 갑니다. 인용한 시 「애린·8」이 그 한 예이지요. 그렇지만 근래의 이 땅 풍경에서처럼 아직도 그에게 밝고 따뜻한 봄빛은 찾아 오지 못했나 봅니다. 최근에 발간된 시집 「별밭을 우러르며」를 보면, 그는 아직도 "흰 눈 가득한데/ 푸른 대가 겨울 견디네/ 사나운 짐승도 상처 받으면/ 굴 속에 내내 웅크리는 법" (「겨울에」) 처럼 겨울을 앓고 있는 것으로 보이기 때문입니다.

그렇지만 겨울이 깊으면 깊을수록 새 봄의 향기가 짙고 아름다운 법이 아니겠습니까? "내 몸 어딘가에서 아련히/ 새살 돋아오는 아픔/ 눈부신 눈부신 저 목련" (「목련」)처럼 긴 겨울을 앓으면서 새 봄을 예감하고 기다리는 그의 모습이 가을이 오는 길목에서 그리도 경건해 보이는 것은 과연 무슨 까닭이겠습니까?

# 김사인

1956년 충북 보은 출생. 서울대 국문과 졸업. 1982년『시와 경제』
로 데뷔.『노동해방문학』발행인 역임. 시집『밤에 쓰는 편지』등.

## 지상의 방 한칸

세상은 또 한고비 넘고
잠이 오지 않는다.
꿈결에도 식은 땀이 등을 적신다
몸부림치다 와 닿는
둘째 놈 애린 손끝이 천 근으로 아프다
세상 그만 내리고만 싶은 나를 애비라 믿어
이렇게 잠이 평화로운가
바로 뉘고 이불을 다독여 준다
이 나이토록 배운 것이라곤 원고지 메꿔 밥비는 재주 뿐
쫓기듯 붙잡는 원고지 칸이
마침내 못 건널 운명의 강처럼 넓기만 한데
달아오른 불덩어리
초라한 몸 가릴 방 한칸이
망망천지에 없단 말이냐
웅크리고 잠든 아내의 등에 얼굴을 대본다
밖에는 바람소리 사정 없고

며칠 후면 남이 누울 방바닥
잠이 오질 않는다.

## 삶의 고달픔과 슬픈 긍정

보고 싶은 벗, 김사인. 그대는 과연 지금 어디에 있는가? 마음 약한 그대가 "묵묵히 밤을 견디는 나무/ 찬비 견디는 풀잎"(「밤에 쓰는 편지·1」) 되어 어느 어둔 거리를 헤매고 있는가? 아니면 마음 착한 그대가 "그대보다 더 살기가 어려운/ 건너편 집 가장의 끊일 듯 말 듯 들려오는 신음소리"에 잠 못 이루면서 불면의 밤을 앓고 있는 것인가. 그도 아니면 강하디 강한 또 하나의 그대 모습처럼 또다시 차가운 벽에 기대어 어둔 밤하늘 흐릿하게 반짝이는 별을 바라보면서 혼의 울음을 울고 있는 것은 아닌가? 우리 지난 새해 겨울, 참으로 오랜만에 만나 점심때부터 시작한 낮술에 취해 자정이 넘도록 방황하던 그때, 그 시간이 내내 그립고 아프게 다가오는 건 무슨 연유인가? 우리가 단지 같은 연구실을 거쳐 온 그 인연 하나 때문일 것인가. 과연 그날 밤 그리 늦도록 우리가 애타게 찾아 헤매던 그 목마름이 오랜만에 서로 깊은 울림으로 전해왔던 그 애달픔 때문일 건가. 여름이 오면서 그 작열하는 태양 아래 그대는 기약도 없이 어디론가 끌려 떠나가고, 오로지 그대 이름의 "외로운 눈부심"만이 내게 "삶의 아픔"으로 다가오고 말았다네. 조석으로 차운 바람 불건만 그대 아직도 돌아온다는 기별 들려오지 않으니 답답하고 아픈 마음 하늘만하네.

세삼 나도 이 깊은 밤 까닭 없이 뒤척이며 다시 그대 시집 「밤에 쓰는 편지」를 읽어 보고 있다네. 그러면서 행간마다 그대 착하고도 여린 마음, 섬세하면서도 강인한 심지(心志)가 문득문득 가슴 속 깊이 울려와서 몇 번이나 책을 덮고, 덮고 말았다네. 확실히 그대의 시편들에는 비관적인 현실인식과 함께 그대 특유의 강인한 부정의 정신이 관류하고 있는 듯하네. 그리고 깊이 모를 불안의식과 강박관념이 깔려 있어서 시의 분위기를 무겁고 어둡게 만들어 준다고 하겠네. 그러면서도 "오늘따라 비까지 내려/ 우산이 없는 여학생들은/ 무거운 가방을 들고 울상입니다/ 팔다리가 있는 짐승들은 모두/ 어디로 총총히 걸어갑니다" (「밤에 쓰는 편지」·1)에서 볼 수 있듯이 인간에 대한 슬픈 연민과 따스한 긍정을 함께 담고 있어서 우리 마음을 아픔 속에서 희망을 간직하도록 하고 있는 듯하네.

아버님께 보내는 편지 형식으로 된 시「밤에 쓰는 편지·4」에서는 바로 이러한 그대의 여린 듯하면서도 강인하고 따뜻한 시정신이 잘 드러나 있는 것이 아닐까 하네. 마치 일제강점하 어둠 속, 심훈이 어린 나이로 3·1 운동에 연루되어 감옥 속에 갇혔을 때 걱정하시는 어머님께 올렸던 그 글처럼 진솔하면서도 진정어린 존경심과 사랑의 마음이 넘치고 있기 때문일 걸세. 아마도 이 시의 핵심은 "제 어린 새끼들의 무구한 잠을 저는 지켜야 하겠습니다/ 저희보다 더 살기 어려운/ 건너편 집 가장의 끊일 듯 말 듯 들려오는 신음소리를/ 또 저는 지키고 있어야 하겠습니다"라는 구절 속에 놓여 있는 것이 아닐는지. 그것은 바로 스스로의 삶과 운명에 대한 사랑이고, 동시에 헐벗고 굶주리고 병든 이웃들에 대한 뜨거운 애정과 함께 운명공동체의식이 아프게 표출되고 있다고 생각되기 때문이네. 그러면서 "어둠의 끝을 고대하며/ 소리 없이 깨어 있는 많은 이들"에 대한 깊은 신회와 사랑이 담겨 있는 것도 이 시가 깊은 공감을 불러일으키는 까닭이 아닌가 생각되는 것이라네.

특히 박영한의 소설 제목을 빌린「지상의 방 한칸」은 가난하디 가난하게 자취방을 전전하며 소년시절을 지내온 나에게는 참을 수 없는 아픔가운데 그리움을 조용히 일깨워 준다네. 무엇보다도 그대의 고달픈 자전적인 생활사가 이 작품 속에 애절하게 투영되어 있는 것으로 보여 그대를 아는 사람들이나 그러한 가난 속에 살아온 많은 이웃들에게 유별난 감동을 전달해 주는 것이 아닐까 생각하네. 확실히 이 시에는 지상에 방 한 칸 제대로 마련하지 못하고 정처 없이 떠도는 뿌리 없는 삶, 몸 하나 집을 삼아 부초처럼 떠다니며 사는 이 땅의 고단한 사람들의 모습이 애절하게 담겨 있다고 할 것일세. 그러면서 가장된 자로서 삶의 힘겨움이라든지, 애비 된 자로서의 깊은 자책감과 무력한 남편으로서의 비애가 안타까운 슬픔의 무늬결을 이루고 있는 듯하네. 그것은 물론 "둘째놈 애린 손끝"에서 찡하게 전해오는 순수와 생명 자체에 대한 근원적인 연민일 수도 있을 것이고, "웅크리고 잠든 아내의 등"에서 쓰리게 느낄 수밖에 없는 운명적인 삶의 비극성 또는 슬픈 사랑에 대한 깨달음이기도 하지 않을까. 특히 "초라한 몸 가릴 방 한칸이/ 망망천지에 없다는 말이냐"라는 애절한 하소연 속에는 스스로의 무력함에 대한 자책과 함께 삶의 근원적 비극성에 대한 깊은 탄식이 담겨져 있는 것이라 생각되네만… "며칠 후면 남이 누울 방바닥/ 잠이 오지 않는다"처럼 그대는 지금 어디에 누워 잠 못 이루며 뒤채이고 있는가. 이 가을이 깊어지기 전에 우리 다시 만나서 함께 쓴 소주 한 잔이라도 나눌 수 있기를 고대하면서, 언제 어느 하늘 아래서라도 내내 건강하기를 기도하겠네.

# 10월
# 가난한 소녀의 가을 집짓기

# 홍윤숙

1925년 평북 정주 출생. 서울대 중퇴. 1947년 문예신보로 등단. 현재 한국시협회장. 시집으로 『장식론』, 『타관의 햇살』 등 다수.

## 가을

초라히 코스모스 한다발 안고
어두운 밤을 돌아가는
내야 가난한 소녀올시다.

삼단 같은 머리도 머리에 들일
다름댕기 한 감도 지닐 바 없는
다만 淑이, 숙이란 이름만을 지닌
이렇게 작은 몸이 낙엽을 밟고
돌아갑니다.

보십시오
달도 별도 없는 이 밤하늘을
스스로이 지나가는 바람과 바람 속에
살아나는 그리운 사람들의 숨소리

얼마나 먼 길이기에

한여름 다사한 햇볕도 못 쬐이고
이 바람 드센 가을 밤길을
옷자락 여미며 가야 합니까?

가야 할 길
가야 할 길

가난한 소녀가 살아야 하겠기에
이 밤도 이 어둠도 역겨움 없이
항시 꽃 한다발 가슴에 안고
그리움 속에 부르는
서리 찬 시월이 있읍니다.

가을 집짓기

돌아가야지
전나무 그늘이 한겹씩 엷어지고
국화꽃 한두 송이 바람을 물들이면
흩어졌던 영혼의 양떼 모아
떠나온 집으로 돌아가야지
가서 한 생애 버려뒀던 빈 집을 고쳐야지
수십 년 누적된 병인을 찾아
무너진 담을 쌓고 창을 바으고
상한 가지 다독여 등불 앞에 앉히면
만월처럼 따뜻한 밤이 오고
내 생애 망가진 부분들이
수묵으로 떠오른다
단비처럼 그 위에 내리는 쓸쓸한 평화
한때는 부서지는 열기로 날을 지세고
이제는 수리하는 노고로 밤을 밝히는
가을은 꿈도 없이 깊은 잠의

평안으로 온다
따뜻하게 손을 잡는 이별로 온다


## 가난한 소녀의 가을 집짓기

가을 밤바람 스산하게 불어대는 들녘 길가엔 코스모스들 청초하게 피어 하늘거리고 있습니다. 그리고 어둔 밤길을 토박토박 걸어가는 한 소녀가 있습니다. "삼딴 같은 머리도 머리에 들일 다홍댕기 한 감도 지닐 바 없는" 가난한 소녀 숙이가 바로 그입니다. 그러기에 그 소녀의 가슴은 "달도 별도 없는 이 밤하늘"과 같이 어둡고 을씨년스럽기만 합니다. 다만 가난하다는 그 이유 하나만으로 그녀의 작은 몸은 언제나 낙엽처럼 메마르고 움츠러들어 있습니다. 그렇지만 가난하다고 해서 그녀가 그리움을 모르고, 따뜻하고 아름다운 마음을 잃고 있는 것이겠습니까? 오히려 그녀에겐 비록 '달도 없고 별도 없는' 어둔 밤으로서의 세상이지만, "스스로이 지나가는 바람과 바람 속에/ 살아나는 그리운 사람들의 숨소리"처럼 청순한 그리움과 안타까운 설레임이 가슴 가득 밀물져 오고 있는 것이지요. 그리고 가난하게 살아가는 이웃들의 숨소리가 더욱 크고 강하게 울려오게 되는 것이지요. 그러기에 소녀의 어둔 가슴에 그리움은 등불이 되고, 사람들의 숨소리는 힘찬 생명의 음악 소리가 되는 것입니다.

그렇지만 이 소녀가 가야 할 길은 아직도 멀고 멀기만 합니다. 지금까지 적지 아니 어둔 밤길 헤쳐 왔지만, 앞으로도 그 어둔 길, 가야 할 길은 아득하기만 한 것입니다. 그렇다고 해서 좌절하여 무릎 꿇을 수 없는 것이지요. "가야 할 길/ 가야 할 길"이라는 구절의 반복은 바로 이러한 절망감과 좌절감이 엄습해 오는 가운데 이것을 떨치고 일어서서 나아가려는 내심의 결의와 다짐이 아로새겨져 있는 것일 겁니다. "가난한 소녀가 살아야 하겠기에"라는 고백적인 진술 속에는 바로 이러한 좌절을 딛고 일어서려는 눈물겨운 삶의 분투 또는 목숨의 진실이 담겨 있기 때문입니다. 어둔 현실이 강요하는 온갖 어려움과 역겨움을 소녀가 작은 몸과 여린 마음 하나로 이겨 나아가기에는 너무도 벅차고 힘겨운 일이지만, 온 우주의 어둠을 밀쳐 내면서 홀로 피어 있는 코스모스처럼 소녀 또한 지상 위의 어둠을 떨쳐 내면서 밝고 힘차게 살아가야만 하는 것입니다.

"항시 꽃 한다발 가슴에 안고, 그리움 속에 부르는 서리 찬 十月"속에는 바로 이 소녀의 가녀리지만 힘찬 생명의지가 코스모스 꽃잎처럼 청초하고 아름답게 피어나 있는 것이지요. 이 스산하게 귀뚜라미 울고 가을바람 부는 밤, 어디엔가 어둔 가슴 속에 그리움의 등불 하나 켜들고 코스모스 꽃잎처럼 하늘거리며 어둔 골목길 돌아 귀가하고 있을 어느 소녀의 모습이 아프게 그리워지는 것은 과연 무슨 연유이겠습니까? 가난한 그 소녀가 비록 이 가을에 몸 하나로 이 세상에 자그마한 집을 지으려 하고 있다 하더라도 그 집이 항상 따뜻한 슬픔과 아름다운 평화로 가득 차기를 경건하게 기도하는 마음 하늘만합니다.

# 이성부

1942년 전남 광주 출생. 경희대 국문과 수학. 1962년 『현대문학』 및 동아일보로 데뷔. 현재 한국일보 근무. 시집 『이성부시집』, 『백제행』 등 다수.

## 벼

벼는 서로 어우러져
기대고 선다.
햇살 따가와질수록
깊이 익어 스스로를 아끼고
이웃들에게 저를 맡긴다.
서로가 서로의 몸을 묶어
더 튼튼해진 백성들을 보아라
죄도 없이 죄 지어서 더욱 불타는
마음들을 보아라, 벼가 춤출 때,
벼는 소리 없이 떠나간다.

벼는 가을하늘에도
서러운 눈 씻어 맑게 다스릴 줄 알고
바람 한점에도
제 몸의 노여움을 덮는다

저의 가슴도 더운 줄을 한다
벼가 떠나가며 바치는
이 넓디 넓은 사랑,
쓰러지고 쓰러지고 다시 일어서서 드리는
이 피묻은 그리움,
이 넉넉한 힘……

## '홀로'와 '함께'의 삶

미시는 생명의식과 민족의식, 그리고 민중의식을 포괄적으로 담고 있어서 관심을 끕니다. '벼'라고 하는 생명표상 또는 먹이상징을 통해서 눈물과 땀으로 얼룩진 이 땅에서의 험난한 민족적 삶, 민중적 삶의 모습을 형상화하고 있기 때문이지요.

이 시에서 '벼'는 생명과 먹이의 표상이면서, 동시에 한포기 한포기로서의 벼가 개체로서의 인간을 의미합니다. 그러나 개체로서의 단독자가 인간세계의 기초를 이루는 것이긴 하지만, 그것이 하나하나 따로 분리될 때는 무력하고 보잘 것 없는 존재에 불과한 것이지요. 그것은 "깊이 익어 스스로를 아끼고 / 이웃들에게 저를 맡길 때", 즉 공동체의식으로 연결되고 확대될 때 강한 생명력과 힘을 획득하게 되는 것입니다. "서로가 서로의 몸을 묶어/ 더 튼튼해진 백성들"과 같이 서로 결합되고 역동적으로 단합될 때, 비로소 역사의 주체이자 기반으로서 민중적 생명력과 힘을 발휘하게 되는 것이지요. 그러면서도 개체로서의 민중은 "죄도 없이 죄 지어서 더욱 불타는 마음/ 가을하늘에도 서러운 눈 씻어 맑게 다스릴 줄 알고/ 바람 한 점에도 제 몸의 노여움을 덮는"과 같이 선량하면서도 그 속에 슬기로움을 간직하고 있는 데서 이 시의 날카로우면서도 섬세한 지성이 엿보이는 것이지요. 참다운 개인의 발견과 그 소중함의 자각을 기초로 할 때 비로소 올바르고 강한 민중의식, 바람직한 공동체 의식이 형성될 수 있다는 뜻이 아니겠습니까?

그러기에 이 시에는 운명에 대한 사랑과 자기 희생정신을 통한 실천적 사랑만이 인간을 구원할 수 있다는 깨달음이 제시되어 있는 듯합니다. "벼가 떠나가며 바치는/ 이 넓디 넓은 사랑/ 쓰러지고 쓰러지고 다시 일어서서 드리는/ 이 피묻은 그리움/ 이 넉넉한 힘……"이라는 구절속에는 실천적 사랑의 소중함과 함께 인류에 대한 희생정신, 민중에의 신뢰의 정신이 담겨져 있는 것으로 해석되기 때문입니다. 이 점에서 이 시는 공동체의식과 개인의식, 실천성과 예술성이 탄력 있는 조화를 획득함으로써 바람직한 민중시의 한 모습을 제시한 것으로 생각됩니다. 흔히 민중시라고 하면 소리 높여 현실에 대한 울분과 저항을 토로하고 적개심을 강조해야만 하는 것으로 인식하는 경우가 많습니다. 그렇지만 벼라는 민족적 삶, 민중적 삶의 상징을 통해 삶의 어려움과 노동하는 삶의 소중함을 강조하고, '홀로'와 '함께'의 조화 속에서 올바른 삶의 의미가 드러난다는 깨달음을 날카로우면서도 따뜻하게 보여 준 이 시야말로 바람직한 의미의 민중시가 아니고 그 무엇이겠습니까?

# 이시영

1949년 전남 구례 출생. 서라벌예대 졸업. 1969년 중앙일보·『월간 문학』 등으로 데뷔. 현재 『창작과 비평』 주간. 시집으로 『만월』, 『바람 속으로』 등 다수.

## 가을산

가을 산이 옷을 벗고
눈을 뜬다.
갈대들도 마른 발짝 소리를 낸다.
지난 여름 우리는 참으로 뜨겁게 불타올랐다
그러나 이제 조용히 눈을 감고
스스로의 중심을 향해 돌아서야 할 때
가을 산이 갈색 눈을 뜨고
뿌리 깊이에서 다시 한번 불끈 솟는다

## 白露(백노)

휴전선은 끝이 없다
달도 저문다
떡갈나무 숲속 외로운 초병의 총구 끝도
싸늘히 춥다

숲그늘에 잠든 새들아 날아올라라
동터오는 새벽 하늘 가르며 북녘끝까지
어젯밤 남방한계선을 넘다가
몇 점 불빛으로 산화한 것들의 아득한 날갯짓을
초병은 안다


## 분단비극의 서정화

가을이 깊어가면 가랑잎이 휘날리는 휴전선의 달밤이 을씨년스러우면서
도 아름답게 떠오릅니다. 그리곤 휘영청 떠오르는 달빛 속에 싸늘하게 빛나
는 초병들의 고달픔과 그리움, 그리고 외로움이 아프게 아프게 다가옵니다. 바
로 시 「백로」에는 이러한 휴전선의 가을밤 풍정(風情)과 함께 비극적인 현실인
식이 예리하면서도 섬세한 서정으로 묘사되어 있어서 관심을 환기합니다.

이 시에서 비관적인 현실인식은 "휴전선/ 초병/ 총구/ 남방한계선/ 산화"
등의 시어에서 날카롭게 드러납니다. 이 땅의 분단현실에 대한 비관적인 인
식과 함께 그에 대한 아픔이 이 다섯 이미지의 충돌 속에 첨예하게 드러나고
있는 것이지요. 아울러 "끝이 없다/ 달도 저문다/ 싸늘히 춥다"라고 하는 하강
적인 심상들이 비극성을 고조시키면서 서정성을 환기해 주는 것이지요. 또한
"달/ 떡갈나무 숲속/ 새/ 새벽 하늘/ 불빛" 등의 서정적 소재들이 서로 어울리
고 앞에서의 "휴전선/ 초병/ 총구/ 남방한계선" 등과 같은 현실적 시어와 맞부
딪치면서 평화스러움과 불안함, 아름다움과 무서움이라고 하는 이중적인 아
이러니를 연출하고 있다고 하겠지요. 어쩌면 이러한 이미지들의 부딪침 속에
는 오늘날 분단의 조국을 휩싸고 도는 현실적인 갈등과 긴장 또는 비극성이
상징적으로 담겨 있는지도 모릅니다. 그렇지만 정작 이 시가 강조하는 것은
바로 이러한 동강난 조국의 현실을 극복하고자 하는 분단극복의지 또는 통일
지향성이라고 할 것입니다. "숲그늘에 잠든 새들아 날아올라라/ 동터오는 새

벽 하늘 가르며 북녘 끝까지"라는 핵심 구절이 그것이지요. 실상 광복 이래 분단의 비극 속에서 휴전선을 사이에 두고 "몇 점 불빛으로 산화해 간" 이 한 겨레가 그 얼마나 될 것입니까? 바로 이 점에서 이 시는 비관적 현실인식을 「백로」라고 하는 가을심상을 빌어 표현하면서, 그 속에 분단극복의지, 통일에의 지향성을 예리하게 담고 있다고 하겠습니다. 절제된 표현과 간결한 형식속에 사상성과 예술성, 치열성과 서정성을 통합해 낸 데서 이 시의 성공적인 모습이 드러난다는 말씀입니다. 시 「가을산」에서는 가을이 온갖 허욕을 버리고 스스로의 중심을 향해서 집중해야 할 소중하면서도 경건한 시간이라는 점을 강조하고 있습니다. 가을은 "옷을 벗고 눈을 떠야 하는" 계절이면서도 "뿌리 깊이에서 다시 한 번 불끈 솟아"와 같이 새로운 힘을 예비해야 하는 내적인 원숙과 심화의 계절인 때문이지요.

이처럼 이시영의 일련의 시들은 현실인식과 서정성을 함께 추구하면서 그 속에 삶의 깊이를 심화하고 진정성을 획득하려 노력하는데서 그 시적 진실미가 돋보인다고 하겠습니다.

# 11월

# 생각하는 갈대의 슬픔

# 김현승

1913년 평양 출생. 숭실전문 졸업. 1934년 동아일보로 데뷔. 시집
으로『김현승시초』,『견고한 고독』,『절대고독』,『김현승전집』 등 다
수. 숭실대학 교수. 1975년 작고.

### 離別(이별)에게

지우심으로
지우심으로
그 얼굴 아로새겨 놓으실 줄이야……

흩으심으로
꽃잎처럼 우릴 흩으심으로
열매 맺게 하실 줄이야……

비우심으로
비우심으로
비인 도가니 나의 마음을 울리실 줄이야……

어둠 속에
어둠 속에
寶石들의 光彩를 길이 담아 두시는

밤과 같은 당신은, 오오, 누구이오니까!

**가을의 香氣**

남쪽에선
과수원의 능금이 익는 냄새,
서쪽에선 노을이 타는 내음……

산 위엔 마른풀의 향기,
들가엔 장미들이 시드는 향기……

당신에겐 떠나는 향기,
내게는 눈물과 같은 술의 향기

모든 육체는 가고 말아도,
풍성한 향기의 이름으로 남는
傷하고 아름다운 것들이여,
높고 깊은 하늘과 같은 것들이여……


## 가을, 떠나가는 것들의 향기를 위하여

우리의 현대시사에서 대표적인 가을시인이라면 아마도 茶兄 金顯承 시인을 꼽는 분들이 많으실 겁니다. 그만큼 다형은 가을을 다양하면서도 깊이 있게 탐구함으로써 가을정신 또는 고독의 사상을 이루어서 우리에게 보여 주었기 때문이지요.

다형 시의 두 가지 가치축은 아마도 가을과 고독의 문제에 집중되어 있다고 해도 과언이 아닐 겁니다. 그의 시에는 「가을 시」, 「가을의 소묘」, 「가을 저녁」, 「가을의 碑銘」 등 헤아리기 힘들만큼 많은 가을제재 및 가을주제의 시가 등장하는 것이지요. "가을에는/ 기도하게 하소서…/ 낙엽들이 지는 때를 기다려 내게 주신/ 겸허한 모국어로 나를 채우소서// 가을에는 사랑하게 하소서……/ 오직 한 사람을 택하게 하소서……/ 가장 아름다운 열매를 위하여 이 비옥한/ 시간을 가꾸게 하소서// 가을에는 호올로 있게 하소서……/ 나의 영혼/ 굽이치는 바다와/ 百合의 골짜기를 지나/ 마른 나뭇가지 위에 다다른 까마귀같이"라는 시「가을의 祈禱」는 바로 그러한 가을정신을 보여주는 한 대표작이라고 할 수 있을 겁니다. 그렇다면 "가을정신"이란 과연 무엇이겠습니까? 아마도 그것은 세속사의 온갖 허욕과 위선을 떨치고, 인간의 본질로서 진정한 고독과 허무에로 다가가려는 자유에의 길이 아닐까 합니다. 마치 가을이 깊어가면서 온갖 나무들이 그들에게 소중했던 나뭇잎들을 스스럼없이 떨구어버리고 그 원상 또는 본질만 남기듯이 말입니다. 투명한 정신의 세계, 그 가볍고 편안한 영혼의 빛에 도달하려는 것이겠지요. 그러기에 이 가을의 정신은 자유에의 길이며, 고독의 정신이기도 할 것입니다. "견고한 고독"이 "純金의 고독"으로, 다시 "절대고독"으로 고독의 실체화, 또는 고독의 가치화를 이루어 가는 것이 바로 이러한 "가을정신=자유에의 길=고독의 사상"을 말해주는 게 아닐까요.

시「가을의 향기」에는 이러한 다형 시의 가을정신이 투명하고 아름답게 형상화되어 있다고 하겠습니다. 여기에는 가을의 이미지가 "과수원/ 능금/ 노을/ 산/ 들/ 풀/ 장미/ 향기/ 눈물/ 술/ 하늘" 등의 명사와 "익는/ 타는/ 마른/ 시드는/ 떠나는/ 가는/ 삼는/ 아름다운/ 높고 깊은" 이라는 관형적 용언들로써 집중적으로 제시되어 있는 것이지요. 특히 "익는"과 "마른/ 시든/ 떠나는"의 대립 속에 만남과 헤어짐, 충만과 소실, 생성과 소멸이라는 생명의 원리를 내포함으로써 생의 본질에 깊숙이 다가가고 있는 것입니다. 그야말로 모순의 아름다움 또는 비극적인 것의 아름다움이 돋보인다고 할 것입니다.

시「이별에게」에는 이러한 가을정신이 더욱 섬세하고 예리하게 투영되어 있다고 하겠습니다. 그것은 한마디로 사라짐과 떨어져 감, 또는 비움을 통해서 자유로서의 삶의 본질로 다가가려는 노력이며 동시에 새로운 생명과 부활을 성취하고자 하는 영원에의 갈망이라고 할 수 있지 않을런지요. 다시 말해서 "소멸-생성/ 죽음-부활"이라는 고난의 과정 또는 無의 통과과정을 통해서 진정한 인간발견에의 길, 신앙에의 길로 나아가고자 하는 기독교적 역사의식이 담겨 있다고도 하겠지요. 어쩌면 이러한 가을정신은 "바람이 분다, 살아야겠다" (le vent se leve! il faut tenter de vivre!) 라고 하는 발레리의 「海邊의 墓地」를 연상할 수도 있을 겁니다. 세속사에서 겪을 수밖에 없는 온갖 좌절과 실의, 절망을 딛고서 은혜와 구원, 영원의 길로 나아가고자 하는 신성 지향성이 자아발견의 모습, 인간탐구의 정신으로 형상화되어 있다는 말씀이지요.

이처럼 茶兄은 우리의 현대시사에서 가을정신 또는 고독의 사상을 이루어낸 데서 소중한 의미를 지닌다고 할 수 있지 않을런지요. 그의 시는 요란한 시대에는 별로 눈에 띄지 않을 수도 있을 겁니다. 그렇지만 고단하고 어두운 시대일수록 우리의 지친 삶과 목마른 영혼을 씻어주고 달래주는 소중한 샘물이 될 수 있으리라 생각합니다. 그의 시는 혼탁한 시대에 삶의 본모습을 비춰 주고 인간의 진실을 깨닫게 하는 겸허한 참회의 거울, 명상의 샘물로서의 의미를 지니는 것으로 이해되기 때문입니다. 우리 모두 지난 한 해 동안의 온갖 허욕과 번잡을 떨쳐버리고, 밝고 힘찬 가을정신으로 내면을 다지면서 다가오는 겨울나기 준비를 해야 하지 않겠습니까?

# 신경림

1936년 충북 충주 출생. 동국대 영문과 졸업. 1956년『문학예술』로 데뷔. 만해문학상 등 수상. 시집으로『농무』,『남한강』,『길』등 다수.

## 갈대

언제부턴가 갈대는 속으로
조용히 울고 있었다.
그런 어느 밤이었을 것이다.
갈대는 그의 온몸이 흔들리우고 있는 것을 알았다.
바람도 달빛도 아닌 것.
갈대는 저를 흔드는 것이
제 조용한 울음인 것을 까맣게 몰랐다.
……산다는 것은 속으로 이렇게
조용히 울고 있는 것이란 것을
그는 몰랐다.

## 가난한 사랑노래

가난하다고 해서 외로움을 모르겠는가
너와 헤어져 돌아오는
눈 쌓인 골목길에 새파랗게 달빛이 쏟아지는데.

가난하다고 해서 두려움이 없겠는가.
두점을 치는 소리
방범대원의 호각소리 메밀묵 사려 소리에
눈을 뜨면 멀리 육중한 기계 굴러가는 소리.
가난하다고 해서 그리움을 버렸겠는가
어머님 보고 싶소 수없이 뇌어 보지만
집 위 감나무에 까치밥으로 하나 남았을
새빨간 감 바람소리도 그려 보지만.
가난하다고 해서 사랑을 모르겠는가.
내 볼에 와 닿던 네 입술의 뜨거움
사랑한다고 사랑한다고 속삭이던 네 숨결
돌아서는 내 등 뒤에 터지는 네 울음.
가난하다고 해서 왜 모르겠는가.
가난하기 때문에 이것들을
이 모든 것들을 버려야 한다는 것을.

## 생각하는 갈대의 슬픔

가을 이미지들이 많긴 합니다만, 아마도 갈대만큼 선명하면서 인상적인 것도 그리 많지는 않을 겁니다. 그러기에 제게는 가을이 깊어가면서 유독 생각나는 시 중의 하나가 바로 이 시 「갈대」입니다. 갈대는 스러져가는 계절로서 가을의 서정성을 환기해 주기도 하지만, 그와 함께 "생각하는 갈대"로서 인간적 표상성을 지니고 있는 것이기 때문이지요. 다시 말해서 이 시는 허약하기 이를 데 없는 존재이면서도 생각하는 주체, 창조하는 주체로서 인간의 현상과 본질에 대한 깨달음을 형상화하고 있다고 할 것입니다. 그러기에 자연의 표상으로서, 갈대는 생각하는 존재로서 인간적인 감정이입을 취하는 게 자연스러운 일이 되겠지요. 밤이라는 시간배경의 어둠 속에서 바람에 흔들거리는 하얀 갈대의 모습은 바로 온갖 시련과 역경 속에서 흔들리며 살아가는 인간의 모습과 다를 바 없는 것이기 때문이지요. 여기에서 갈대를 뒤흔드는 것은 꼭 밖에서 불어오는 바람이나 달빛만은 아닐 겁니다. 인간에게도 마찬가지이겠지요. 인간을 고통스럽게 만드는 것은 비단 외부로부터의 탄압이나 질곡뿐만은 아닐 겁니다. 그러한 외부적인 압력도 큰 것이긴 하지만, 생의 저 아스라한 심연으로부터 솟구치는 인간본질로서의 고독에 대한 깨달음이거나 허무에 대한 탄식에서 더 크게 연유하는 것인지도 모릅니다. 그것은 단독자로서 이 세상을 헤쳐갈 수밖에 없는 절대고독에 대한 처절한 깨우침이며, 동시에 一回的 인생을 수밖에 없는 그 절대허무에 대한 아스라한 절망감에 연유하는 것이기도 하겠지요. "저를 흔드는 것이/ 제 조용한 울음인 것을 까맣게 몰랐다/ 산다는 것은 속으로 이렇게/ 조용히 울고 있는 것이란 것을/ 그는 몰랐다"라는 구절 속에는 바로 이러한 단독자로서의 인간, 일회적 존재로서의 인생에 대한 깊은 깨달음과 함께 비탄이 담겨 있다고 할 것입니다.

아울러 이 구절 속에는 모든 삶이 궁극적으로 자기극복과 구원의 명제와 연결되어 있다는 점에서 안타까운 인간발견이 담겨 있다고도 하겠지요. "온몸이 흔들리우고 있는 것/ 조용히 울고 있는" 갈대의 모습은 바로 운명을 긍정하는 가운데 자기극복을 위해 묵묵히 안으로 자기를 채찍질하며 살아가려는 인간의 자기극복과 다짐의 노력을 상징적으로 드러낸 구절일 겁니다. 아울러 여기에는 온몸으로 살아가려는 삶의 자세 또는 내성적인 자기반성으로 살아가는 삶의 자세에 대한 외경심이 담겨져 있으며, 동시에 그렇게 사는 것으로서의 인생에 대한 갈망과 지향성이 투영되어 있다고 할 것입니다. "흔들림"과 "울음"의 두 이미지를 통해서 생각하는 갈대로서의 인생에 대한 현상과 본질을 투시하고, 그 초극의 진지한 노력을 아름다운 비애미로써 노래한 데서 이 시가 은은한 감동을 불러일으킨다고 할 수 있지 않겠습니까?

한편 겨울노래라고 할 「가난한 사랑노래」는 가난하지만 열심히 또 정직하게 살아가려고 노력하는 한 젊은이를 시적 주인공으로 하여, 인간적 진실의 따뜻하면서도 아름다운 모습을 형상화하고 있어서 관심을 끕니다. 어느 도시의 변두리 어두운 골목길 모퉁이에서 외로움과 두려움 그리고 그리움을 앓으면서 고단하게 살아가는 한 근로하는 청년의 애달픈 사랑얘기가 아프게 다가오기 때문이지요. 가난하기 때문에 어딘가 마음 한구석이 움츠러 들어 사랑에서마저도 쓸쓸히 돌아서야만 하는 경우가 대부분일, 이 땅의 수많은 근로 청소년들의 애달픈 실존과 사랑에 대한 따뜻한 응시가 이 시에는 담겨져 있습니다. 이 점에서 이 시는 우리 주변의 소외된 삶에 대한 깊은 유대감과 연대 의식을 지니고 있다고 할 수 있을 겁니다. 시 「갈대」가 단독자 의식과 삶의 내면성에 대한 응시를 보여 주었다면, 이 「가난한 사랑노래」는 공동체 의식과 현장성에 관심을 드러냈다고 하겠지요. 삶의 본질적인 두 측면이라 할 "홀로"와 "함께"의 문제를 통해서 우리 삶의 의미와 나아가야 할 방향을 제시한 것이라고 할 것입니다. 그러면서도 사상성과 예술성, 관념성과 서정성을 섬세하고 예리하게 통합해 냄으로써 진실미가 던져 주는 따뜻한 공감과 서정이 환기하는 아름다운 울림을 빚어낸 데서 이 시들이 감동을 던져 준다고 할 수 있지 않겠습니까?

# 차한수

1936년 경남 통영 출생. 인하대 문학박사. 1977년 『현대시학』으로
데뷔. 현재 동아대 국문과 교수. 시집으로 『신들린 늑대』, 『버리세요』
등 다수.

## 가을날

가을날 낙엽지는 뜨락에서
너와 마주앉아 술을 마시면
술잔은 외로운 조각배,
잔을 놓고 내려다 보면
뱉아 버린 수많은 말의 분노가
하얗게 불이 붙은 바다가 된다
하얗게 불이 붙은 파도가 된다
늘어선 술잔을 돌아보며 술을 마시면
술은 말없이 눈물만 흘린다
다시 네가 마시는 술잔을 바라보면

흔들리는 네 인생의 조각배,
텅 빈 낙엽의 뜨락에
가을의 눈물이
모락모락 타고 있다.

# 낙엽, 술, 그 물과 불의 변증법

가을이 깊어가면 흩날리는 낙엽 위에 앉아 다정한 친구와 함께 한잔 술을 나누고 싶습니다. 서로 지나간 한 해 동안의 상처받은 마음을 위로하면서, "낙엽에 누워 산다/ 낙엽끼리 모여 산다/ 지나간 날은 생각지 않기로 한다"라는 어느 시인의 싯구라도 한 구절을 읊조려보고 싶은 것이지요. 그만큼 가을은 우리 마음속의 수많은 傷心이며 허욕과 같은 것들을 떠나 보내고, 대지의 법칙에 순종하는 낙엽처럼 겸허하고 순응하는 마음가짐으로 따뜻함과 편안함을 갈망하게 해주는 계절입니다.

이러한 가을의 정조를 잘 노래한 시의 하나로 차한수 시인의 「가을날」을 떠올려 볼 수도 있지 않을런지요. 평범한 듯하면서도 나직한 목소리 속에 가을의 우수와 정취가 잘 아로새겨져 있는 것으로 받아들여지기 때문입니다. 이 시의 핵심은 낙엽과 술, 바다와 조각배 사이의 유추관계에서 드러납니다. 특히 술은 이 시의 상상력을 이끌어 가는 촉매로 작용하고 있다고 하겠습니다. 그것은 물과 불이라고 하는 대립적인 두 속성을 함께 지니고 있기 때문입니다. 그러기에 물은 바다와 파도, 그리고 조각배로서의 인간존재를 표상하는 듯싶습니다. 험난한 생의 바다를 하염없이 흔들리면서 애처롭게 떠나가는 하나의 조각배, 그것은 바로 술을 마시면서 처연히 흔들리고 있는 "너"와 "나"의 실존적인 모습이라고 하겠지요. 그러한 인간의 바다, 폭풍의 바다에서 우리는 얼마나 많은 분노와 아픔을 겪게 되는 것입니까. 바로 여기서 술은 불의 이미지로 전이하게 되는 것이지요. 술 속에서 물과 불의 두 대립되는 속성들은 서로 부딪치면서 갈등을 겪을 수밖에 없을 겁니다. 바로 우리의 삶이 그러한 대립과 갈등 속에서 모순과 아픔, 분노와 비애를 함께 겪으면서 하나의 조각배처럼 거친 바다를 헤쳐가고 있다고 할 것입니다. 물과 불의 두 대립심상은 그대로 가을이 지닌 양면성을 말해 주는 동시에 인생의 모순성을 상징하고 있는 것이니까요. "텅 빈 낙엽의 뜨락에 타고 있는 가을의 눈물"이라는 모순어법 속에는 바로 이러한 가을과 인생의 양면성, 모순성을 극복해 내고자 하는 생명의 에너지가 분출되고 있는 게 아닐런지요. 우리 한 번 이 가을 낙엽 쌓인 숲 속에서 오랫동안 잊고 있었던 다정한 친구를 만나서 함께 눈물 섞인 소주 한 잔 나눠 보지 않으시렵니까.

# 감태준

1947년 경남 마산 출생. 서라벌예대, 한양대 국문과 박사. 1972년
『월간문학』으로 데뷔. 한국시협상 등 수상. 시집으로『몸바뀐 사람들』,
『마음이 불어가는 쪽』등.

## 철새

바람에 몇 번 뒤집힌 새는
바람 밑에서 놀고
겨울이 오고
겨울 뒤에서 더 큰 겨울이 오고 있었다


"한번……"
우리 사는 바닷가 둥지를 돌아보며
아버지가 말했다
"고향을 바꿔 보자"


내가 아직 모르는 길 앞에서는
달려갈 수도
움직일 수도 없는 때,


아버지는 바람에 묻혀

날로 조그맣게 멀어져 가고, 멀어져 가는 아버지를 따라
우리는 온몸에 날개를 달고
날개 끝에 무거운 이별을 달고
어디론가 가고 있었다.

환한 달빛 속
첫눈이 화서 하얗게 누워 있는 들판을 가로질러
내 마음의 한가운데
아직 누구도 날아가지 않은 하늘을 가로질러
우리는 어느새
먹물 속을 날고 있었다.

"조심해라, 애야"
앞에 가던 아버지가 먼저 발을 헛딛었다
발 헛딛은 자리,
서울이었다

## 小人 日記

서울을 보고 있으면
내가 점점 작아진다, 눈을 감아도
머리 위에 떠 있는 육교 고가도로

수십 층 빌딩이
나를 내려다 보고 서 있다
매 꿈의 머리까지 보이는 듯
공중에 철근을 박고

철근 위에 벽돌과 타일을 붙인 너는
정말 늠름해

너를 보고 있으면
어쩔 때는 내가 안 보인다, 너무
작아져서
던지면 날아가고
발로 차면 굴러가는,

나는 이즈음
철근과 벽돌을 가슴에 얹고 산다.

## 新流移民을 위하여

가을이 깊고 깊어서 싸늘한 北風이 휘몰아쳐 오기 시작하면 생각 나는 시가 한 편 있습니다. 바로 감태준의 「철새」가 그것이지요. 아마도 시골에서 살다가 도시로 나온 분들, 혹은 지역 도시에서 살다가 서울로 삶을 찾아 떠나오신 분들이라면, 이 시가 공감을 던져 주는 바 크리라고 생각됩니다. 저와 저의 가족의 경우에도 충청도 어느 산골에서 살다가 도시로 나왔고, 다시 그곳을 떠나와 서울 변두리 한구석에 철새가족처럼 삶의 둥지를 틀고 오늘에 이르렀기 때문에 유달리 느껴지는 바 많은 것입니다.

생각해 보면 사실 그 누구이거나 지상 위에 삶의 뿌리를 내리고 살아가는 사람들이라면, 이 시에 등장하는 철새의 모습과 흡사하지 않을까 합니다. 온갖 풍파로 이어지는 이 땅의 가난한 서민들의 삶의 모습이 바로 "바람에 몇 번 뒤집힌 새/ 바람 밑에서 놀고"있는 새의 유사한 것으로 느껴지기 때문입니다. 아울러 이 시에는 이 지상위의 춥고 고단한 현실이 "겨울"로 상징되어 있는 것도 시사적입니다. 겨울이 다가오면 가난한 사람들은 무엇엔가 밀려서 또는 어딘가 조금이라도 더 따뜻한 곳을 찾아 옮겨가야 하기 때문이지요. 더구나 몸 하나밖에, 날개 하나밖에 갖고 있지 못한 철새가족들에게 겨울은 무서운 시련이고 고통일 수밖에 없을 것이 분명합니다. 그러기에 시인의 가족들은 바닷가 둥지를 떠나서 어디론가 새 삶을 찾아 날아가게 된 것이지요. 이 철새가족이 "목물"로 상징되는 어둡고 절망적인 현실의 풍랑 속을 헤쳐 날아간 곳은 과연 어디였겠습니까? 그곳은 더욱 어둡고 고단한 삶의 자리, 바로 "서울"이었던 것입니다. 앞장서서 날아가던 아버지 철새가 "발을 헛딛은 자리"로서의 서울은, 이들 철새가족들이 새 삶을 꾸려, 이 세상을 헤쳐 나가기엔 너무도 거대하고 위압적인 장소였을 것이 분명합니다. 그의 또 다른 시 「소인일기」가 바로 그러한 대도시 속에서 느낄 수밖에 없는 인간적 왜소감과 절망감을 잘 형상화한 경우이지요. 그러고 보면 감태준의 "새" 연작시들은 이 땅 산업사회의 발달과정에서 소외된 서민들의 新流移民 현상을 다루고 있는 게 아닌가 생각됩니다. 오늘날 근대화, 도시화의 급격한 열풍 속에서 오랜 삶의 뿌리와 근거지를 떠나서 새 삶을 찾아 떠나가고 옮겨갈 수밖에 없는 고달프고 처량한 오늘날 유이민 가족들의 모습이 집중적으로 묘파되고 있기 때문이지요. 특히 시 「철새」는 유소년 시점, 즉 순진성의 아이러니를 사용해서 현실적 삶의 고달픔과 어려움을 날카롭고 섬세하게 묘사함으로써 짙은 페이소스를 유발한다는 점에서 관심을 끈다고 하겠습니다. 오늘 이 깊은 가을밤에도 무서리 내리는 비인 하늘을 새로운 삶의 둥지를 찾아서 날아가고 있는 철새가족들은 과연 없는 것이겠습니까?

# 윤재철

1953년 충남 대전 출생. 서울대 국문과 졸업.『오월시』로 데뷔. 도서출판 푸른 나무주간. 시집『아메리카들소』등.

## 저 들판 겨울나무로 가고 싶네

꽃피는 봄은 기약하지 않으리니
봄이 오는 날은 말없이 죽으리니
바름 불어가는 오늘은
저 들판 겨울나무로 가고 싶네
가난하게 넘어져 간 내 사랑은 그만두고
온몸으로 겨울나무로 가고 싶네
혼자라도 좋고 다시 시작하는 길이라도 좋고
칼을 들어 먼저 안으로 태우리니
내 안의 또 그 안의 썩은 나무와 굽어 간 가지들
썩은 창자와 고름 비굴함과 예종을 욕망과 허울과 온갖 굴레를
태우고 싶네
태우며 가고 싶네
칼바람도 태우고 얼어붙은 저 들판
불이 불을 먹고 산이 산을 먹고
온몸으로 타는 나무로 가고 싶네
용광로로 가고 숫돌로 가고

총을 먹는 나무로 가고
칼을 먹는 신음으로 가고
부정하고 반란하는 정신의 나무로 가고 싶네
꽃피는 봄은 기약하지 않으리니
봄이 오는 날은 말없이 죽으리니
단지 반란하며 들끓는 뿌리로 살고
뿌리로 몸을 잇는 겨울나무로 가고 싶네
베어져도 베어지지 않는
베어져도 다시 살아나는 노래가 되고
베어져도 다시 살아남는 사랑이 되고.


## 겨울나무, 희망의 변증법

이 시는 80년대 전반, 그 암울한 억압시대에 「민중교육」지 사건으로 수난을 겪었던 한 젊은 시인이 바라보는 80년대 시대인식이 극명하게 담겨 있어서 관심을 환기합니다. 한마디로 말해서 80년대 내내 이 땅을 짓누르던 음울한 상황, 특히 80년대 초의 광주항쟁과 그에 연이은 폭압적인 정치상황에 대한 쓰라린 절망과 항거의지 및 극복의 정신이 "겨울나무"로써 상징화되어 있다는 뜻입니다. 이 시에는 그러한 겨울ㄹ의 상황으로, 80년대의 온갖 정치적 억압과 질곡에 맞서 싸우면서 그를 뚫고 일어서서 희망을 쟁취하려는 반역의 정신, 부활의 정신이 생생하게 솟구쳐 오르고 있는 것으로 이해되기 때문입니다. 80년대 벽두 「5월시」 동인의 한 사람으로 시작활동을 시작한 시인으로서는 이러한 반역의 정신이 솟구칠게 당연한 일이겠지요. 연전에 간행한 시집 「아메리카 들소」가 바로 그러한 부정정신과 함께 이 땅에서 진정한 자유와 평등의 실현을 지속적으로 실천해 가려고 노력한, 한 시적 성과라고도 할 수 있을 겁니다.

인용한 시에서 시인의 현실의식은 겨울나무로 표상되어 있듯이 뿌리 깊은 동토의식(凍土意識)과 연관돼 있다고 할 것입니다. 겨울과 어둠으로 가득 찬 절망의 시대를 묵묵히 인고한다는 뜻이 되겠지요. 거기에 한 그루 헐벗은 나목으로 서 있는 것이 바로 시인 자신의 모습이라고 할 수 있기 때문입니다. 그러기에 이 시에서 현실적인 삶이란 허위와 굴종, 어둠과 타락의 굴레로서 인식되고 있는 것이지요. 바로 여기에서 이 시의 핵심이 들어납니다. "태우고 싶네"와 "가고 싶네"라는 소망과 현실타개의지의 발현이 그것이라고 하겠습니다. 무엇을 태우고 무엇을 향해 나아간다는 것인가요? 아마도 태워버려야 할 것은 "내 안의 또는 그 안의 썩은 나무와 굽어 간 가지들/ 썩은 창자와 고름 비굴함과 예종, 욕망과 허울과 온갖 굴레" 따위일 것이 분명합니다. 또한 "칼바람도 태우고 얼어붙은 저 들판/ 총칼"과 같이 이 당의 온갖 폭력의 굴레와 반인권적인, 비인간적인 그 모든 종류의 억압을 부정하고 배격하는 것이라고 하겠지요. 따라서 지향해 나아가는 것이 상대적으로 분명해질 수밖에요. 그것은 "온몸으로 타는 나무/ 정신의 나무/ 뿌리로 몸을 잇는 겨울나무로 가고 싶네"라는 구절처럼 생명의 의지, 인간옹호 정신에의 지향성이라고 할 겁니다. 바로 여기에서 이 시의 참뜻이 드러나는 것이지요. 이 시는 "총·칼"이 상징하는 온갖 폭압에 대한 반역과 투쟁을 통해서 "봄나무"가 상징하는 생명과 사랑, 평화의 세계를 갈망하고 지향해 나아가고자 하는 한 젊은 시인의 눈물겨운 분투를 보여 준다는 점에서 의미를 지니는 것으로 판단된다는 얘기입니다.

　이제 겨울이 깊어가는 이 길목에서 이 땅의 모든 젊은이들, 뜻있는 시인들이 겨울나무로부터 힘차게 일어서서 봄나무로 사랑과 희망의 싹을 길러 가시길 두손 모아 비는 마음입니다.

# 12월

# 누가 눈물없이 울고 있는가

# 백 석

1912년 평북 정주 출생. 일본 청산학원 졸업. 1935년 조선일보로
데뷔. 시집으로 『사슴』이 있다.

## 南新義州 柳洞 朴時逢方(남신의주 유동 박시봉방)

어느 사이에 나는 아내도 없고, 또
아내와 같이 살던 집도 없어지고,
그리고 살뜰한 부모며 동생들까지도 멀리 떨어져서
그 어느 바람 세인 쓸쓸한 거리 끝에 헤매이었다
바로 날도 저물어서
바람은 더욱 세게 불고, 추위는 점점 더해 오는데
나는 어느 木手네 집 헌 삿을 깐
한 방에 들어서 쥔을 붙이었다
이리하여 나는 이 습내나는 춥고, 누긋한 방에서
낮이나 밤이나 나는 나 혼자도 너무 많은 것 같이 생각하며
딜옹배기에 북덕불이라도 담겨오면
이것을 안고 손을 쬐며 재우에 뜻없이 글자를 쓰기도 하며
또 문밖에 나가디두 않구 자리에 누어서
머리에 손깍지 벼개를 하고 굴기도 하면서
나는 내 슬픔이며 어리석음이며를 소처럼 연하여 쌔김질하는 것이
었다
내 가슴이 꽉 메이어 울 적이며

내 눈에 뜨거운 것이 핑 괴일 적이며

또 내 스스로 화끈 낯이 붉도록 부끄러울 적이며

나는 내 슬픔과 어리석음에 눌리어 죽을 수밖에 없는 것을 느끼는
것이었다

그러나 잠시 뒤에 나는 고개를 들어

허연 문창을 바라보든가 또 눈을 떠서 높은 턴정을 처다보는 것인데

이때 나는 내 뜻이며 힘으로, 나를 이끌어 가는 것이 힘든 일인 것
을 생각하고

이것들보다 더 크고, 높은 것이 있어서, 나를 마음대로 굴려가는 것
을 생각하는 것이데

이렇게 하여 여러 날이 지나는 동안에

내 어지러운 마음에는 슬픔이며, 한탄이며, 가라앉을 것은 차츰 앙
금이 되어 가라앉고

외로운 생각만이 드는 때쯤 해서는

더러 나줏손에 쌀랑쌀랑 싸락눈이 와서 문창을 치기도 하는 때도
있는데

나는 이런 저녁에는 화로를 더욱 다가끼며, 무릎을 끓어 보며

어니 먼 산 뒷옆에 바우섶에 외로이 서서

어두어 오는데 하이야니 눈을 맞을

그 마른 잎새에는

쌀랑쌀랑 소리도 나며 눈을 맞을

그 드물다는 굳고 정한 갈매나무라는 나무를 생각하는 것이었다.


## 외로운 영혼을 위하여

겨울이 오고 연말이 되면 왠지 모르게 쓸쓸해지고, 심사가 사오나와지는
건 유독 저만 그런 것인지 모르겠습니다. 지난 한 해 동안 무엇 하나 이루지도
못했고, 제대로 한 일도 없이 지낸 데 대한 자책감이며 후회 때문에 그러하겠
지요. 그럴 때면 문득 떠올라서 제게 위안과 힘을 주는 시가 한 편 있습니다.
白石의 이 시 「남신의주 유동 박시봉방」이 바로 그것입니다. 이 시를 읽노라

면 세상에 저같이 별 볼일 없으면서도 자기의 운명을 긍정하고 나름대로 따뜻이 살아보려고 노력하는 분이 또 있구나 생각되어 새삼 용기와 희망이 실오리처럼 되살아 오르기 때문이지요.

白石시인은 과연 누구인지요? 일찍이 1912년 素月의 고향 평북 정주에서 태어나 五山학교를 마치고, 일본에 유학, 靑山학원 영문과를 졸업한 분이 아닙니까. 1935년 조선일보에 시「定州城」을 발표하면서 등장하여, 시집「사슴」(1936)으로 일약 중요시인으로 부상한 분이시지요. 그러면서도 서울에서의 번소한 생활을 마다하고 함경도로, 만주로 떠돌면서 유랑생활 비슷하게 하던 쓸쓸하기 이를 데 없는 분이시지요. 그렇지만 그 누구보다도 우리 민족의 토속적인 삶의 모습을 애정 어린 시선으로 바라보았고, 향토어인 평북 방언을 문학어로 구사함으로써 민족적인 주체성을 고양하고 문학적인 평등정신을 실천하려 노력하신 분이십니다. 이른바 평안방언이라는 변두리 언어의 중심부화를 통해서 사람의 삶이 지역적으로나 계층적으로 모두 평등한 것이며, 소중한 것이라는 깨달음을 보여 준 것이지요. 그런데도 해방 후에 고향인 북쪽 땅에 머물러 있었다는 이유 때문에 오랫동안 이 땅에서 실종시인 또는 금기시인으로 남아있던 불우한 시인이라고 하겠습니다. 계급의식이 없었으니 북에서도 살아남을 수 없었고, 북한에 그대로 남아 있었으니, 남에서도 어이없이 월북시인이 되고 만 게 아니었겠습니까. 실상 그러고 보면 이 땅 최근 세사 백 년 동안 이렇게 어이없이 매몰되고 실종 되어버린 분들이 비단 백석을 비롯한 문인 몇 사람 뿐 이었을까요.

하니 새삼 백석의 이 시가 애달프게 마음속에 부딪쳐 오는군요. 실상 어떤 평론가는 이 시를 "페미니즘의 절창"이라고 하고, 또 어떤 평론가는 "한국사가 낳은 가장 아름다운 시 중의 하나"라고 높이 평가하기도 하도군요. 그만큼 이 시가 한국적인 허무주의 또는 비극적인 세계관의 그 어떤 황홀한 비장미를 보여 준다는 말씀일 겁니다. 그야말로 한국적인 허무주의의 처연함과 함께 아름다운 그 무엇을 담고 있다는 뜻이 되겠지요.

이 시에는 하나의 이야기가 담겨 있는 듯싶습니다. 첫째 단락은 시의 화자가 어떤 사연으로 아내와 집을 잃고 부모형제와도 떨어져서 추위가 닥쳐오는 낯선 거리를 방황하다가 어느 목수네 집 방 한 칸을 얻어 든다는 얘기이지요. 둘째 토막은 그 방안에서 혼자 쓸쓸하게 뒤채이면서 삶의 외로움과 슬픔, 비애와 탄식을 되새김질하는 모습입니다. 셋째 단락에선 사는 일의 덧없음과 고달픔을 생각하는 가운데 그 어떤 운명적인 큰 힘이 인생을 이끌어 가고 있다는 깨달음을 갖게 되구요. 그리고 마지막 단락에선 "나는 이런 저녁에는 화로를 더욱 다가끼며, 무릎을 꿇어 보며/ 어니 먼 산 뒷옆에 바우섶에 외로이 서서/ 어두어 오는데 하이야니 눈을 맞을/ 그 마른 잎새에는/ 쌀랑쌀랑 소리도 나며 눈을 맞을/ 그 드물다는 굳고 정한 갈매나무라는 나무를 생각하는 것이었다"와 같이 자기 슬픔을 정화하는 가운데 새로운 삶의 자세를 가다듬게 된다는 그런 이야기라 할 겁니다. 그리고 보면 이 시는 "상실과 방랑 끝에 방 한 칸을 세들어 자리함→좌절과 절망 속에 뒤채이면서 죽음까지도 생각해 봄→삶의 쓸쓸함과 덧없음이 운명적인 것이라고 깨닫게 됨→슬픔 속에 겸허한 자세로 운명을 긍정함→그렇지만 다시 힘을 내서 굳세고 깨끗하게 살자고 다짐함"이라는 이른바 성장의 구성 또는 극복의 플롯을 지닌다고 하겠지요. 실상 절망에 떨어지면 떨어질수록 끝내 스스로를 구원할 수 있는 것은 자기 자신밖에 없는 게 아니겠습니까. 그리고 그 자기 구원의 방법이란 스스로의 운명에 대한 슬픈 긍정과 따뜻한 사랑 말고 무엇이 더 있겠습니까? 최후의 적은 바로 자기이며, 자신 속에 있는 것이 분명한 것이니까요.

지상에 방 한 칸 얻어 목숨 붙이고 산다는 것, 그 살아가는 일의 고달픔과 쓸쓸함에 대한 뼈아픈 깨달음, 그리고 잘못 살아 온 지난날에 대한 부끄러움과 비탄을 고백하고 하소연하면서, 그래도 목숨 있는 그 날까지 굳고 깨끗하게 살아 보겠다는 운명애의 비장함이 처연하고 애절하게 우리의 가슴을 울려 주는 게 아니겠습니까.

# 정한모

1923년 충남 부여 출생. 서울대 국문과 졸업. 문학박사. 예술원회원. 1946년 동인지 『백맥』, 『주막』으로 데뷔, 서울대 교수·문공장관 역임, 1991년 작고. 시집으로 『카오스의 사족』, 『아가의 방』, 『원점에 서서』 등.

### 아가의 房 別詞·7

누가 눈뜨고 있는가
누가 눈물 없이 울고 있는가
이 한밤에

어둠 속
마른 나뭇가지 사이
지나가는 바람소리
가늘한 쇳소리

또렷하게 반짝이는 별 하나 보인다
바람에 떨고 있는 별 하나 보인다

누가 눈뜨고 있는가
누가 눈물 없이 울고 있는가

겨울 이 한밤에

겨울밤 이야기

"옛날에 옛날에 ……"
밤 묵은 질화로
할머니 무릎베개

덧문 밖에 바람소리
호랑이 기침소리

"옛날에 옛날에 ……"
등잔 심지 돋우시는
소복한 어머니
잠결 꿈결에 "심장가"
긴 밤 엮어 가던 "공양미 삼백 석"

"……"
할머니도 계수나무도
재 식은 질화로도
방아찧는 토끼도 잃어버린

옛날 이야기
옛날 옛날 겨울밤 이야기

"……"
아무도 보이지 않는 깊은 골짜기
방 안엔 내 마른 기침소리뿐
창밖 어둠 속엔 지금쯤
눈이라도 펑펑 내리고 있을까?

# 누가 눈물없이 울고 있는가

겨울이 깊고 깊어지면 가로에는 사람들의 발길이 드물어지고 드센 北風만이 휘몰아칩니다. 더구나 밤이 되면 나뭇잎 다 져버린 裸木만이 파수병처럼 어둠 속에 웅크리고 있고, 밤하늘엔 차운 별빛만이 바람에 흔들리고 있는 것이지요. 이 겨울 깊은 밤에 홀로 잠깨어 어둔 바깥 풍경을 바라보노라면 어디선가 그 누군가 차가운 밤바람 속에서 떨며 울고 있는 것같이 느껴집니다. "어둠 속/ 마른 나뭇가지 사이/ 지나가는 바람소리/ 가늘한 쇳소리"로 달려가는 날카로운 겨울바람 끝에는 지난 날 헤어진 그 누군가의 눈물 없이 우는 마른 울음소리가 묻어 있는 것 같기도 하구요. 그것은 어쩌면 돌아가신 어머니의 울음소리 같기도 하고, 시집가서 가난하게 살고 있는 누이의 울음소리 같기도 하고, 그 옛날 사모라던 첫사랑의 마른 울음이거나 아니면 깊은 밤 온갖 걱정 근심에 뒤채이며 잠 못 이루는 힘없는 가장의 탄식 같기도 합니다.

"누가 눈뜨고 있는가/ 누가 눈물 없이 울고 있는가/ 이 한밤에"라는 이 한 구절 속에는 어쩌면 시의 화자로서 내가 울고 있다는 사실을 암시하는지도 모르지요. 아니면 "젊은 빠르끄"처럼 삶의 온갖 오뇌, 절망 속에 번민하는 젊은 영혼의 신음소리가 담겨 있는지도 모릅니다. 그러므로 "또렷하게 반짝이는 별 하나/ 바람에 떨고 있는 별 하나" 가 선명하게 마음속에 인각되어 다가오는 것이지요. 실상 이 밤하늘에 또렷하게 반짝이는 별 하나, 바람에 떨고 있는 별 하나란 바로 온갖 세사의 풍파 속에 시달리면서 살아가고 있는 나의 모습이며, 너의 모습이고, 동시에 모든 세상 사람들의 본해 모습일 것이 분명합니다. 모든 삶의 본질이란 단독자로서의 외로움이며 일회적인 것으로서 허무 위에 놓여 져 있는 것이기 때문입니다. 그러니 깊은 겨울 한밤에 홀로 깨어 있노라면 온갖 세상사는 일의 실존적인 번민이라든지 언젠가는 지상 위에서 사라져 가리라는데 대한 본원적인 죽음의 불안, 그리고 그 무엇을 이루어 내려고 하는 창조적인 오뇌로 인하여 뒤채이다가 눈물 없이 마른 울음을 울 수밖에 없는 게 아니겠습니까. 바로 이처럼 이 시는 겨울 한밤에 느낄 수밖에 없는 아스라한 삶의 쓸쓸함과 허무감을 슬프도록 아름답게 형상화한 한 예가 아닌가 생각됩니다.

겨울밤이 깊어 가면 새삼 또 그리워지는 그 무엇이 있습니다. 지난 날 어린 시절 눈 속에 쌓인 산촌에서 지내던 유소년시절의 아련한 추억 말입니다. "밤 사이 쌓인 눈이/ 시간의 강을 덮어버린다// 60년 다리 넘어 저쪽/ 눈에 덮인 초가지붕 아래/ 아궁이 앞에 앉아/ 불을 쬐고 있는/ 너댓 살 난 사내 아이// 마당에 싸여 있는/ 짚누리도 장작더미도 없이/ 아버지의 기침소리도 들어 본 적 없이/ 할머니 어머니의 치맛자락에 쌓여/ 자라고 있는 아이// 아궁이에서 타는 불은 따뜻했다/ 때로는 아궁이 가득/ 성난 멧돼지처럼 무서운 기운으로/ 청솔가지가 타들어 가기도 하고// 60년 다리 너머 저쪽/ 가난이 암자처럼 맑은/ 눈이 덮인 초가지붕 아래에서/ 이른 아침 아궁이에 불을 쬐고 있는/ 네댓 살 난 사내 아이가/ 두 볼 발갛게 물들이며 앉아 있다" (정한모 「너댓 살 난 아이」) 와 같이 이제 돌아갈 길 없는 그리운 그곳이지요. 거기에는 "밤바람 소리 말을 달리던" 풍정 속에 질화로가 있고, 할머니의 무릎베개가 있고, 구수한 옛날 옛적 호랑이 담배 먹던 시절의 이야기가 있습니다. 그리고 또 한 켠에는 계수나무며 옥토끼, 떡방아소리도 있었던 듯싶지요. 그런 아름답고 순수하던 동심이 바로 오늘의 시인을 만들어 내는 원천이 된 게 아닐 런지요.

비록 지금은 "아무도 보이지 않는 깊은 골짜기/ 방 안엔 내 마른 기침소리 뿐"처럼 유수같이 흘러가는 세월 속에 모든 것들이 사라져 버리고 온통 적막뿐이라 해도, 그런 아름다운 추억의 내면공간이 자리하고 있기에 오늘의 삶이 마냥 쓸쓸하고 허무하기만 한 것은 아니겠지요. 지난날이나 오늘에 없는 것 같아도 분명히 있었던 것이고 또 있을 게 당연한 것 아니겠습니까. 문풍지 파르르 떨며 울던 밤이며, 시냇물 징검다리 건너던 그 차웁고 그리운 추억의 공간이 있기에 오늘의 우리 삶이 그렇게 삭막한 것만은 아닐 겁니다.

이처럼 이 두 편의 시는 겨울밤의 정서를 순수와 동심으로 환기해주고 있다는 점에서 슬프고도 아름다운 삶의 진실을 일깨워 주고 있는 게 아닐까 생각됩니다.

# 김남조

1927년 대구 출생. 서울대 국어과 졸업. 1950년 시집 『목숨』으로 데뷔. 서울시문화상 등 수상. 시집으로 『겨울바다』, 『사랑초서』, 『바람세례』 등 다수.

### 겨울바다

겨울 바다에 가 보았지
未知의 새
보고 싶던 새들은 죽고 없었네

그대 생각을 했건만도
매운 해풍에
그 진실마저 눈물져 얼고 어리고

허무의
불
물이랑 위에 불붙어 있었네

나를 가르치는 건
언제나
시간……

끄덕이며 끄덕이며 겨울 바다에 섰었네

남은 날은
작지만

기도를 끝낸 다음
더욱 뜨거운 기도의 문이 열리는
그런 영혼을 갖게 하소서

남은 날은
적지만

겨울 바다에 가보았지
忍苦의 물이
水深 속에 기둥을 이루고 있었네

## 정죄와 부활의 바다

　나뭇잎이 거의 다 지고 싸늘한 겨울 바람이 앙상한 나뭇가지를 마구 흔들어대는 지난 주말에 문득 겨울 바다가 보고 싶어서 참으로 오랜만에 인천 송도의 바닷가를 가 보았습니다. 그리도 오랫동안 제 젊은 날의 열정과 정성을 바쳐 왔던 인천의 인하대학교, 그곳에서 그리 멀지 않은 송도와 동막의 바닷가를 혼자서 찾아갔던 것이지요. 그 인하대 연구실에서 30대와 40대초의 10년 가까이 멀리 바라보던 송도 쪽의 바다, 그 겨울 바다에 눈부시게 노을이 불타고 있었습니다. 다시는 떠나지 않으리라 스스로 다짐하며 살아오던 지난 80년대의 십년 세월, 그 바닷가를 어쩌다 보니 또다시 떠난 몸이 되어, 나그네 되어 쓸쓸히 찾아온 것입니다. 그러고 보니 수평선 저 멀리는 그 언제나처럼 노을빛 갈매기가 날아 오르고 있었고, 발 밑에는 온 바다 가득히 파도가 밀려왔다가는 하얗게 부서지고 밀려가고 있었습니다. 왔다가 가는 것, 갔다가 다시 오는 것으로서의 바다, 그 바다와 육지의 끝에 저는 서 있었던 것이지요. 제가 서 있는 바닷가 모래사장, 그곳은 바로 제가 떠나 온 육지의 끝 지점이면서도 동시에 바다가 처음 시작되는 그런 경계선이었던 것이지요. 문득 생각해 보니 벌써 올 한해도 12월로 접어들었더군요. 한 해가 끝나면서 다시 새해로 넘어가는 시점에 저는 서 있었던 것입니다. 아마도 그래선지 제가 한동안 와 보지 못했던 이곳 그리운 인천의 송도 바닷가가 문득 생각났고, 급기야는 모든 것에도 불구하고 홀쩍 전철에 몸을 실었던 것 같습니다. 어쩌면 저는 지난 일년의 온갖 잘못이며 부끄러움이며 아직도 끈적거리고 있는 온갖 허욕이며 미련들을 이곳 바닷가에서 어디론가 홀홀 떠나보내고 싶었는지도 모릅니다. 아니 저의 한 해의 부끄런 죄과들을 정죄하며 그 누구에겐가 용서받고 싶었는지도 모르지요. 그렇습니다. 생각해 보면 벌써 40여세, 이제 실수하지 않을 때도 되었건만, 不惑이란 옛말일 뿐 지난한 해는 저에게 참담한 패배와 좌절만을 안겨 주었으며, 실수만을 거듭했을 뿐입니다.

몰려오는 파도가 와와 소리쳐댑니다. 이제 지난 일 잊고 새로 시작하라고, 이 겨울 바다에서 모든 걸 용서받고 뜨거운 마음으로 겨울 출발하라고, 우우 파도가 몰려오며 외쳐댑니다.

그렇습니다. 이 시 「겨울 바다」는 그 핵심이 물과 불의 긴장력 또는 부정과 긍정의 변증법에 놓여 있는 것입니다. 삶이란, 사랑이란 바로 그런 것이 아닌지요? 생성과 소멸, 이성과 감성, 정염과 허무, 육신과 정신, 신성과 세속, 희망과 낙망의 대립 또는 화해 속에서 전재되어 가는 것이 아닌가 하는 얘깁니다. 어쩌면 이러한 대립과 화해란 "새들은 죽고 없었네/ 진실마저 눈물져 얼어버리고"와 같은 부정의 인식으로부터 시작되어 "허무의/ 불/ 물이랑 위에 불붙어 있었네"와 같은 갈등을 겪고, 마침내 "나를 가르치는 건/ 언제나/ 시간……/ 끄덕이며 끄덕이며 겨울 바다에 섰었네"처럼 깨달음 또는 긍정의 정신에 도달하는 모습이라고 할겁니다. 이렇게 보면 이 시「겨울 바다」의 의미는 분명해질 것입니다. 그것은 좌절과 절망 끝에 육지가 끝나고 바다가 시작되는 대립적인 것의 경계선에서, 참회와 정죄를 겪으면서 새롭게 자기 극복과 부활을 성취해가는 안타까운 모습을 형상화한 것입니다. 그러기에 이 겨울 바다는 뉘우침과 속죄의 장소이면서 동시에 부활과 소생의 장소라고 하겠지요. 실상 우리는 한 생애를 살아가면서 잃을 수 있기에 얻을 수 있으며, 헤어질 수 있기에 새롭게 만날 수 있고, 또한 죽을 수 있기에 새로운 탄생을 맞이할 수 있는 것입니다.

바로 이 점에서 이 시는 삶의 거듭 태어남 또는 사랑의 거듭남을 "겨울 바다"라고 하는 부활의 동굴, 또는 無의 통과과정을 통해서 성취하는 모습을 보여준다고 하겠습니다. 우리 연말이 다가오는 이 한해의 마지막을 어느 겨울 바다에서 쓸쓸히 보내면서 새로운 출발을 기약하지 않으시겠습니까. 우리 한번 번잡한 일상사를 떨치고 겨울 바다로 가는 기차편에 몸을 실어 보시지 않으시겠습니까?

# 유안진

1941년 경북 안동 출생. 서울대 교육학과 졸업. 1967년 『현대문학』으로 데뷔. 현재 서울대 가정대 교수. 시집으로 『달하』, 『날개옷』, 『영원한 느낌표』 등 다수.


고향 가기

눈 내리는 밤에는
마냥 걷고 싶어라

걷고 걷다가 지칠 때쯤에
한 마을에 이르리

불빛 새는 창호문에
그림자도 어리는 집

어쩐지 낯이 익어
눈물 먼저 도는 집

눈 닦고 다시 보면
그래 필시 나의 옛집

하얀 얼굴 까망머리

잠이 없던 계집 아이 津이
주름살 깊은 나를
제 할민 듯 맞아주리.

버리는 연습

몸에 안 맞는
옷가지를 버리듯
분에 넘치는 꿈을 버린다

이 빠진 접시도
곁들여 버리듯
풀기 죽은 오기를 버린다.

잘라 내어도 자라나는
대밭의 죽순 같은
외통고집을 버리고

사람 한번 잘 못 본
이 두눈을
후비어 파서 버리고……

## 자유로운 영혼의 갈망

깊은 겨울밤 창밖에 하염없이 내리는 눈을 보노라면 불현 듯 그 누구인가
보고 싶어지고 어디론가 떠나 보고 싶은 게 사람들의 마음이 아닌가 합니다.
그야말로 "겨울 나그네"의 심정이 아닐런지요. "눈이여, 너는 나의 이 외로움
을 아는가. 네가 내려서 가는 그곳을 말해다오"라며 시작되는 슈베르트의
「넘쳐 흐르는 눈물」이라도 한 구절 읊조리면서 어디론가 짧은 여행이라도
한 번 떠나보고 싶은 겁니다.

아마도 그래서 이 시인은 눈 내리는 밤에 무작정 마음의 방랑길을 떠나게 된 모양이지요. 마냥 눈 내리는 밤에 길을 걷고 걷다가 지칠 때쯤에 이르는 곳은 과연 어디일까요. 어딘가 낯익은 듯한 어느 산촌 마을의 풍경이었을지 모르지요. 그러면서 문득 본능적으로 눈길이 머무는, 그 어느 초가집이 한 채 동그마니 놓여 있지 않았나 싶습니다. 그리고 창호지에 따뜻하게 내비치는 호롱불빛이며, 낯익은 그 어떤 그림자 하나가 얼비치고 있었을 겁니다. 그것이 무엇인가. 그리도 마음 속에 그리워하던 고향집이 아닌가 하고 생각하는 순간에 왈칵 치밀어오는 그리움이며 반가움, 그리곤 오래오래 참아 왔던 슬픔이 복받쳐서 눈물로 넘쳐 흐르지는 않았을런지요. 그 옛날 대처로 길 떠난 후 수십 년 만에 문득 찾아온 고향길, 오랫동안 타향살이에서 느낄 수밖에 없었던 외로움이며 슬픔이며 한탄 같은 것들이 일순간에 눈물로 복받쳐 오른 것이지요. 그러면서 자연히 그 옛날 잃어버린 시간 속을 서성이게 되었고, 그 속에서 "하얀 얼굴 까망머리/ 잠이 없던 계집 아이"로서 자신의 어린 시절을 떠올리기 마련이었을 겁니다. 모르긴 몰라도 가난과 외로움, 또는 그 어떤 을씨년스런 풍속의 어린 시절 풍정이었을 것이 분명하겠지요. 그러면서 또 문득 엄습해 오는 오늘의 "나"의 모습, 온갖 시련과 풍상 속에서 시달리며 살아온 나의 주름살 늘어난 얼굴과 흰 머리칼의 모습이 함께 떠올랐겠지요. 그 시간의 오랜 거리감 속에서 새삼 삶의 고달픔이며 허무함이며 외로움 같은 게 아프게 솟아오른 것입니다. 그래서 시 「버리는 연습」이 씌여졌겠지요. 그 모든 쓸데없는 욕망과 육신의 무게, 운명의 테두리를 벗어나서, 하염없이 흩날리는 흰 눈발처럼 순수하고 자유로운 영혼을 갖고 싶어졌던 것입니다.

　이 눈 내리는 겨울밤 우리 함께 잃어버린 그 시간을 찾아서 겨울 나그네가 되어 보시지 않으시렵니까? 고향집의 아늑한 잃어버린 시간을 찾아서, 자유로운 영혼의 가벼움을 찾아서, 아니 저 멀리 어둠 속에 보이는 그리운 연인의 집을 찾아서 말입니다.

# 최승호

1954년 강원도 춘천 출생. 춘천교대 졸업. 1977년 『현대시학』으로 데뷔. 오늘의 작가상 수상 등. 『작가세계』 주간. 시집 『진흙소를 타고』 등 다수.

## 大雪注意報

해일처럼 굽이치는 백색의 산들,
제설차 한 대 올리는 없는
깊은 백색의 골짜기를 메우며
굵은 눈발은 휘몰아치고,
쬐그마한 숯덩이만한 게 짧은 날개를 파닥이며……
굴뚝새가 눈보라 속으로 날아간다.

길 잃은 등산객들 있을 듯
외딴 두메마을 길 끊어 놓을 듯
은하수가 펑펑 쏟아져 날아오듯 덤벼드는 눈,
다투어 몰려오는 힘찬 눈보라의 군단,
눈보라가 내리는 백색의 계엄령.
쬐그마한 숯덩이만한 게 짧은 날개를 파닥이며……
날아온다 꺼칠한 굴뚝새가
서둘러 뒷간에 몸을 감춘다.

그 어디에 부리부리한 솔개라도 도사리고 있는 것일까.
길 잃고 굶주리는 산짐승들 있을 듯

눈더미의 무게로 소나무 가지들이 부러질 듯
다투어 몰려오는 힘찬 눈보라의 군단,
때죽나무와 때 끓이는 외딴 집 굴뚝에
해일처럼 굽이치는 백색의 산과 골짜기에
눈보라가 내리는 백색의 계엄령

## 겨울 태백산맥, 그 원시적 생명력의 굽이침

태백산맥 깊은 산속의 겨울, 눈 내리는 풍정을 참으로 멋지게 그려낸 한 편
의 시를 기억하시는지요? 바로 이 시 「대설주의보」가 그것입니다. 우리의 현
대시에 눈 내리는 모습을 노래한 시들이 많습니다만, 이 시의 경우처럼 생생
한 원시의 숨결과 자연의 생명력이 싱싱하게 굽이치는 시는 아마 별로 없을
겁니다. "北風에는 날마다 밤마다 눈이 내리느니/ 灰色하늘 속으로 흰 눈이
퍼부슬 때마다/ 눈 속에 파뭇히는 허-연 北朝鮮이 보이느니/ 白熊이 울고 北
狼星이 눈 깜빡일 때마다/ 서로 부득켜안고 赤星을 손까락질하며 어름벌에서
춤추노니"라고 노래하던 그 옛날 巴人의 「赤星을 손까락질하며」 정도가 아
마 가장 인상적으로 북국 풍정을 노래한 경우일 것이구요. 더구나 요즘처럼
각종 각양의 공해와 오염으로 가득 찬 도시의 모습을 떠올리노라면, 이 겨울
태백산맥과 「대설주의보」의 세계가 그렇게도 가슴을 울렁이게 하고 아름답
게 생각되어, 한번 가보고 싶은 겁니다. 요즘처럼 또 인정조차 메말라가는 시
대에는 눈이라도 펑펑 내려야 할 텐데, 근년에는 그 눈마저도 인색하기만 하
니까 말입니다.

이 시는 눈보라치는 대자연에 대한 사실적인 관찰을 바탕으로 해서 오늘날

어둡고 위태로운 현실을 살아가는 현대인의 불안의식과 사람들 사이의 단절감을 효과적으로 묘사하고 있는 듯합니다. "해일처럼 굽이치는 백색의 산들/ 은하수가 펑펑 쏟아져 날아오듯 덤벼드는 눈/ 다투어 몰려오는 힘찬 눈보라의 군단/ 눈보라가 내리는 백색의 계엄령" 등과 같은 구절 속에는 엄청난 대자연의, 섬뜩한 원시적 생명력이 생생하게 굽이치고 있기 때문이지요. 그러면서도 "군단/ 계엄령"과 같은 인간사의 위압적 이미지들이 잘 결합되어 자연에 대한 외경감을 드러내는 동시에 자연사와 인간사에 대한 본중적인 공포의식을 상징적으로 형상화 하고 있는 것입니다. 또한 "길 잃고 굶주리는 산짐승들 있을 듯// 쬐끄마한 숯덩이만한 게 짧은 날개를 파닥이며……/ 날아온다 꺼칠한 굴뚝새가"라는 구절을 통해서, 대자연의 엄청난 눈보라를 헤쳐가며 살아가려는 동물들의 모습과 함께 현실의 온갖 격랑을 헤쳐가며 험난한 인생을 살아가는 인간들의 모습을 안쓰럽게 대조시키고 있는 것이지요.

이렇게 보면 이 시는 평범한 어법과 단아한 시적 기품을 유지하면서도 생생한 자연의 원시적 생명력을 일깨워 줌으로써 유리, 철근, 콘크리트, 석유 등의 온갖 문명의 공해와 오염에 찌들은 현대인들에게 신선한 충격을 불러일으킬 게 분명합니다. 올 겨울에는 한번 "대설주의보"라도 내려서 함박눈이 펑펑 쏟아지고, 새해 보리농사가 무성히 잘 되길 기원하는 마음입니다.

# 그대 왜 그리 허둥대는가

金載弘 著

1991年

시와시학사

# 머 리 말

— "하늘이 이 세상을 내일 적에 그가 가장 귀해하고 사랑하는 것
들은 모두 / 가난하고 외롭고 높고 쓸쓸하니 그리고 언제나 넘치는 사
랑과 슬픔 속에 살도록 만드신 것이다 / 초생달과 바구지꽃과 짝새와
당나귀가 그러하듯이 / 그리고 또 프랑시스 쟘과 도연명과 나이넬 마
리아 릴케가 그러하듯이"

지난 20여 년간 시를 공부하면서 좋아하게 된 백석시 「흰 바람벽이 있어」
의 한 구절이다. 결국 시란 쓸쓸함 속에서 따뜻함을, 슬픔 속에서 기쁨을, 절
망 속에서 희망을, 어둠 속에서 진리의 빛을, 불의와 맞서 정의의 힘을 찾아내
려는 인간적인 너무나 인간적인 노력의 하나가 아닐까 한다.

불교시, 선시란 것도 따지고 보면 이러한 생명사랑 · 인간사랑 · 자유사랑
의 정신을 통해서 진정한 자기를 발견하고 해탈의 길, 영원의 길, 구원의 길로
나아가려는 노력이 아니고 그 무엇이겠는가?

이 글을 쓸 수 있도록 기회를 마련해 준 불교방송 여러분과 오랜 우정의 金
正休 詞兄께, 그리고 진영조 PD에게 고마움 표한다.

아울러 한시번역은 김달진선생의 여러 번역서와 석지현스님의 변역 등에
도움을 받았음을 밝히며 이에 감사드린다.

91년 5월 꽃지는 향기 아름다운 어느날에

金載弘 씀

# 차 례

# I.
# 진흙소가 물 위로 가네

# 월명사

**祭亡妹歌**

생사의 길이
여기 있음에 두려워하여
「나는 갑니다」말도
못 다 하고 가버렸는가
어느 가을 이른 바람에
여기저기 떨어지는 낙엽과 같이
한 가지에 태어나서
가는 곳을 모르누나
아아, 미타찰에 만나볼 나는
도를 닦아 기다리노라

# 풀꽃 하나, 그 생명을 사랑하며

어떤 시인은 오월을 눈부신 계절의 여왕이라고 노래했지요. 오월이 되니 온 산천에 풀꽃들이 아름답고 신록이 푸르러, 우리의 마음을 새롭게 해줍니다. 우리 또한 저와 같아서 온 산천이 때묻은 겨울의 의복을 벗고 봄의 새 풀옷으로 갈아입듯이, 이 봄에 우리의 마음도 새롭게 태어나야 하지 않을런지요. 이 화사한 오월이 되니, 새삼 우리 인간에게 생명이 얼마나 소중한 것인가 생각하게 되는군요. 그러면서 들에 피어난 풀꽃 한 송이도, 풀벌레 하나의 생명도 소중하게 생각해서 함부로 짓밟지 않던 우리 선인들의 아름다운 마음이 부딪쳐오는군요. 이처럼 풀꽃 하나의 생명, 풀벌레 한 마리의 목숨도 가벼이 여기지 않던 생각이 바로 불교의 마음이 아니겠습니까.

또 우리가 늘상 인연을 생각하며 살아가는 일도 그렇구요. 좋은 일을 하면 복을 받고 마음속에 나쁜 업을 지으면 언젠가 벌을 받는다는 소박한 인과응보의 생각도 그렇지요. 그리고 보면 불교사상이야말로 오랜 우리 한국인의 삶에 그 바탕이 되어 왔다고 할 겁니다. 부지불식간에 하는 행동 하나하나에 생명존중이라든지, 인연존중, 그리고 인과응보의 마음 등 불교적인 사고방식이 은연중 스며들어 있으니까요. 실상 불교사상이야말로 이 땅에서 천여 년 이상 한국 사상의 뿌리가 되어 왔으며 오늘날에도 그 근본으로 작용하고 있다고 할 겁니다.

사실 그럴 겁니다. 사람이 산다는 게 무엇이겠습니까? 한마디로 말해서 만나고 헤어지는 일이 아니겠습니까. 우리 모든 사람들은 한 오라기 바람처럼 인연 따라 이 세상에 태어나지요. 또 인연을 따라서 뜬구름처럼 살아가다가 어느 날 갑자기 또 한 줄기 빛과 바람으로 사라져가는 것이지요. 그러니 산다는 건 결국 만나고 헤어지는 일이 아닐 수는 없는 것이지요. 그러니 산다는 건 결국 만나고 헤어지는 일이 아닐 수 없는 것이지요. 바로 이 한 밤에 여러분께서 잠들지 못하고 불교의 명시를 읽고 계시는 이것도 하나의 만남이며 또 하나의 소중한 인연이 아니겠습니까? 이를 통해서 그 옛날 신라시대 선인들의 불교적인 생각과 만나면서, 삶의 숨결을 느껴보시게 되는 것이지요.

앞의 시를 지은 분은 월명스님이시지요. 신라 경덕왕 때 경주 사천왕사에서 거주하시면서 피리를 잘 부시던 그 인간적이면서도 예술적인 스님 말씀입니다. 그 분께서는 어찌나 피리를 잘 부시던지 달밤에 산책을 하며 피리를 불면 항상 달빛이 앞길을 환히 밝혀주었다지요. 그래서 법호도 월명이시고, 그 분이 사시던 동리 이름 또한 월명리였던 것이지요.

스님께선 「제망매가」 말고도 「도솔가」며 「산화가」 등 불교적인 여러 작품을 짓기도 하셨는데요. 그렇지만 「제망매가」가 가장 깊은 뜻을 담고 있는 듯싶습니다. 사상성은 물론 예술적으로도 뛰어난 작품이라고 할 수 있기 때문입니다. 시 「제망매가」와 「도솔가」는 죽은 누이의 명복을 비는 노래이면서도, 그 속에 불교적인 사유의 깊이가 두드러진다고 하겠습니다. 월명스님께서 죽은 누이의 제사 때 이 작품을 지어 노래 불렀더니, 갑자기 바람이 불고 지전이 날리면서 서쪽하늘로 사라졌다고 하지요. 죽은 누이의 애달픈 영혼이 서방 극락정토로 사라져 간 것이겠지요.

이 시에서 핵심이 되는 것은 아마도 삶과 죽음의 문제라 할 겁니다. 삶이란 무엇이고, 죽음이란 또 무엇이겠습니까? 그것들은 인생의 본질이면서 현상이라고 할 겁니다. 삶이 본질입니까? 아니면 죽음이 본질입니까? 아닐 겁니다. 그 두 가지가 하나인 것이지요. <생사의 길이 / 여기 있으매 두려워하여> 라는 구절이 바로 그것입니다. 삶이 있기에 죽음이 있고, 또 죽음이 있기에 삶이 있는 것이지요. 삶 속에 죽음이, 죽음 속에 또 삶이 함께 있다는, 生死 一如의 불교적 인생관이 드러나 있는 겁니다. 그러면서도 죽음이란 삶을 살아가는 모든 이들에겐 숙명적인 것이고, 끝내 인생무상을 확인하게 해주는 엄숙한 것일 수밖에 없지요. 우리가 하루하루를 살면서 허무를 느끼는 것, 허무(Nichts)를 지고 살아가는 것이 바로 삶의 올바른 모습이라는 말씀이지요. 그 옛날 천여 년 전 신라의 선인들이 벌써 이러한 오늘날 서구인들의 실존주의적 인식을 뛰어넘고 있다는 것이 참으로 놀랍습니다. 그리고 보면 이들 두 편의 향가는 불교적인 사유의 표현이며 세계관의 반영이라 하겠지요.

그러면서도 이 시는 예술성이 두드러지는 게 특징인 것 같습니다. 한 가지로서 한 부모를 뜻하고, 나뭇잎으로 인생과 죽음을 비유한 게 그것입니다. 시란 무엇입니까? 그건 삶에 대한 깨달음을 아름다운 생면감각과 빛나는 언어로서 표현한 게 아니겠습니까. 바로 '삶'을 '길'로, 또 '죽음'을 '일찍 떨어져간 나뭇잎'으로 비유하는 등 알기 쉽게, 그럴듯하게 표현한 것이지요. 그리고 보면 이 시는 삶과 죽음의 철학을 다룬 심각한 내용이면서도 겉으로는 나무와 나뭇잎의 비유로서 소박하고 평이하게 노래한 것이 탁월한 점이라고 하겠지요. 아울러 끝 구절에서 서방정토에 계신 아미타불을 통해서, 불가에선 모든 중생을 제도하겠다는 대원을 품은 아미타불, 이 부처님을 염송하면 죽은 뒤에 영혼이 극락에 간다고 하지요. 사실 생각해보면 오늘의 삶이 소중한 것이지, 죽은 다음의 일이 무에 그리 중요하겠습니까? 그렇지만 내세에의 소망과 기원을 간직하고 사는 일, 이것이 결국 오늘을 올바로 살게 하는 소중한 힘이며 교훈이 되는 게 아닌가 싶습니다.

그리고 보면 이 「제망매가」는 불교의 깊은 사상성을 담고 있으면서도, 예술성이 뛰어난 명시 중의 명시라고 할 겁니다. 나고 죽는 일이 하나이면서도 현세에서의 올바른 삶을 통해 내세의 구원이 이루어질 수 있다는 소중한 깨달음을 담고 있다는 데서 불교가 우리시에 끼친 깊은 영향을 실감할 수 있는 것이지요.

# 한산자

**모름지기 마음을 깨끗이 하라**

이제 내 시를 읽는 그대들이여!
모름지기 마음을 깨끗이 하라
탐욕은 날을 따라 청렴해지리
아첨은 때를 좇아 바르게 되리
휘몰아 모든 악한 業을 없애고
부처님께 돌아가 진성을 깨닫자
오늘 이 삶에서 부처몸 이루기를
빨리 서둘러 꾸물대지 말아라.

**그대 왜 그리 허둥대는가**

그대 왜 그리 허둥대는가?
집터 잡으려거든 잘 생각해 하라
저 남방땅엔 전염병 많고

북쪽 땅에는 바람 · 서리 심하거니,
거칠은 두메산골 살기 어렵고
독기 섞인 우물물은 마시기 어렵도다
魂이여, 너 그만 돌아와서
우리집 정원의 오디열매나 따 먹어라.


## 청정한 마음, 자유에의 길

당나라시대 한산자라고 하는 전설적인 은자가 살고 있었다지요. 그분은 天台山에 숨어 살면서 나무와 바위에 틈틈이 깨달음을 새겨 놓았습니다. 그래서 國淸寺의 한 스님이 이것들을 모아서 편집했다고 하지요. 여기에는 한산자의 시 300수와 풍간의 시2수, 그리고 습득의 시 50여 수가 모여 있어서 이 것을 보통 '三隱시집' 이라고 부르기도 합니다. 이 시집은 허망한 인간의 삶에서 삶의 미망을 깨치고, 진정한 道를 닦음으로서 인간구원을 얻으라고 하는 교훈을 담고 있는 듯 싶습니다.

언젠가 저는 영화를 한 편 본 적이 있는데요. 여러분께서도 보신 분이 있을 겁니다. <달마가 동쪽으로 간 까닭은>이라는 영화 말입니다. 그날밤 참으로 오랜만에 저는 소중한 깨달음이 시간을 가졌습니다. 처음엔 이리저리 시간에 쫓기어 갈까 말까 했지만, 영화를 보고 난 다음엔 참 잘했구나하고 생각했습니다. 이 영화의 얘긴 즉슨 매우 단순합니다. 깊은 산 속에 은거하시는 노승한 분과 젊은 수도승, 그리고 세상과 절연된 채로 산속에서 자라난 동승이 펼치는 얘기가 전부이지요. 한마디로 온갖 탐욕과 번잡에서 벗어나서 자유로운 삶, 정신의 해방을 얻고자 하는 치열한 갈망이 빼어난 영상으로 잘 그려진 것이지요. 쉬지 않고 흐르는 것으로서의 물과, 영원한 것으로서의 바위, 그 속에 살아있는 나무와 인간과 온갖 짐승들이 결국은 한 마리 새가 되어 깨우침을 얻어 자유의 하늘로 날아간다는 것이지요. 그러면서 새삼 저는 부끄러웠습니다. 저 자신이 얼마나 때묻은 삶을 살아가고 있는가 하는 데 대한 반성이 든 것이지요. 이날 밤 내내 불교에서 말하는 세 가지 해독, 즉 탐내는 마음으로서의 탐과, 성내는 마음으로서의 진, 그리고 어리석음으로서의 치에 깊이 빠져 저는 허우적거리고 있는 제 모습을 깊이 아파한 것입니다.

앞의 한산시를 읽고는 어떤 생각이 드셨습니까? 한산자의 시는 바로 우리의 때낀 삶, 얼룩진 현대인의 삶에 <달마가 동쪽으로 간 까닭은>이란 영화처럼 불교적인 사유, 즉 선적인 해탈을 통해서 청신한 자유의 기쁨을 맛보게 하는 것이지요.

"왜 그리 허둥대는가? / 집터 잡으려거든 잘 생각하라 / 혼이여, 너그만 돌아와 / 우리집 정원의 뽕나무 열매나 따먹으라"라는 구절 속에는 온갖 오욕칠정에 허둥대며 살아가는 우리 모습에 대한 통렬한 비판이 담겨 있는 것이지요. 사실 생각해보면 그렇지 않습니까. 이 시처럼 "인생은 백년을 채우지도 못하는데 / 언제나 천년 걱정을 가지고 살아가고 있는"것이지요. 무엇 때문에 우리는 이렇게 어딘가 매달려서 고달프게 살아가는 것인지요? 또 과연 무엇 때문에 그다지도 허둥대면서 하루하루를 살아가는 것입니까?

이 한산시가 가르쳐주는 것은 바로 그것입니다. 자유로워지라는 것, 깨달음을 갖고 살아가라는 것이지요. 청정심말입니다. 선시란 과연 무엇입니까? 아니 선이란 무엇입니까? 선이란 다른 종교와 달리 불교만이 지니고 있는 특색이라 할 겁니다. 선이란 고요히 생각하는 것, 생각으로서 마음을 닦는 것이지요. 다시 말해 순수한 집중을 통해서 인간 존재의 실상을 깨닫는 것이지요. 그러기에 선은 삶의 모든 속박으로부터 벗어날 수 있는 자유에의 길이며, 해탈의 길이라고 할 겁니다.

우리는 살아가면서 한평생 얼마나 많은 오욕칠정에 묶여서 허둥대며 살아가고 있습니까? 그러기에 가엾은 존재인 것이지요. 그래서 선이란, 인간이 자기 속에 있는 욕심으로부터 벗어나서 자유로움으로 살아가려는 노력인 것이지요. 시도 마찬가지이지요. 시도 정신의 자유를 찾으려는 몸부림인 것이지요. 그리고 보면 선시란 결국 인간이 얼마나 자유로울 수 있는가 하는 문제를 탐구하는 것이 시라고 할 겁니다. 정신해방을 통해 인간구원을 추구하는 것이 시라는 말씀이지요.

부질없는 욕심과 번뇌로 우리 마음 속에 감옥을 만들어 놓고, 그에 갇혀서 신음하는 우리 현대인들에게 선시는 편안한 자유에의 길, 그 청정한 삶의 길로 우리를 인도해 주는 것이지요.

이 한산시는 바로 그러한 선시의 가장 대표적인 예가 되지 않겠습니까?

# 조병화

## 사랑은

사랑은 아름다운 구름이며
보이지 않는 바람
인간이 사는 곳에서 돈다

주어도 주어도 모자라는 마음
받아도 받아도 모자라는 마음
사랑은 닿지 않는 구름이며
머물지 않는 바람
차지 않는 혼자 속에서 돈다.

## 적선을 배우면서

거리에서, 골목에서,
지하도에서

손을 내미는 측은한 사람 보면
올해 들어부터 부쩍 어머님 생각

한푼이고, 두푼이고, 빠짐없이
동전을 집어주고 지나시던 어머님 모습
불쌍도 하지, 나무아미타불
이렇게 적선을 하시던 먼 어머님 생각
나도 그렇게
적선을 배운다

광화문 지하도, 젖 물리고 앉아 있는 여인
종로 지하철 입구
아이 잡아매고 앉아 있는 눈 먼 여인
덕수궁 긴 담 모퉁이
장안의 먼지 다 쓰고
지장보살처럼, 묵묵히
그저 묵묵히
세월을 마냥 앉아 있는 다리 없는 사나이

보이는 게 모두 눈물
느끼는 게 보두 눈물
생각나는 게 모두 눈물
아, 나무아미타불

어머님,
어머님처럼 적선을 하며
저도 적선을 배워도 배워도
모자라는 게 적선이옵니다
나무아미타불.

## 참다운 사랑 또는 자비의 실천

밤이 깊어서 고요하기가 마치 깊은 물속과 같습니다. 오월을 흔히 가정의 달이라고 하지요. 아마도 온 세상에 새 생명들이 피어나고 어린이날, 어버이날, 스승의 날 등이 들어있기 때문일 겁니다. 그만큼 우리가 평소 잊고 있던 가족과 이웃들을 생각하면서 사랑의 마음을 가져보라는 뜻이 아니겠습니까? 시인 조병화는 고희를 넘긴 이 땅의 원로시인의 한 분으로 1949년 「버리고 싶은 유산」으로 데뷔한 뒤 약 40년 동안 무려 35권의 창작시집을 펴낸 성실하고 정력적인 시인이시지요. 그러면서도 젊은 날엔 럭비선수로도 활약했고, 그림에도 뛰어난 솜씨를 보여주고 있기도 한, 그야말로 다재다능한 예술가라고 할 겁니다. 요즘엔 한국문인협회 이사장 일도 맡고 계시지요.

시를 읽어보시니 어떻습니까. 돌아가신 어머님과 함께 부처님의 자비로운 모습이 떠오르시지 않습니까? 저는 우리나라 옛날 얘기 중에 좋아하는 얘기가 하나 있습니다. 바로 가난하지만, 의좋은 농부형제 얘기지요. 어떤 마을에 가난한 두 형제가 농사를 지으며 함께 살다가 동생이 장가들어 분가해 나갔다지요. 수확한 걸 형제가 똑같이 나누어 가졌지만, 서로가 걱정이 된 것입니다. 형은 형대로 '동생이 분가해서 신접살림을 차렸으니 동생이 더 가용이 많이 들거라' 생각했고, 동생은 동생대로 형은 '묵은 살림에 조카들이 많으니 얼마나 힘들랴' 하고 생각한 것이지요. 그래서 형제는 밤마다 논에 나아가 서로 몰래 형과 아우의 낟가리에 볏단을 서로 옮겨놓은 것입니다. 날이 지나도 낟가리가 늘지도 줄지도 않아서 이상하게 생각하다가, 어느 날 어둠 속에서 서로 스쳐지나다가 화안하게 빛나는 달빛 아래 만나 진실을 알고는 서로 얼싸안고 울었다는 감동적인 얘기가 그것입니다.

조병화 시인의 시를 들으며 느낀 게 바로 그것입니다. 세상에는 사랑하는 마음만큼 또 자비로운 마음만큼 소중한 게 없다는 생각이 그것이지요. 사랑이란 무엇입니까? 결국 나보다도 너를 더 생각하고 돌보는 마음이 아니겠습니까. 그러기에 사랑이란, 적선이란 결코 남아서 하는 게 아니지요. 또 자랑삼아 하는 것도 아닙니다. 없는 가운데, 부족하지만 서로 마음을 쪼개고 나누며, 서로 사랑을 베푸는 데 자비의 참뜻이 있는 거지요.

그러기에 "가난한 이가 와서 구걸하거든 아까워 말고 분수껏 나누어 줘라. 빈 손으로 왔다가 빈 손으로 가는 인생, 나와 남이 둘이 아닌, 한몸으로 생각하고 보시하라" 하시던 서산대사의 말씀이 이 아름다운 오월 한밤에 더 크게 울려오는 것이 아니겠습니까. 오월은 가정의 날, 사랑의 달이지요. 우리 모두 우리 주변의 외로운 사람들, 소외된 이웃을 찾아 적은 마음이라도 함께 나눠 보도록 하시지요.

# 서산대사

## 옛절을 지나며

빈 절은 문이 닫혀 적적한데
떨어진 꽃잎 석 자나 쌓였어라
東風은 오락가락 흩날리고
달빛은 사람의 마음을 애끓게 하누나

꽃지도록 스님은 두문불출하는데
봄을 찾아온 나그네 돌아가지 않네
바람은 둥우리 속 학의 그림자를 흔들고
구름은 禪의 삼매 깃든 스님의 옷을 적시네

## 회포를 읊으며

하늘과 땅이라는 여관에
이슬과 번개같은 몸을 잠깐 의지하였네

온 산의 대숲에 달이 밝은데
홀로 앉아 비춰 새소리 듣는다

봄비에 연못의 물 가득 차고
개구리 울음소리 풍악을 울리네
생각마다 무수한 부처님말씀 떠오르는데
무엇하러 문자들을 읽을 것인가

한 평생에 잘한 일 별로 없고
일찍이 숲 밑에서 잠자는 법 배웠네,
잠이 깊어 이윽고 魂과 접하니
변하여 나비날개 되는 듯 싶네

꿈속에선 그다지도 어지럽더니
깨어보니 고요할 뿐 아무 일 없네
하하하, 입을 열고 크게 웃나니
萬法이 참으로 어린애 장난이로세


## 진흙소가 물 위로 가네

아름다운 오월의 봄 밤, 밤이 깊어가니 어느 먼 산사에서 범종소리라도 은은히 울려오는 듯합니다. 우리 정신사의 기둥이라 한 불교사에는, 빛나는 고승대덕들이 밤하늘의 별과 같이 반짝이고 있다고 할 겁니다. 그분들의 삶이란 참으로 그지없이 힘들고, 어려운 불법을 구하러 천축국에 가면서 노래한 "보리가 멀다하여 어찌 마음 저어하랴/녹원이 멀다한들 그 얼마나 멀겠는가/단지 험한 길에 근심이 깃들인 뿐이요"라는 구절이 생각나는군요. 이분들의 드높은 각고정진이 있었기에 오늘날 우리들의 눈과 마음이 지혜로 밝아질 수 있는 게 아닐런지요.

이번엔 서산대사의 시 「옛절을 지나며」와 「회포를 읊으며」를 감상하시기로 하지요. 이 시들은 깊은 명상을 일깨워주는 참으로 아름다운 시입니다. 서산대사는 임진왜란 때의 여러 일화로 널리 알려진 분이시지요. 원래 법명은 휴정이시고, 법호는 청허인데, 묘향산에 주로 주거하셨기에 세칭 '서산대사'로 널리 알려지셨지요. "선은 부처의 마음이고, 교는 부처의 말씀이다." 라는 말씀처럼 선과 교를 하나로 생각해서 선교일치 이론을 정립하는데 크게 기여한 분이라고 할 겁니다.

스님은 아홉 살에 아버지를 여의고 이어서 열 살에 어머니를 잃으셨다지요. 그렇지만 총명이 비상하여 성균관에 입학하였다가, 21세에 출가하셨습니다. 임진왜란이 일어나자 69세의 연로한 몸으로 승의병을 일으켜서 벼슬을 주겠다하며 적극 붙잡았는데도 마다하고, 제자인 사명, 처영을 그 자리에서 천거하고는 묘향산으로 돌아오셨지요. 그만큼 보살정신이 헌신적이었다고 할 겁니다. 또한 불교의 귀감을 적은 명저 『선가귀감』, 『청허집』 등을 저술하셔서 불교사는 물론 일반에게도 커다란 깨달음을 던져주신 것이지요.

앞의 시 「옛절을 지나며」는 서정성이랄까 예술성이 뛰어난 것이 특징입니다. 절과 떨어진 꽃잎들, 바람과 달빛의 대조도 그렇구요. 구름과 학, 그리고 선정에 든 스님의 모습이 그윽한 정적미를 돋구어주는 거지요. 선은 무엇이고 정은 무엇인가요. 선이란 정려 또는 사유수, 즉 조용히 마음을 가라앉히는 일이라 하겠지요. 또 정은 마음이 움직이지 않아서 생각이 일어났다 꺼졌다 하는 걸 말합니다(고형곤, 『선의 세계』, 165쪽). 그리고 보면 이 작품은 봄 산사의 아름다운 정경 속에서 선에 몰입한 스님의 모습을 통해서 불교적인 정적의 아름다움을 묘사한 시라고 할 겁니다.

시 「회포를 읊으며」도 그렇지요. 이 시는 "하늘과 땅이라는 여관에/이슬과 번개같은 몸을 잠깐 의지하였네"와 같이 자유분방한 정신과 돌발적인 상상력, 그리고 참신한 비유가 대단히 놀랍습니다. 또 봄비에 우는 개구리소리를 풍악으로 듣는다거나 부처님 말씀으로 듣는다는 것도 예삿일이 아니라 하겠지요. 특히 "나비가 꿈인가/장주가 꿈인가" 하는 『장자』의 호접몽을 비유하여 인생 무상을 갈파한 것은 참으로 탁월한 정신의 표현이 아닐 수 없을 겁니다.

무엇보다도, "깨어나보니 고요할 뿐 아무 일 없네/만법이 참으로 어린애 장난일세"라는 마지막 구절은요, 모든 것이 공하다는 불교적 세계관을 드러내면서 동시에 그러한 모든 생각을 뛰어넘음으로써 해탈의 경지를 보여주는 게 대단한 경지라고 할 겁니다. 그리고 보니 새삼 "억천만 가지 온갖 번뇌 봄에 떨어진 흰 눈 한 조각/진흙소가 물 위로 가고 땅과 허공이 꺼져버렸네"라는 스님의 임종시가 떠오르는군요. 결국 오도적인 깨달음과 서정성이 절묘하게 결합된 데서 서산 선시의 깊이와 그 미덕이 드러난다고 할 것입니다.

# II.

# 지팡이 하나로 떠돌다보니

# 혜초

## 마가다에서

보리의 먼 것도 걱정하지 않거니
어찌 저 녹야원이 멀다 탓하랴
다만 험준한 길을 시름할 뿐이요
사나운 바람이야 염려하지 않는다
여덟 탑을 보기는 진실로 어렵나니
오랜 세월에 어지러이 타버렸다
어쩌나 본래의 내 소원을 이루어
오늘에 내 눈으로 바로 보는고

## 여수

달 밝은 밤에 고향길 바라볼 때
너울너울 뜬 구름만 멀리 올라가네
그 편에 편지에 봉해 붙이려 하나

빠른 바람길은 돌아오지 않으리
우리나라는 하늘 끝 북쪽인데
남의 나라는 땅의 끝 서쪽이네
해받이 남방에는 기러기가 없거니
누가 나를 위해 계림으로 전해주리

## 구도의 길, 순례자의 노래

오월의 밤하늘이 온통 풀냄새로 싱그럽게 흔들리는 시간입니다. 그러면서 어디선가 나뭇가지 끝에 잎새 하나 바람에 귀를 갈고 있는 소리가 들리는 듯도 하군요.

그 옛날의 고승대덕들은 산간 암혈에서 참선하면서 용맹정진한 분들이 유독 많았다고 하지요. 사실 속세의 온갖 번잡에서 벗어나 깊은 산간의 바윗구멍이나 달빛 쏟아지는 소나무 아래에서 솔바람향기에 젖어서 물 같은 심경으로 참선에 몰입하노라면, 저절로 깨우침이 이루어질 수도 있을 겁니다. 그렇지만 진정한 수행의 과정에는 入泥入水, 즉 속세에의 고행과 순례도 반드시 필요한 일이라고 하겠지요. 산문에서 조용하게 枯寂墨守하는 일도 중요하지만요. 고달픈 몸을 이끌고 머나먼 성지로 순례의 길을 떠나거나 중생제도에 나서는 고통스런 길에서 진정한 구도가 이루어지는 것은 아닐런지요. 그러노라니 지금으로부터 천 여년 전, 머나먼 인도 천축국으로 고행의 순례를 떠난 혜초스님이 문득 생각나는군요. 그 옛날 어디 제대로 된 교통수단이나 하나 있었겠습니까? 온갖 풍토병과 맹수들로 들끓던 머나먼 열사의 나라 다섯 천축국에 오로지 불타의 가르침 하나를 나침반 삼아 떠나간 그의 참담한 고행이 가슴에 깊이 부딪쳐오기 때문일 겁니다.

잘 아시다시피 혜초스님은 신라 23대 법흥왕 때의 고승이시지요. 약관의 나이에 당나라에 건너가서 남인도의 밀교승인 金剛智三藏을 스승으로 섬겨

득도했습니다. 그러다가 바다로 해서 인도에 건너갔지요. 동천축을 비롯해서 중·남·서·북의 다섯 천축국을 돌아다니면서 부처님의 유적지를 찾아 순례하신 것입니다. 그러고서는 육로로 다시 중앙아시아의 여러 나라를 편답한 후에, 10년만인 서기 727년 11월 당나라로 돌아와서 오랫동안 머물면서 고행 수도한 것이지요. 이때 그간 10년 동안의 온갖 견문을 기록하여 「왕오천축국전」세 권을 지은 것입니다. 그러나 그것은 안타깝게도 전해지지 않다가 1910년 프랑스의 동양학자인 펠리오가 돈황의 천불동 석굴에서 한권을 발견하여 비로소 그 내용의 대강을 알게 된 것이지요. 대사께서는 당나라에 돌아와서는 54년 동안 오대산에 은거하면서 역경에 종사하여 많은 포교의 공덕을 쌓으신 분이지요. 그렇지만 끝내 고국인 신라로 돌아오지 않은 것이 우리로서는 아쉬운 일이 아닐 수 없다고 할 겁니다.

혜초의 시에는 고달프디 고달픈 구도의 길로서 순례의 역정이 아로새겨져 있어서 은은한 감동을 일깨워줍니다. 「마가다에서」라는 선시가 우선 그렇지요. 마가다란 낯선 이름은 과연 어느 곳의 지명입니까? 그곳은 바로 머나먼 천축국 인도의 녹야원을 찾아가는 길목에 있는 마을이지요. 더울 때는 무려 섭씨 50~60도까지 수은주가 올라간다는 열사의 땅, 그곳 말입니다. 과연 그곳을 혜초는 무엇 때문에 지친 몸 이끌고 가고 있었던 것입니까? 보리를 구하여, 불타의 진정한 가르침을 찾기 위하여 녹야원을 찾아갔던 것이지요. 보리란 과연 무엇입니까? 그것은 도와 지와 각, 즉 불교 최고의 이상이라고 할 불타정각의 지혜를 일컫는 것이지요. 그러기에 여기에는 바로 그러한 부처님의 지혜를 얻기 위한 고행의 길이 그리도 멀고 험하다는 뜻을 지니고 있다 할 겁니다.

또 녹야원을 어디입니까? 그 곳은 중부 인도에 있던 파라내국의 북쪽 성 밖 공작새와 사슴이 뛰놀던 자유의 동산이지요. 석가세존께서 부다가야에서 도를 이룬 뒤 다섯 비구를 위해 맨 처음 설법을 시작한 바로 그 불교 사대성지의 한 곳 말입니다. "녹원이 멀다한들 그 얼마나 멀랴"라는 구절에는 바로 그 녹야원 성지를 찾아가는 멀고도 먼 여정을 노래한 것이지요. 그렇지만 높고 깊은 뜻을 지니고 찾아가는 구도의 길에 있어서 그처럼 힘들고 험난하게 무어 대수이겠습니까? "8탑을 정성스레 뵙는 일이 이다지도 어려운가"라는 구절처럼 힘들 것은 물론일 겁니다. 또 8탑이란 무엇입니까? 그것은 바로 석가세존의 탄생지인 룸비니의 탑과 성도지인 부다가야의 탑 등 지상에 있는 네 개의 탑과 성도지인 부다가야의 탑, 그리고 설법을 한 녹야원의 탑, 그리고 입적하신 쿠시나라의 탑 등 지상에 있는 네 개의 탑과 천상에 있다는 네 탑을 함께 일컫는 것이지요. 그리고 보면 이 시「마가다에서」는 고달픈 구도의 길에서 "어쩌다 본래의 내 소원을 이루어/오늘에 내 눈으로 보는고"라는 구절에서처럼, 직접 불타의 길을 밟아가면서 느낀 고통과 희열을 생생하게 드러낸 시라고 할 겁니다.

시「여수」에서는 "달 밝은 밤에 고향길 바라볼 때/너울너울 뜬 구름만 멀리 돌아가네/해받이 남방에는 기러기가 없거니/누가 나를 위해 계림으로 편지 전해 주려나"라는 구절처럼 불타의 성지에 이르는 기쁨과 환희, 그리고 고국 신라 땅에 대한 영원한 그리움이 아로새겨진 것이지요.

# 사명당

## 고향을 바라보며

멀고 먼 남쪽나라 기러기도 끊겼는데
병든 몸 부질없이 고향을 생각하노라

구름덮인 먼 골짝을 나그네는 바라보며
달 넘어간 다락에서 꿈만 자주 놀라깨도다

철 늦은 못가에는 버들꽃이 날리고
봄이 깊은 옛 절에는 꾀꼬리 지저기누나

지난 해에 내가 놀던 낙동강 가에 그 길에는
꽃다운 풀 예대로 하마 우거졌으리라

### 회포를 씀

요즈음에 병이 많아 약해진 몸 서러운데
친한 벗도 반이나 이미 다 없어졌구나

오직 구름과 술과 사슴만을 벗하여
첩첩한 이 산중에서 혼자 늙어가노라

## 깨달음의 길, 나라 사랑의 길

어둠 속에 머언 산사 외딴 봉우리 오솔길에 송화가루 날리는 밤입니다. 이런 깊은 밤이면 이 세상 어딘가에서 병상에 누워 아픔 속에 뒤채이거나, 외로움 속에 잠 못 이루는 분들의 모습이 안타깝게 부딪쳐옵니다. 세상을 살아가노라면 몸이 건강해도 온갖 근심 걱정이 많은 법인데요. 어둠 속에 홀로 불편한 몸과 아픈 마음으로 뒤채이고 계시니 얼마나 애달프고 안타까운 일입니까?

그러면서 문득 임진왜란 때 머나먼 일본땅, 산설고 물설은 그 곳에 승려의 몸으로 혼자 화의를 청하러 갔던 사명대사의 애달픈 모습이 떠오르는군요. 임금이며 벼슬아치들이 정치를 잘못해서 온 민족이 전쟁의 수난을 겪은 것이었지요. 그런데도 오히려 산문에 수도하는 스님의 몸으로 승의병을 이끌고 항일투쟁에 떨치고 나섰다가, 끝내 일본에까지 건너가 온갖 시련과 객수를 겪으셨으니 얼마나 안타까운 일이었겠습니까? 그러면 사명대사의 시「고향을 바라보며」와「회포를 씀」을 감상하시기로 하시지요.

아마 우리나라 사람으로 이 시를 쓰신 사명대사를 잘 모르는 분은 별로 없으실 겁니다. 임진왜란 때의 여러 일화로 일반에게도 잘 알려지신 분이기 때문이지요. 사명당의 원래 속성은 임씨이구요. 법호는 송운이고 법명이 유정 (惟政)인데, 사명이란 그분의 별호인 것입니다.

사명당은 중종 39년, 즉 서기 1944년 황해도 풍천에서 태어났지요. 어려서는 『맹자』등 유학을 배우다가 김천 황악산 직지사에 들어가서 스님이 되셨지요. 18살 때 선과에 합격하였고, 32살 때 봉은사의 주지가 됐지만 바로 사퇴하였지요. 그리고는 묘향산에 들어가서 서산대사의 제자가 된 것입니다. 1592년 임진왜란이 일어나서 서산대사의 위하에서 의승병을 모아 왜병과 여러 차례 싸움과 담판을 벌이곤 하였지요. 그러한 공로로 선조로부터 가선대부에 봉해져서 끝내는 일본에 강화사절로 건너가게 된 것입니다. 이때 여러 가지 이적을 행해서 일본사람들에게 "귀신같은 승려이고 살아있는 부처다"라고 찬탄을 받았다지요. 왜적과 화의를 한 후에 귀국했지만 끝내 스승인 서산대사의 입적에 참예하지 못한 것을 늘상 뼈아프게 생각한 것이지요. 스승인 서산대사도 역시 묘향산 원적암에서 입적하면서까지 끝내 제자 사명을 만나보지 못한 것을 애석하게 생각했었답니다. 말하자면 서산대사라는 큰 스승이 있었기에 사명당이라고 하는 큰 제자가 탄생할 수 있었다고나 할까요. 그만큼 두 분의 인연은 각별했고 그러기에 큰 자취를 남기게 된 거지요. 그러다가 사명당은 1607년 선조가 승하하자 병 중인데도 서울로 와서 곡하고는 그 길로 해인사에 내려가서 67세로 입적하고 말았습니다. 이때 "네 가지 요소가 화합해서 된 이 몸/나는 이제 돌아가련도다/참된 나에게로 돌아가련도다/환영같은 이 몸은/한갓 수고로울 뿐이었네/우리 이제 돌아가/도를 따라 열반에 들 것일세"라는 유명한 임종게를 남겨주셨지요. 이렇게 보면 사명당은 산문에 살면서도 항상 현실을 외면하지 않으신 분이라 하겠지요. 승속일여라고 할까요. 호국불교차원에서 대승불교를 구현하려 노력한 당대의 실천적인 승려라고 할 것입니다. 대사가 남긴 시문집으로는 『사명대사집』이 전해집니다.

앞의 시 「고향을 바라보며」에는 바로 머나먼 타향 땅 일본에서 고국을 그리는 심정이 잘 담겨 있지요. "멀고 먼 남쪽나라 기러기도 끊겼는데/병든 몸 부질없이 고향을 생각하노라"라는 구절이 그것입니다. 우리는 고향을 떠나

보아야 고향에 대한 그리움을 알고, 고국을 떠나봐야 고국이 소중한 것을 깨닫게 되지요. 건강이 나빠지면 그때 비로소 건강이 얼마나 소중한가 새삼 깨닫게 되는 것과 마찬가지 이치일 겁니다. 전쟁으로 온 국토가 왜적에게 유린된 채, 다시 머나먼 타국땅에 화해의 사절로 떠나와서 새삼 고국 땅과 사람들의 소중함을 가슴 깊이 절감하게 된 것이지요. 시「회포를 씀」도 마찬가지이지요. 인생무상을 깨닫는 것과 함께 영원한 벗으로서 자연을 벗하는 모습이 담겨져 있는 것입니다.

그러고 보니 새삼 종교에는 국경이 없지만, 종교인에게는 국경이 있다는 말이 떠오르는군요. 이런 때 우리 모두 가족과 이웃, 그리고 더불어 살아가는 민족과 국가, 그리고 인류의 문제를 한번 생각해 보는 것도 뜻있는 일이 되겠지요.

# 경허선사

## 마음뿌리 가꾸어

마음뿌리 가꾸어 가지와 잎에 이르렀노라
거센바람 억센 비에 어린가지 꺾어진다.
그 어느날, 푸른 하늘너머 긴 머리칼 휘날릴 때면
한가닥의 휘파람 이곳을 지나가리라

## 허공이 무너지고 있구나

허공이 무너지고 있구나
허공에 핀 꽃이 열매를 맺는다
이 또한 봄빛인줄 깊이 알거라
향기 짙게 날아와 스며드누나

## 무애(無碍) 또는 자유로워지기

오월이 무르익고 있지요. 그래서 그런지 요즘은 온 하늘에서 풀냄새가 풍겨오는 듯합니다. 하루를 살다보면 세상살이의 어려움들이 우리 곁을 스쳐 지나갑니다. 그래서 그런지 요즘 들어서 더욱 사는 일이 쉽지 않게 느껴지곤 하는군요.

그러면서 새삼 선시에 대해 생각해 보게 됩니다. 선시란 결국 인간이 얼마나 자유로울 수 있느냐 하는 정신적 탐구를 표현한 시라고 하겠지요. 그냥 도사연하는 것이 아니라 사람의 냄새가 스며나는 선이랄까, 육신이 자리하고 있으면서도 달관의 자유로움이 엿보이는 그런 선시가 그리운 것이지요. 그러노라면 문득 경허선사의 선시가 떠오릅니다.

경허스님의 구한말의 선승이시지요. 1849년 전주에서 태어나, 아홉 살에 경기도 광주 청계사로 출가하고 동학사에 만화선사로부터 불경을 배웠습니다. 스물세 살에 만화선사의 뒤를 이어 동학사에 강사가 되었지요. 그러다가 전염병이 도는 어느 마을을 지나다가 발심, 동학사에 돌아와 강을 폐지하고 3개월간 정진 끝에 대오각성해서 물 흐르는 대로 발닿는 대로 전국을 떠돌아다녔던 겁니다. 그러면서 여러 가지 파천황의 선행으로 독특한 가르침을 던져준 것이지요. 한 예로 해인선원에 안거하던 그 어느 날, 수행하는 수좌들에게 일갈했던 것입니다. "불 근처에도 가지 못할 나무로 만든 부처, 물 근처에도 가지 못할 흙으로 만든 부처, 용광로에도 가지 못할 쇠로 만든 부처에 얽매여 있는 수좌들아! 진짜 부처는 어데 두고 헤매며 찾고 있느냐"했다는 것이지요. 그러면서 太能선사의 시 "우습다 소를 탄 자여, 소 등위에 앉아 다시 소를 찾는구나(可笑騎牛子騎牛更覓牛)"로 깨우침을 던져준 것입니다.

바로 이처럼 경허선사의 특징은 자유분방한 무애의 경지를 통해 해탈에 이르려는 데서 드러납니다. 그러기에 나라에 단발령이 내린 쉰여섯 살 때는 삼수갑산으로 들어가 蘭州라고 개명하고 훈장을 하다가 예순 네 살 때 앉은 채로 입적하였다지요. 이 무렵 그의 문하에서는 만공스님을 비롯하여 혜월, 수월, 한암등 수많은 근대의 고승들이 배출되어 우리의 불교 정신사를 빛나게 해주었어요. 그야말로 진정한 깨달음엣 비롯한 무애공간을 자유자재로 펼쳐보임으로써 근대불교사에 뚜렷한 자취를 남기신 겁니다. 그러기에 훗날 제자인 만공이 "사나울 때는 범과 같고 착할 때는 부처와 같은 분이/바로 경허스님의 모습 아닌가/그는 지금 어디에 있는가/취하여 꽃속에 누워 지금도 주무시고 계신가"라고 노래하셨던 것이지요.

그의 삶의 자취에서도 짐작할 수 있듯이 경허의 선시는 자유분방한 상상력이 돋보이는 게 특징이라 할 겁니다. "허공이 무너지고 있네/허공에 핀 꽃이 여래를 맺는다"라는 구절이 그 한 예이지요. 그 어찌 허공이 무너질 수 있으며 허공중에 꽃이 필 수 있고 열매를 맺을 수 있겠습니까? 그렇지만 모든 존재의 실상은 사실 허공중에 자리잡고 있다가, 허공으로 돌아가는 게 사실이라면 이 말도 맞는 말일 겁니다. 얼핏 보면 모순되는 것 같으면서도 자세히 생각해보면 그 속에 진리를 담고 있는 불교적인 아이러니를 구사하고 있는 것입니다. 그러면서도 다시 "향기 짙게 날아와 스며드누나"와 같이 충만함의 이미지를 빌어와서 무와 존재로서의 삶의 본 모습을 깨닫게 하는 것이지요. 그야말로 긍정에서 부정, 부정에서 긍정을 이끌어내는 심내자중, 즉 불교적인 변증법으로 존재의 근원에 도달하려는 내적 자각을 보여준다고 하겠습니다. "마음뿌리 가꾸어 가지와 잎에 이르렀는가/거센 바람 억센 비에 어린 가지 꺾어진다/그 어느날 푸른 하늘 너머 긴 머리칼 휘날릴 때면/한가닥의 휘파람 이곳을 지나가리라"라는 구정도 마찬가지이지요. 부정과 긍정, 긍정과 부정의 자유자재로운 무애법문의 상상력이 펼쳐지고 있는 겁니다. 사실 그런 것 아닐런지요. 우리가 고승들의 자유분방한 기행이나 선시의 놀라운 상상력을 접하면서 느끼는 것은 바로 무애심이지요. 아무것도 거칠 바 없는 자유로운 정신, 그 자유로움이 가져다주는 해방감이며 편안함이 그곳에 있기 때문입니다. 삼수갑산 토굴 속에서 입적하면서 "어디로 가십니까?"라는 제자들의 물음에 "바람 따라 간다"라고 대답했다는 경허선사의 한 마디가 바로 자유로운 정신의 극명한 실천이라 하겠지요.

불교란 무엇입니까? 결국 고통 받는 자기로부터 자유로워지고, 이웃과 함께 해탈하고자 하는 해방의 종교이고 열림의 종교이자 동시에 깨달음의 종교가 아니겠습니까. 해방과 자유를 통해서 생명과 삶의 본질에 도달해 보고자 하는 열린 마음의 실천인 것이지요. 일체의 것을 버리고 나서 일체의 것을 획득한 자유인으로서 경허선사는 근대 선종사에 하나의 금을 긋는 인물이라고 할 겁니다.

# 홍신선

## 오래 전 종이로 등하나 만들어

오래전에
저도

종이로
燈을 하나 만들었읍니다.
그랬더니 보오야니 희던 등의 살결에
문득 먹빛 캄캄한
어둠이 와서
배어들고 있었습니다.

불을 달려 보았읍니다
안 보이는
그을음, 안 보이는 불꽃.
살이 데이는

붙지 않는 불꽃을
동여매어 놓았는데
캄캄한 등에선
가는 빛 하나
우러나지 않았습니다

그래도 어디에 달까
야윈 떨리는 손, 손가락으로
허공을 자꾸 헤집었읍니다

사십팔대원 한 차례 달아놓은 등은
그 뒤 시나브로 흔들리다 없어졌읍니다

없어져 어디에 있는가
이번엔
無量한 마음을 자꾸 헤집었읍니다

없어진 어떤 등은
가난한 이의 가슴에 황금이 되어 박히고
울리고 고통받는 이
슬픔에 눈먼 사람 눈가로는
한 떨기 미소가 되어 타오르기도 하고

어느 등은 긴 강물에 잠기며 떠나가며
꺼질 듯 살아 오르며
시간 중의 형체도 없는
어딘가를
헤매이고 있었읍니다

오늘 다시 초파일
한 채의 절에 와

등을 만나보니
안 보이던 백열의 불꽃은 뜨거웁고
캄캄하게 배었던
어둠은
새하야니 우리의 하늘빛으로
바래어
밝아 있읍니다.


## 가난한 사람의 아름답고 소중한 등불을 위하여

요즘은 일 년 중에서 산천 조목들이 가장 아름답게 살아나는 계절이지요. 온 산과 들, 나무와 풀꽃들이 새롭게 태어나면서 한 해 중에 가장 생명을 아름답게 빛내는 계절이기도 합니다. 그래서 그 옛날 중국의 대시인 소동파가 말한 적이 있지요. "대자연은 곧 청청한 부처님의 법신이다"라는 말씀 말입니다. 그런가 하면 어떤 옛 시인은 "푸르른 물빛은 부처의 눈/온 산은 부처님의 머리/달빛은 한 마음의 근원/구름은 8만 4천 경문일세"라고 노래하기도 했지요.

그 옛날 인도 석가국의 수도 가비라성에서 탄생하신 싯다르타, 그분께선 29세에 생사해탈의 법을 구하여 집을 떠나와서 35세에 정각을 얻어 부처님이 되셨지요. 그러면서 갠지스강가 녹야원에서 고·집·멸·도의 사제와 12인연, 8정도의 불법을 가르치시던 석가세존, 그리고는 구시나라의 사라쌍수 아래에서 80세를 일기로 열반에 드시기까지 45년간 온 누리에 빛을 밝히시고 온 인류에 자비를 가르치시던 석가여래께서 탄생하신 뜻깊은 달이기도 하지요. 이 4월 초파일이 되면 생각나는 시가 한 편 있지요. 오늘의 중견이신 홍신선의 「오래전 종이로 등하나 만들어」가 그것입니다. 홍신선 시인은 동국대 국문과를 졸업하고 『서벽당집』, 『겨울섬』 등의 시집을 내면서 주로 고전 정서를 바탕으로 한 불교시를 쓰시는데요, 요즘엔 수원대학에서 시를 강의하고 계신 역량 있는 중견시인의 한 분이지요.

앞의 시 「오래전 종이로 등하나 만들어」에는 '부처님 오신 날'을 맞아 새롭게 깨닫게 된 연등의 의미가 잘 드러나 있다고 하겠습니다. 먼저 이 시는 오늘날 속세의 깊은 어둠을 노래합니다. 사바세계의 '먹빛 캄캄한 어둠' 때문에 등불을 켠다는 게 바로 그 뜻이지요. 그렇지만 그 종이등 속에 등불은 쉽게 켜지지 않고, 불빛 또한 잘 살아나지 않습니다. 온 사바세계의 어둠이 그리도 깊기 때문일 겁니다. 그러기에 "자꾸만 등을 어디에 둘까"라고 헤매이게 되는 거지요.

어쩌면 속세의 온갖 미망 속에서 부처님의 불빛을 진리의 등불로 삼아서 살아가는 일이 그리 쉽지 않다는 뜻도 될 겁니다. 그리고 그 등불 또한 얼마 동안 흔들리다가 끝내 어디론가 사라져가게 마련인 것이지요. 반야심경 말씀대로 지상 위의 모든 것들은 모두가 허무한 것, 공한 것일 수밖에 없으니까요. 그렇다면 이 꺼져버린 등불, 이 없어져버린 등불은 과연 어디에 있는 것입니까? 그것을 이 시인은 "가난한 이 가슴에 황금이 되어 박히고/눌리고 고통받는 이/슬픔에 눈먼 사람 눈 가로는 한떨기 미소가 되어 타오른다"고 노래하고 있지요. 바로 그것입니다. 부처님 오신 날에 이 시가 얘기하는 것, 연등의 참된 의미는 무엇이겠습니까? 그것은 옛 풍속대로 거리마다 집집마다 등불을 달고 그 아래서 풍악을 놓고 불꽃놀이를 하는 것 그 뿐입니까? 아니겠지요. 등불을 켜는 행위, 그 등불을 어둠 속에 높이 매다는 일은 결국 온누리에 밝은 빛을, 온 인류에 따뜻한 사랑의 마음을 불 밝히는 일이 아니겠습니까?

가난한 사람의 한 등불, 즉 貧者一燈의 옛 고사가 문득 생각나는군요. 그 옛날 무전걸식하는 가난한 여인이 있었답니다. 그래서 여인은 돈이 없어 그리도 가고 싶은 아사세왕이 베푸는 연등회에 갈 수 없었다지요. 이 여인은 그녀가 마지막 갖고 있던 동전 두 닢으로 등과 기름을 사서 빌었다지요. "이 조그만 정성을 삼가 부처님께 공양합니다. 이 공덕으로 이 세상에서 성불하여 얻은 그 지혜의 빛으로 모든 중생의 어리석은 마음을 밝게 비치도록 해 주소서"라고 기원한 것입니다. 그날 밤 비바람이 심해 온 성안의 수만 등불이 다 꺼졌지만 오직 하나 이 가난한 여인의 등만은 꺼지지 않고 그대로 켜있더란 얘기지요. 그래서 아사세왕이 석가세존께 "왜 나의 수만 등불에는 수기 즉, 복을 주시지 않고 어찌하여 가난한 여인의 등불 하나에만 빛을 주십니까"하고 항의했다는 거지요. 그러자 석가세존께서는 "공덕의 바다는 매우 깊고 커서 범부로서는 생각하기 어려운 것이다. 보시란 작은 보시로도 크게 얻을 수 있는가 하면 아무리 많은 것으로도 얻을 수 없는 경우가 많다."고 가르쳤다고 하는 것입니다.

바로 홍시인의 시가 말하고자 하는 것은 이 '빈자일등'의 교훈이 아닐까 합니다. 특히 오늘날과 같이 소외되고, 병들고 억눌린 사람들이 많은 세상에서 이 빈자일등의 교훈은 매우 소중한 게 아니겠습니까? 그러고 보면 이 시에서 말하는 것은 스스로 자명해진다고 하겠지요. 그것은 연등을 통해서 인간 사랑의 참뜻을 강조한 것이지요. 우리가 오늘 '부처님 오신 날에 켜는 등불 하나는 그 옛날 석가세존께서 가르치신 대로 불교의 참뜻이 바로 인간구원에 있으며, 우리 한 사람 한 사람이 올바로 오늘을 살고 이웃과 더불어 사랑을 나누면서 밝고 따뜻하게 살아가라고 하는 인간구원의 메시지를 담고 있는 것이지요.

# 매월당


**지팡이 하나로 떠돌아다니다 보니**

지팡이 하나로 떠돌아다니다 보니
오월이라 송화꽃 푸른 산에 가득해라.
온종일 바리때 들고 다녔더니
천 집의 밥이 다 내 것이로세.
여러 해동안 누더기 빌어 입었으니
그 몇몇 사람의 옷이던가.
마음은 흐르는 물같아 스스로 청정하고
이 몸은 조각구름 더불어 시비가 없어라
강산을 두루 밟으며 두 눈이 푸르렀으니
우담발화 꽃피는 때되면 돌아가리라.


**온종일 짚신 신고 발가는 대로 거닐었더니**

온종일 짚신 신고 발가는 대로 거닐었더니

산 하나 넘으면 또 한 산이 푸르구나
마음에 아무런 욕심없으니
어찌 몸을 위해 일하겠는가.
깨달음이란 원래 이름없거니
어찌 거짓되게 이루어지랴
밤이슬도 마르지 않았는데 산새가 울고
봄바람이 그치지 않았어도 꽃빛 더욱 밝아라
짧은 지팡이 하나 짚고 돌아오니 모든 산이 고요한데
저녁빛 속 절벽에는 노을만이 비끼었구나.


## 삶이란 조각구름 일어났다 사라지는 일

오월이 깊어가니 온 산천에 신록이 무성해져서 참으로 아름답기 그지없군
요. 온 세상에 자랑스럽게 꽃과 잎을 달고 서 있는 나무와 풀들이 그냥 그대로
하나하나가 우주의 중심이 되고 부처가 되는 듯만 싶습니다.

새삼 이렇게 아름다운 계절이 되니까 그동안 뵙지 못하던 여러 이웃들이
생각나지 않으시는지요. 어떤 분들은 다정하던 옛 친구들이 생각나시기도 할
거구요. 그 옛날 사모하던 연인이며 늘상 마음에 있으면서도 찾아뵙지 못하
는 친지 분들도 떠오르시겠지요. 또 돌아가도 이제 이 세상에 계시지 않는 부
모님이나 스승들이 생각나기도 하실 겁니다.

제 경우에는 돌아가신 어머님이 그리워집니다. 살아생전에는 그리도 속을
썩여드렸고, 언젠가 크게 효도하리라 늘상 마음먹기만 했었는데요. 그만 그
어느 봄이 오는 길목에서 꽃잎이 떨어져가듯이 가버리시고 말았지요. 참으로
후회해도 소용없이 날이 갈수록 사무치기만 하는 마음입니다. 『부모은중경』
의 "나를 낳고 고생하며 길러주신 부모님! 그 은혜 보답하려 하나 길이 없도
다"라는 탄식이 생각나는군요. 그러니 아직 부모님이 살아계신 분들께선 자
주 찾아뵙고, 가진 것 없으시더라도 항상 진심으로 모시고 따뜻하게 위로해

드리셔야 하겠지요. 그래야 자식 키우신 보람을 느끼시지 않겠습니까.

잘 아시다시피 매월당 김시습은 세종~성종조의 인물로서 자를 열경이라 하고, 호를 매월당, 동봉, 설잠, 벽산청은이라고도 하던 분이시지요. 다섯 살 때 세종임금에게 글을 지어 바쳐 세종이 감탄할 정도로 재주가 뛰어나서 오세, 신동이라고도 불렸다지요. 스물한 살 때 삼각산 산사에서 수도하던 중에 수양대군의 왕위찬탈 소식을 들었지요. 그래서 비분강개한 김에 그 길로 삭발하고는 스님이 되어서 평생을 산사에서 은거하셨습니다. 경주 금오산에서 그가 『금오신화』를 지은 것은 유명한 일이지요. 그러다가 잠깐 결혼도 해보았으나, 뜻을 붙이지 못하고는 다시 방랑생활을 시작해서 59세 때 충남 부여의 무량사에서 입적하신 분이시지요. 그의 문집 『매월당집』은 성리학을 수용하면서 민생을 중시하여, 불교적인 애민본 사상을 펼친 유명한 책이라 할 겁니다.

시 「지팡이 하나로 떠돌아 다니다보니」는 바로 요즘 같은 신록의 오월을 표랑하는 스님 모습을 아름답게 노래한 시라고 할 겁니다. 「지팡이 하나로 떠돌아 다니다보니」라는 제목부터가 아무 것에도 거칠 것 없는 삶, 자유로운 마음가짐을 말해주는 것이지요. 그러기에 '오월이라 솔꽃이 산 속에 가득해라'처럼 맑은 솔바람과 송홧가루 내음을 맡을 수 있는 것이지요. 바리때 하나 들고 누더기를 입고 다니는 생활이지만 얼마나 편안하고 자유로운 영혼을 지니는 것이겠습니까. 그러니까 '마음은 흐르는 물 같아 스스로 청정해'질 수밖에요. 온갖 사바세계의 번뇌와 탐욕을 떨치고 나니 이 몸 또한 '조각구름과 더불어 시비가 없어라'하고 노래하게 되는 거지요. 사실 생각해보면 삶은 生也一片浮雲起, 즉 하나의 조각구름이 일어나는 것이고, 죽음 또한 死也一片浮雲滅, 즉 한 조각 구름이 스러지는 것 아니겠습니까? 바로 이처럼 온갖 번뇌를 떨쳐버리고 한껏 청정해지려는 몸과 마음의 자유로움을 노래한 시가 바로 이 경우일 겁니다. 시 「온종일 짚신 신고 발가는 대로 거닐었더니」도 마찬가지이지요. '밤이슬 마르지 않았는데 산새가 울고/봄바람이 그치지 않으니 꽃빛 더욱 밝아라'처럼 탐욕을 버리고 행운유수하는 운수납자로서의 삶의 자유로움을 노래한 것이지요.

자연조차도 계절에 따라 스스로 슬기롭게 변화해 가는데 만물의 영장인 인간이 이보다 못해서야 되겠습니까? 우리 모두 이 푸르르고 아름다운 계절에 부질없는 욕심을 버리고, 가벼운 몸과 마음으로 가까운 숲속이라도 거닐면서 삶을 청정하게 비워보시면 어떠실런지요.

# Ⅲ.
# 근심걱정 모두 허공, 마음만 있으니

# 김지하

### 애린·8

버들잎 타고
천리를 흘러와
무에 좋아서 이러는가

어쩌다 또 귀양살이인가
차차 눈 침침해 가는 이 나이에
해남 남동 남녘 끝까지 흘러흘러와

### 업보

업보처럼
쑥쑥 자라는 아이들만 남았다
지은 죄 많고
아직도 더 죄지을 듯

불안한 하루하루
눈앞에 커다랗게
업보처럼 남았다.

다 놓아버릴 수 없을까.
마음만 그저
노을구름처럼 떴다간 스러지고
한방울 두방울씩
가슴밑에 고이는
업보, 사랑.

## 생명 사랑 또는 업보의 사랑

감미로운 음악처럼 부드럽게 흘러가는 오월의 봄밤, 먼 산에서 소쩍새 울음소리 들리는 듯합니다. 밤이 깊어가면 사람들은 으레 지난 하루를 조용히 반성해 보게 되지요. 그러면서 또 새로 밝아오는 날을 어떻게 맞이할까 궁리도 하게 되구요. 그러면 새삼 산다는 게 과연 무얼까 하는 의문이 떠오르기도 할 겁니다. 이리저리 뒤채이며 생각하노라면 세상일들이 모두 부질없는 듯하고, 세상에 나 홀로 잠깨어 있는 듯싶어 마음이 맑아오기 마련이지요. 그래서 칸트는 한밤 명상의 시간에 '하늘에는 별, 바다에는 물고기, 내 마음에는 도덕률'이라고 영탄했는지도 모르지요.

그러면서 문득 주변의 사람들을 생각해 봅니다. 그러면 내가 과연 얼마나 많은 사람들과 끈끈하게 맺어져 있는가 놀라게 되지요. 그 많은 피붙이며, 친구들과 인연의 끈으로 단단히 얽매어져 있음을 깨닫게 되는 겁니다. 그러한 인연의 끈이 과연 무엇이던가요? 김지하의 시 「업보」를 통해서 이러한 업보와 인연의 문제를 생각해 보기로 하지요.

이 시를 쓴 김지하는 여러분께서도 잘 아시는 분이시지요. 전남 목포애서 태어나 서울대 미학과를 나온 그 유명한 저항시인 말씀입니다. 그는 일찍이 1970년 유신독재가 시작될 그 무렵에 이른바 담시「오적」을 써서 이 땅에서 가장 주목받는 시인의 한 사람으로 떠올랐지요. 시「오적」이란 무엇이던가요? 그것은 한마디로 부패한 세상을 탐욕 속에서 살아가는 일부 특수 권력층을 풍자하고 비판한 시이지요. 그야말로 비판적인 정치적 상상력이 용솟음친 시라고나 할까요. 그렇지만 독재권력과 맞서 싸운 저항시인 김지하의 전체적인 시세계는 저항 자체보다도 생명에 대한 뜨거운 사랑을 강조해서 관심을 끕니다. 특히 그는 근년에『애린』이라는 시집을 연거푸 펴내면서 불교적인 세계관을 깊이 있게 탐구하여 주목을 끈 바도 있지요. 확암선사의「십우송」을 현대시로 바꾸어서 자아를 잃고 번민하는 현대인들에게 인간회복을 강조한 것이 바로 시집「애린」의 내용인 것이지요. 한 마디로 그것은 생명에 대한 사랑이며 자비의 실천사상이라고 할 수 있을 것입니다.

시「업보」는 "지은 죄 많고/아직도 더 죄 지을 듯/불안한 하루하루"와 같이 삶을 죄업으로 생각하고 있는 게 특색입니다. 업이란 과연 무엇입니까. 석가세존께서는 일찍이 우주 속의 모든 현상계에서 중생의 자유의지로 행해지는 것을 업이라 하고, 이러한 결과가 나타나기 전까지 반드시 그럴만한 원인이 있어야 하는데 그것을 인과 연, 즉 인연이라고 말씀하셨지요. 다시 말해서 업이란 몸과 마음으로 짓는 온갖 선악의 소행으로 말미암아 현세에서 받는 응보를 일컫는 것이겠지요. 사실 그리고 보면 우리가 처자를 거느리고 이웃을 만나면서 살아간다는 일 자체가 벌써 인연에 의한 것이고, 하나의 업보라고 할 수 있지 않겠습니까? 그러면서 깨닫는 것이 어떻게 이러한 업보와 인연으로부터 자유로워질 수 있을까 하는 문제이겠지요. "다 놓아버릴 수 없을까/마음만 그저/노을처럼 떴다간 스러지고"라는 구절이 그것이지요. 그래서 시「그소·애린」에서는 삶이 하나의 귀양살이로 비유된 게 아닙니까.

그렇지만 우리가 아무리 자유로워지려고 발버둥 쳐도 역시 살아 있는 동안에는 어쩔 수 없이 업보의 바다, 인연의 강물 속을 헤엄쳐 갈 수밖에 없는 것이지요. 그럴수록 그러한 업보와 인연을 뜨겁게 껴안음으로써 오히려 그것들로부터 자유로워질 수 있다는 말씀이지요. 일종의 불교적인 역설이라고 할 겁니다. 그래서 시인은 "한 방울씩 두 방울씩/가슴밑에 고이는/업보 사랑"을 절규하게 되는 것이지요. 사랑의 업보에 묶여 있지만요. 그 업보를 보다 뜨겁게 껴안음으로써 오히려 업보로서의 산다는 일을 긍정하고 사랑하게 된다는 말씀입니다.

그러고 보면 산다는 일은 어차피 하나의 업보이고 운명이라고 하겠지요. 그러니 그것에 끌려가지 말고, 적극적으로 긍정하고 사랑하면서 살아가는 일이 중요하다고 할 겁니다. "업보처럼/쑥쑥 자라는 아이들"과 같이 어린 생명, 약한 생명들을 아끼고 사랑하며 열심히 살아가는 일, 그것이 바로 삶을 올바로 살아가는 일이라고 하겠지요. 김지하의 「애린」과 「업보」는 바로 그러한 중생에 대한 가엾은 사랑, 생명에 대한 따뜻한 사랑을 노래한 가작이라고 할 겁니다.

# 만해·1

선시

**梧道頌**

<정사년 2월 3일밤 10시경 좌선 중에 문득 바람에 물건 떨어지는
소리에 큰 깨달음을 얻다>

남아란 어디메나 고향인 것을
객수에 갇힌 사람 그 얼마이던가
한 마디 버럭 질러 삼천세계 뒤흔드노니
눈 속에 복사꽃 붉게 흩날리도다

**옥중감회**

물처럼 맑은 심경 티끌 하나 없는 밤
철창으로 새로 돋는 달빛 고와라

근심 걱정 모두 허공, 마음만 있으니
석가모니께서도 원래는 보통사람인 것을

## 근심걱정 모두 허공, 마음만 있으니

머언 산사 어디선가 바람결에 살랑살랑 풍경소리 묻어오는 듯싶은 밤입니다. 밤이 깊어지면 문득 그런 생각이 들곤 하지요. 이 시간에는 과연 누가 깨어 있을까? 먼 들녘 산모퉁이의 들풀들이며 산새들은 지금 어떻게 하고 있을까? 깨어있는 생명들은 또 무슨 생각을 하며 지내고 있을까 하는 등의 생각 말입니다.

그러면서 밤이 깊어지면 생각도 깊어지는 것만 같습니다. 무엇엔가 매달려서 바둥대며 살아가던 일들이 꿈결같이만 느껴지는 것이지요. 그래서 옛날 선사들은 마음을 닦는 일을 가장 중요하게 생각하지요. 그래서 옛날 선사들은 마음을 닦는 일을 가장 중요하게 생각했다고 하지요. 물을 맑게 하기 위해서는 근원을 다스리고, 나무를 무성하게 하기 위해서는 뿌리를 북돋워야 하는 것같이 말입니다.

잘 아시다시피 만해스님은 일제강점기 이 땅의 침체됐던 불교를 개혁하기 위해 진력하던 드높은 선사이자 개혁승이셨지요. 그리고 33인의 불교계 대표로서 독립을 선언한 혁혁한 독립투사이기도 하시구요. 특히 우리 민족의 독립운동을 자유사상, 평등사상, 평화사상, 민족사상, 민중사상, 진보사상으로 논리화한 「조선독립의 서」는 민족운동사에 남는 위대한 문장이라고 할 겁니다. 아울러 만해선사는 『님의 침묵』이라는 불멸의 시집을 우리 문학사에 남겨주신 점에서도 뛰어난 문학인의 한 분으로 살아있다고 하겠지요. 부족한 글이지만 제가 쓴 평전 『만해 한용운』이 중학교 3학년 국어책에 실리기 된 것도 선사의 높은 뜻을 기리고자 한 저의 작은 정성이자 온 국민의 열망을 반영한 것이라 할 겁니다.

그러기에 만해선사는 거대한 범종으로 비유되곤 하지요. 크게 치면 크게 울리고 작게 치면 또 작은 대로 울려서 삼천대천세계에 나라 사랑, 인간구원의 빛과 소리를 울려주기 때문이지요. 「남아란 어디메나 고향인 것을」이라는 시는 바로 만해선사의 오도송입니다.

　오도송이란 무엇입니까? 불법을 깨쳐서 해탈에 이를 때 비로소 읊게 되는 해탈의 시, 깨달음의 시라고 하겠지요. 만해선사가 깨달은 것은 과연 무엇이겠습니까? 그것은 바로 '쓸데없는 집착을 버려라'하는 것이 아닐런지요. 우리들은 사실 세상을 살면서 삼계의 망견과 욕계의 모든 번뇌, 생사유전, 무명 등 네 가지 강물에 빠져서 허우적거리고 있다고 할 겁니다. 그리고 색깔, 소리, 향기, 맛, 감촉, 율법 등 외계의 육근에서 헤어나오지 못하고 있다고 하겠지요. 아니면 色, 受, 想, 行, 識 등 오온에 갇혀 있다고도 할 겁니다. "남아란 어디메나 고향인 것을/객수에 갇힌 사람 그 얼마던가"라는 구절이 그러한 모습을 말하는 것이지요. 그러기에 "한 마디 버럭 질러 三千世界 뒤흔드노니/눈 속에 복사꽃 붉게 흩날리네"라는 우렁찬 깨달음의 포효가 울려오는 것이지요. 삼천세계 뒤흔드는 이 한마디는 바로 공을 깨치고 각의 경지에 들어서는 해탈의 순간에 비로소 발해지는 포효인 것입니다. 따라서 '擬情頓釋', 즉 의심하던 모든 것들이 일시에 풀리고 몸과 마음이 비로소 반석 같은 평안에 이르는 것이지요.

　시 「옥중감회」도 마찬가지입니다. 3·1운동으로 인해 감옥에 갇혀서 읊은 깨달음의 시이지요. 여기에는 반야심경의 말씀대로 작용으로서의 색수상행식, 즉 오온이 모두 허무한 것이라는 공의 사상이 그대로 담겨 있는 것입니다. "근심걱정 모두 허공, 마음만 있으니"라는 구절이 바로 그것입니다. 영어의 쓰라린 체험을 겪으면서 비로소 세상만사, 삶의 온갖 憂樂이 모두 공이라는 깨달음을 얻은 것이지요. 육신이 감옥을 만들어 스스로 고생할 필요가 과연 어디에 있습니까? 그래서 깨달음을 얻은 만해는 "물처럼 맑은 심경 티끌 하나

없는 밤/철창으로 새로 돋는 달빛 고아라"처럼 온갖 근심걱정이 속절없이 사라지고 평안한 마음만 남아 있는 것입니다.

마음이란 무엇입니까? 마음은 거울이나 물과 같은 것이지요. 거울은 원래 맑고 비어서 만물을 비추는 것이지요. 그러나 먼지나 때가 끼면 제대로 비출 수가 없는 것입니다. 때를 닦으면 다시 거울은 맑아져서 우리 모습을 올바로 비춰주는 것이지요. 물도 마찬가지일 겁니다. 모습을 제대로 비춰볼 수 없습니다. 그렇지만 시간이 지나면 원래대로 고요하고 맑아져서 우리의 본 모습을 비춰볼 수 있는 것이지요. 이처럼 우리의 마음은 거울이나 물과 같은 것입니다. 그러기 때문에 마음을 닦고 가라앉히면 거울이나 물과 같이 맑고 고요해지는 것이지요.

바로 이처럼 마음을 닦는 일이 선이요, 그것을 시로 쓴 것이 또한 선시가 아니겠습니까? 그러기에 만해선사는 '석가도 원래는 보통 사람인 것을' 깨닫게 됨으로써 마침내 스스로 믿고, 긍정하고, 증명하고, 얻게 되는 자신, 자긍, 자득으로서 선정에 들게 되는 것이지요. 바로 이러한 견성의 깨달음, 인간 본성에 대한 통찰을 이루어낸 데서 만해 선사의 맑고 높은 선사로의 경지, 고즈넉한 선시의 향기를 느낄 수 있는 게 아니겠습니까.

# 만해·2

### 복종

남들은 자유를 사랑한다지마는, 나는 복종을 좋아하여요
自由를 모르는 것은 아니지만, 당신에게는 복종만 하고 싶어요
복종하고 싶은데 복종하는 것은 아름다운 자유보다도 달콤합니다.
그것이 나의 행복입니다
그러나 당신이 나더러 다른 사람을 복종하라면, 그것만은 복종할
수가 없습니다
다른 사람을 복종하라면, 당신에게 복종할 수가 없는 까닭입니다.

## 참 자유의 길 또는 사랑의 길

밤이 깊으니 어느 먼 숲속에서 산새소리 애처로이 들려오는 듯합니다. 그
리고 온 하늘에는 수천수만 별들이 초롱초롱 빛나고 있는 시간입니다.

이조 중엽에 평생을 산림에 묻혀 살면서 사림들의 淸意를 일으키고 언론를 바르게 열고자 진력했던 선비가 한 분 계시지요. 남명 조식 선생 말입니다. 그 분은 일찍이 '천석들이 종을 봐라! 거대한 방망이가 아니고는 때려도 소리가 나지 않는다'라는 유명한 시구를 남긴 적이 있지요. 이 천석종의 비유는 제가 만해 선생을 생각할 때면 항상 떠오르는 구절 중의 하나입니다. 혁혁한 독립 투사이자 높은 경지의 승려이시고, 불후의 명작 「님의 침묵」의 시인으로서 만해는 근세사 초유의 입체적 성격을 지닌 천석종으로 생각되기 때문입니다. 만해는 작게도 치면 작게 소리가 나지만 크게 치면 크게 칠수록 삼천대천세 계 큰 소리로 울려 우리를 일깨우는 민족의 종, 열사의 종, 자유의 종으로서 상징적 존재가 아닐 수 없다고 하겠습니다.

만해 한용운스님은 1879년 충남 홍성에서 태어나셨지요. 한학을 공부한 후에 출가하여 1905년 강원도 설악산의 백담사에서 김연곡스님에게 득도하 셨습니다. 이 무렵을 전후해서 블라디보스토크와 일본을 순유하기도 하며 세 계와 인생에 대한 견문을 넓히기도 한 것입니다.

만해선생의 생애는 대략 출가 이후를 세 시기로 구분해 볼 수 있는데요. 먼 저 제1기는 불교활동시대라고 할 수 있는데 1905년부터 1918년까지가 이에 해당합니다. 이 무렵 만해는 "남아란 어디메나 고향인 것을/객수에 갇힌 사람 그 얼마인가/한마디 버럭질러 三千世界 뒤흔드니/눈 속에 복사꽃 점점이 붉게 흩날리네"라는 오도송을 쓰기도 하지요. 백담사, 건봉사, 유점사, 통도사 등을 오가며 불법탐구에 용맹정진한 결과 1913년 '불교의 유신은 파괴로부터'라는 주장을 담아 불교개혁을 주장한 유명한 논저 『조선불교유신론』을 펴내기도 합니다. 아울러 이때 대중 속의 불교, 민중불교를 주창하여 팔만대장경을 간 략하게 요약하고 주제별로 분류한 명저 『불교대전』을 편술한 것은 획기적인 일이라고 하겠지요. 백담사와 서울 선학원을 주로 오가면서 불교대중화와 교 계혁신을 위해 진력한 이 시기를 바로 만해 불교수업시대라고 할 겁니다.

1918년 만해가 불교청년계몽지 『惟心』을 간행하면서 1919년 3·1운동에 주도적인 참여를 한 후 영어생활 및 청년계몽운동을 전개한 1920년대 중반까지를 독립운동시대라고 불러 볼 수 있을 텐데요. 이 시기는 감옥에서 "자유는 만유의 생명이요 평화는 인생의 행복이라"로 시작되는 유명한 논설 「조선독립의 서」를 쓰기도 한 혁혁한 저항의 시대라고 할 겁니다. 33인을 대표하여 독립선언 만세를 부르고 그 자리에서 왜경에게 끌려가 3년여를 감옥에서 지내면서도 굴하지 않고 자유사상, 평등사상, 민족사상, 민중사상, 진보사상을 논리화한 명논설 「조선독립의 서」를 쓰기도 한 것이지요. 행동과 실천에 앞서고, 그것을 논리화, 사상화하면서도 끝까지 일관성을 지킨 점에서 만해는 참으로 민족의 귀감이 된 것입니다.

셋째 시기는 1925년 백담사에서 시집 『님의 침묵』을 타로하고, 조선일보 지면에 장편저항소설 「흑풍」, 「죽음」 등을 연재한 1930년대를 문학적 저항 시대라고 할 텐데요. 만해문학의 특징은 바로 불교 사상과 독립사상이 탁월하게 예술적으로 결합된 데서 드러난다고 할 겁니다. 특히 불교적인 세계관과 비유법은 만해문학의 뼈대이자 살이고 피가 된다고 할 수 있다는 점에서 중요성을 지닙니다. 말하자면 만해문학은 불교사상과 독립사상, 문학사상이 서로 삼위일체를 이룬 점에서 특히 의미를 지닌다는 말씀입니다.

시 「복종」이 그 한 예라고 할 겁니다. 이 시는 사랑의 철학과 독립사상의 핵으로서 자유사상이 그 원리를 이루고 있습니다. 이 시에서 복종은 자유와 사랑의 상관관계에서 드러난다는 말씀이지요. 내가 남들이 모두 좋아하는 자유와 군림을 마다하고 복종을 즐겨하는 것은 내가 당신을 '사랑하기'때문인 것이지요. 사랑하기에 사랑하는 사람을 위해 복종하는 것은 복종이 아니라 헌신이며 값진 사랑의 실천이 될 수 있기 때문입니다. 그것은 자발적·주체적·능동적인 것이기 때문에 말만의 자유나 위압적인 군림보다도 더 진정한 행복과 기쁨을 느끼게 하는 거라는 말씀입니다. "복종하고 싶은데 복종하는 것은 아름다운 자유보다도 달콤합니다. 그것이 나의 행복입니다"라는 구절 속에는 바로 사랑의 본질로서의 자율성과 자유의 원리로서의 자발성에 대한 깊은 깨달음이 담겨 있는 게 아니겠습니까?

자유도 마찬가지인 것이지요. 자유는 누구로부터 일방적으로 주어지는 것이 아니라 주체가 자발적으로, 능동적으로 노력해서 얻은 때 그것이 더욱 값진 게 된다는 얘기입니다. 이 점에서 이 시는 운명과 자유, 구속과 해방으로서의 사랑의 원리와 자유의 원리, 그리고 나아가서 생의 원리를 반영한 것이라고 할 겁니다.

# 만해·3

**사향**

한 해가 가려는데 밤은 길구나
뒤채이며 몇 번이나 놀라 깨었나
구름 걸린 희미한 달 외로운 꿈을
神仙아닌 故鄕으로 마음 향하네

**약사암 가는 길에**

십리도 반나절쯤 구경하며 갈만도 하니
구름 속 오솔길이 이리도 그윽한 줄이야
시내 따라 가노라니 물도 다한 곳
꽃도 없는데 숲에서 풍겨오는 아, 산의 香氣여

**안해주**

萬석의 드거운 피, 열만의 膽!

한 칼을 버려내니 서리가 뻗쳐
고요한 밤 갑자기 벼락이 치며
불꽃 튀는 그곳에 가을하늘 높아라

## 불꽃 튀는 그곳에 가을하늘 높아라

하늘에는 수천수만 별들이 아름답고, 땅 위에는 수천수만 오월의 장미꽃 향기가 빛나고 있는 밤입니다. 이 밤에 다시 의롭게 살다간 수많은 의인·열사들의 외로운 생애를 떠올려 봅니다.

만해스님이 한시를 160여수나 썼다는 사실은 잘 모르는 분들이 많으실 겁니다. 흔히 현대시집 『님의 침묵』이 널리 알려졌기에 한시에 관해서는 잘 모르는 것이지요. 만해스님은 한시 말고도 30여수의 시조, 5편의 장편소설을 남기고 가셨는데, 이것은 만해가 다양한 문학적 관심을 지니고 계셨음을 알게 해주지요. 몰락한 양반의 후예인 만해는 어려서부터 서당에서 한문을 수학했는데 8세경에 사서삼경을 뗄 정도로 신동의 면모를 지니고 있었다고 전해집니다. 그래서 생활이 어려운 탓도 있고 해서 서당에서 보조훈장 노릇을 하였다고 하지요. 여하튼 이러한 어려서의 한문수학과 그 탄탄한 실력은 이후 만해가 불교를 공부하는 데 있어서뿐 아니라 여러 방면에 활약하는데 크게 힘이 된 것이 분명합니다.

만해가 평생에 걸쳐 지속적으로 한시를 쓴 것을 미루어보면 한시는 옛날 전통적인 선비들의 경우처럼 만해에 있어서도 생활시로서 의미를 지닌다고 할 수 있겠습니다. 만해 한시는 소재와 제재가 다양한 것이 특징입니다. 「님의 침묵」은 사랑을 주제로 하기 때문에 비교적 소재와 제재가 한정될 수밖에 없는 것이지요. 자연과, 불사, 식물, 동물, 기행, 풍류, 현실세계, 인사 등이 다양하게 나타난다는 말씀입니다. "숲은 썰렁한데 밝은 달빛이/구름과 눈 비추니 완연한 바다/나무마다 덮인 눈 하도 고와서/조물주 솜씨인 줄 모르고 그림인 줄 아누나"라는 시처럼 서정성이 빼어난 것도 특징이라고 할 거구요.

　대체로 주제 면에서 보면 고향을 그리는 사향시와 자연을 노래하는 상자연의 시, 그리고 선감각의 시 및 선열추모 내지 우국시로 구분할 수 있습니다.

　첫 번째 시 「사향」은 바로 사향시의 대표적인 예인데요, 속세를 떠난 수도 승으로서 만해에게는 수행과정이 어려우면 어려울수록 속세의 고향과 인정이 그리워지는 게 당연한 일이겠지요. 그러기에 뒤채이며 몇 번이나 놀라 깨면서 신선 세계가 아닌 태어난 고향으로 마음이 향할 수밖에 없을 겁니다. 그야말로 인간적인 면모가 드러나는 거지요.

　「약사암 가는 길에」는 상자연시의 한 예인데요. 산사를 찾아 산과 숲을 허위단심 오르내리는 만해에게 숲은 어느새 "시내따라 가노라니 물도 다한 곳/꽃도 없는데 숲에서 풍겨오는/아, 山의 향기여"처럼 향기로서 다가오게 될 게 분명하지요. 자연의 진수를 터득한 스님의 깊이 있는 미의식이 발현된 예라고 할 겁니다.

　선감각의 시란 시 「옥중감회」처럼 "물처럼 맑은 심경 티끌하나 없는 밤/철창으로 새로 돋는 달빛 고와라/근심 걱정 모두 허공, 마음만 있으니/석가도 원래는 보통사람인 것을"과 같이 스스로 믿고, 긍정하며 증명하고 깨달음을 얻는 자신·자긍·자증·자득으로서의 선정의 경지를 읊은 시를 말합니다.

　우국선열시란 안중근을 노래한 시 「안해주」처럼 순국선열이나 의인, 그리고 옥중감회를 읊은 저항시를 말합니다. 안중근의사의 기개가 "한칼을 저려내니 서리가 뻗쳐/고요한 밤 갑자기 벼락이 치며/불꽃튀는 그 곳에 가을 하늘 높아라"처럼 높이 찬양되면서 항일적 개심을 드러내고 있는 것이지요.

　이처럼 만해의 한시는 만해의 인생역정과 사고방식이 그대로 드러난 생활시임을 알 수 있는데요. 사향시는 만해의 인간적인 면모를 말해주며, 상자연의 시는 전통적인 선비 또는 시인묵객으로서, 선감각의 시는 불승으로서, 우국시는 독립투사로서의 면모를 말해준다고 할겁니다.

　밤하늘 별에서 향그러운 음악소리가 울려오는 듯합니다.

# 만해·4

**봄 그림·1**

따슨 별 등에 지고 維摩經읽노라니
가볍게 나는 꽃이 글자를 가린다
구태여 꽃밑 글자를 읽어 무삼하리오

**봄 그림·2**

봄날이 고요키로 좀을 피고 앉았더니
삽살개 꿈을 꾸고 거미는 줄을 친다
어디서 꾸꾸기 소리는 산을 넘어오더라

**무제**

이순신 사공삼고 을지문덕 마부삼아
破邪劍높이 들고 南船北馬하여볼까

아마도 님찾는 길은 그뿐인가 하노라

## 우리님

대실로 비단삼고 솔잎으로 바늘삼아
만고청청 수를 놓아 옷을지어 두었다가
어즈버 해가 차거든 우리님께 드리리라

## 따슨 볕 등에 지고 유마경 읽노라니

유월의 깊은 밤하늘에 유독 빛나고 있는 별 하나가 문득 다가옵니다. 일제 강점기에 '타고 남은 재가 다시 기름이 됩니다 그칠 줄을 모르고 타는 나의 가슴은 누구의 밤을 지키는 약한 등불입니까'라고 하소연하던 민족시인 만해 한용운의 별도 그중의 하나입니다.

만해의 시조는 약 30여수가 전해 오는데요. 수적인 면에서는 한시나 현대시보다 적지만 나름대로 특성을 지니고 있어서 관심을 끕니다. 한시가 생활시이고 현대시 「님의 침묵」이 사랑의 시, 저항의 상징시로서 특징을 지닌다면, 시조는 바로 이들의 중간적인 성격을 지니는 거지요. 말하자면 한시가 지닌 전통성과 현대시가 지닌 현대성을 함께 지닌다는 말씀입니다.

사실 만해의 한글 작품으로는 시조 「무궁화 심으과저」가 그 첫 번째 작품이라 하겠는데요. 1922년 『개벽』지에 발표된 이 시조는 "달아 달아 밝은 달아 내 나라에 비춘 달아/쇠창살 넘어와서 나의 마음 비춘 달아/계수나무 베어 내고 무궁화를 심으과저"처럼 애국심을 표현한 작품입니다.

시조의 주제는 대략 불교적인 선감각을 지닌 시와 사랑과 한의 정감을 노래한 시, 자연과의 친화와 교감을 노래한 시, 민족의식과 조국애를 노래한 시, 그리고 현실생활을 다룬 시로 나누어 볼 수 있습니다.

「봄그림」 1은 불교적인 선감각을 서정적인 생활감각으로 노래한 시라고 할 텐데요. "따슨별 등에 지고 유마경 읽노라니/가볍게 나는 꽃이 글자를 가린다/구태여 곶밑 글자를 읽어 무심하리오"와 같이 유유자적하면서 불경을 공부하고 자연을 즐기는 모습이 드러난다고 할 겁니다. 또 다른 시에서는 "천하의 선지식아 너의 가풍 高峻한다/바위 밑에 할 일할과 구름새의 통봉이라/묻노라, 고해중생 누가 濟定하리오"라는 시「선우」처럼 직접적으로 불교이념이나 생활감각을 드러내는 게 특징입니다.

시조「무제」1은 역사적 소재를 바탕으로 민족의식을 표출한다고 하겠습니다. 이순신과 을지문덕을 예로 들어 외세를 물리치고 싶다는 생각과 함께 조국을 되찾고자 하는 열망을 드러내고 있는 거지요. 시조「우리님」은 만해 시조의 전통적인 특성을 잘 보여준다고 하겠는데요. 자연과의 교감을 드러내는 것이 그렇기도 하려니와 여성을 화자로 한다는 게 특히 그렇습니다. 전통적인 우리 시가는「정읍사」에서나「가시리」등 고려가요는 물론, 정송강의「사미인곡」등에서 보듯이 시의 화작 여성으로 돼 있는 경우가 많은데요. 이 시조에서도 "대실로 비단삼고 솔잎으로 바늘삼아/만고청청 수를 놓아 옷을 지어두었다가/어즈버 해가 차거든 우리님께 드리리라"처럼 시의 화자가 옷을 짓고 있어 관심을 환기합니다. 이 시조 말고도「무제」9는 "시내의 물소리에 간밤 비를 알리로다/먼산의 꽃소식이 어제와 다르리라/술 빚고 봄옷 지어 오시는 님을 맞을까"처럼 옷 짓고 술 빚는 일을 하고 있는 것이지요. 자연과 교감을 이루며, 님을 기다리는 여성화자가 많이 드러나는 게 만해시조의 중요한 특성이 된다는 말씀입니다.

그리고 보면 시조는 전통적인 정서와 문학형식에 근원을 두고 있으며 생활시적 특성을 지닌다는 점에서는 한시와 비슷하다고 할 거구요. 님의 표상이 드러난다든지, 여성주체, 그리고 비유법은 현대시「님의 침묵」과 연결된다고 하겠습니다. 이처럼 시조는 한시와 현대시의 중간장르로서 성격을 지니면서 나름대로 독자성을 확보한 데서 의미를 갖는다고 할 수 있는 겁니다.

# IV.

## 가시풀 지천으로 흐드러진 이승에서

# 박정만·1

## 풍장·3

無明의 촛불 위에서
어둠의 그림자 어둠 속에 자지러지고
뜨락 배꽃 위에
눈부신 소금처럼 달빛이 차다.

무덤같이 행복했던 者,
그 끝없는 발자욱 소리도 멀어져 가고
풀벌레의 울음조차 곤한 잠에 떨어졌다.
잠시 가랑잎 하나가 뜰을 흔들고
뿌리 없는 밤이 물속처럼 깊어진다.

西域 하늘
고요 속에 흔들리는 풀잎이 되어
풀잎으로

이 세상의 곤한 잠을 어찌 깨우랴

어둠을 대하여 나의 귀를 대하면
어둠 속에 이르는 소리 뿐으로
어둠이 어둠을 부르는 소리 들리고
어둠 뒤에 더 큰 어둠이 온다.

青盲의 바람이여
이제 나를 묻어주시라.
산빛이 제 목숨 놓아가는 영마루
그 너머 하늘가에
네 모든 욕망과 허물을 다 덮어주시라.

없는 무덤 위를 지나서
冥府에 떠다니는 불의 티끌,
불의 어둠 불의 사랑 불의 잠이여.
내 눈의 티로써
저 세상 곤한 잠을 어찌 깨우랴.

## 풀잎으로 이 세상의 곤한 잠을 어찌 깨우랴

꿈결같이 흘러가는 봄밤에 읽는 아름다운 시는 우리를 생명의 향기에 취하게 만들지요. "사랑이요 보아라/ 꽃초롱 하나가 불을 밝힌다/꽃초롱 하나로 천리 밖까지/ 너와 나의 사랑을 모두 밝히고/ 해질녘에 저무는 강가에 와 닿는다/ 저녁 어스름 내리는 서쪽으로/ 유수와 같이 흘러가는 별이 보인다/ 우리도 별을 하나 얻어서/꽃초롱 불을 밝힌 듯 눈을 밝힐까/ 눈 밝히고 가다가다 밤이 와/ 우리가 마지막 어둠이 되면/ 바람도 풀도 땅에 눕고/사랑아, 그러면 저 초롱을 누가 끄리", 참으로 슬프고도 아름다운 시지요. 연전에 마흔 두

살 나이로 요절한 천재시인의 시「작은 연가」가 바로 그것입니다.

박정만 시인은 1946년 전북 정읍에서 태어나 전주고, 경희대 국문과를 졸업, 형벌같은 가난 속에서 오로지 시만 쓰다가 끝내 불우하게 작고한 시인이지요. 1969년 서울신춘문예에「겨울 속의 봄 이야기」가 당선한 이래. 20년 가까이『잠자는 돌』,『무지개가 되기까지는』,『어느덧 서쪽』,『슬픈 일만 나에게』등의 주옥같은 시집을 펴낸 시인입니다.

아마도 그러하실 겁니다. 이처럼 슬프면서도 아름다운 서정시를 쓴 사람이 요즘 같은 기계문명의 시대에도 이 세상 어딘가에 살고 있었다니 하고 생각하실 것입니다. 그리고는 슬픈 이별과 사랑의 한을 노래하다가 역시 서른넷에 요절한 김소월 시인이 생각나는 분도 있으시겠지요. 그만큼 박정만 시인의 서정은 슬픈 한과 죽음에 대한 예감으로 가득 차있어서 읽는 이로 하여금 비장미를 느끼게 해주는 것이 특징입니다. 그에게 산다는 일은 하나의 업보이며, 시련 그 자체로 여겨졌다고 할 겁니다. 그래서 항상 삶 속에 죽음을 껴안고 통과시키려고 몸부림친 데서 섬뜩섬뜩한 비애의 아름다움이 돋보이는 것이지요.

"침잠하는 동 속에 산이 잠기고/산자락에 엎드린 수정 무지개/잘 있거라 눈부신 잠의 木棺 위에서/생은 다만 옥 같은 어둠의 浮標였느니"라는 시「잠언」도 그 한 예가 될 겁니다. 앞에서 들어본 시「풍장」의 경우도 그렇지요. 그렇지만 이 시에서는 아름다운 서정이 한결 돋보인다고 합니다. "뜨락 배꽃 위에 눈부신 소금처럼 달빛이 차다"라거나 "무덤같이 행복했던 자/풀벌레의 울음조차 곤한 잠에 떨어졌다/잠시 가랑잎 하나가 뜰을 흔들고 서역하늘 고요속에 흔들리는 풀잎이 되어/풀잎으로 이 세상의 곤한 잠을 어찌 깨우랴"라는 시구들이 그러한 예가 되겠지요. 아울러 불교적인 세계관은 이 시를 한결 내용 깊은 아름다움으로 고양시켜주는 것이 사실입니다. "어둠이 어둠을 부르는 소리 들리고 어둠 뒤에 더 큰 어둠이 온다"라는 비극적 세계관은 참으로 비통하기 이를 데 없지요.

그러고 보니 새삼 사람의 삶이란 게 얼마나 무상한 것인가 절감하게 되는 군요. 진흙으로 만든 소를 타고 물을 건너는 모습에 불과한 것이지요. 그러기에 "살아있는 것, 살아있는 것 하지만 살아있는 것이란 없으니 모든 것에 자아 또는 개체란 없는 것이다."라는 금강경의 말씀이 새삼 부딪쳐오는군요. 그리고 "이세상 모든 것은 헛된 것이니 구태여 가지려고 허덕이지 말라. 잃었다 하여 번민하지 말라."라는 법구경의 말씀도 마음속에 새겨져 옵니다.

그러니 어떻게 해야 하겠습니까? 헛된 인생을 헛된 것 탐하면서 보내는 게 옳겠습니까? 아니지요, 그럴수록 '모든 것에 집착하는바 없이/나를 버리고 바르게 살아가도록' 우리 모두 노력해야 하겠지요. 새삼 '인생을 짧고 예술은 길다'라는 경구 속에 박정만의 외로운 영혼이 그리워지는 오월 한밤입니다.

# 박정만2

## 잠자는 돌

이마를 짚어다오,
산허리에 걸린 꽃 같은 무지개의
술에 젖으며
잠자는 돌처럼 나도 눕고 싶구나.

가시풀 지천으로 흐드러진 이승의
단근질 세월에 두 눈이 멀고
뿌리없는 어금니로 어둠을 짚어가는
마을마다 떠다니는 슬픈 귀동냥.

얻은 거도 잃은 것도 없는데
반벙어리 가슴으로 하늘을 보면
밤눈도 눈에 들어 꽃처럼 지고
하늘 위의 하늘의 초록별도 이슥하여라.

내 손을 잡아다오,
눈부신 그대 살결도 정다운 목소리도
해와 함께 저물어서
머나먼 놀빛 숯이 되는 곳,
애오라지 내가 죽고
그대 옥비녀 끝머리에 잠이 물들어
밤이면 눈시울에 꿈이 선해도
빛나는 대리석 기둥 위에
한 눈으로 그대의 印을 파더라도,

무덤에서 하늘까지 등불을 다는
눈감고 천 년을 깨어 있는 봉황의 나라,
말이 죽고 한 침묵이 살아
그것이 더 큰 침묵이 되더라도
이제 내 눈을 감겨다오,
이 세상 마지막 산, 마지막 禪모양으로


## 가시풀 지천으로 흐드러진 이승에서

"모든 것이 부질 없구나/잠자는 남명의 바다 위에 눈꽃은 지고/젊은 날의 내 야심도/저 바다의 꽃잎같이 스러졌구나//한창때는 나도/불같이 뜨거운 사랑을 품었는데요//눈에도 가슴에도/불같이 뜨거운 사랑을 품었는데요.//내가 탐한 하늘은 어디로 지고/가슴에는 한 평의 적막만 살아/아서라, 이 몹쓸 놈의 병/한 바다 뒤 채는 고요의 병을 얻어/몇 點 새소리로 애간장을 삭이는도다" 박정만 시인의 「요즘의 날씨」라는 시의 한 구절입니다. 그야말로 한국적 허무주의의 극치라고도 할 겁니다.

앞에서 "가랑잎 하나가 뜰을 흔들고/ 뿌리 없는 밤이 물속처럼 깊어진다"라고 하는 시 「풍장」을 감상해 보았었는데요. 박정만 시인의 시는 기본적으로 비극적인 세계관에 바탕을 두고 있는 것처럼 보입니다. 비극적인 세계관이란 과연 무엇입니까? 아마도 그것은 모순과 허위로 가득찬 세상과 개인의 진실이 어긋날 때 약자로서의 개인이 가질 수밖에 없는 부정적인 태도 또는 허무의식이라고 할 수 있지 않을런지요. 가엾은 존재, 덧없는 존재로서의 생에 관한 비관적인 인식이라고 할 수도 있겠지요. 그러기에 이 비극적인 세계 인식은 이 세상을 고해, 즉 고통스럽고 허무한 바다로 보는 불교적인 세계관의 한 반영이라고 할 수 있을 겁니다. 바로 이 시「잠자는 돌」에는 이러한 비극적인 세계관 또는 비관적인 현실인식을 잘 표현하고 있는 듯싶습니다. 이 시에서 이 세상, 즉 이승은 "가시풀 지천으로 흐드러진 이승의 세월"과 같이 고통과 질곡으로 가득찬 모습으로 제시됩니다. 그러기에 이승에서의 삶이란 "단근질 세월에 두 눈이 멀고/ 뿌리없는 어금니로 어둠을 짚어가는/ 마을마다 떠다니는 슬픈 귀동냥"으로 묘사될 수밖에요. 삶은 하나의 '단근질 세월'이고 '슬픈 귀동냥'의 모습인 것이지요.

바로 이 지점에서 비극적인 세계관의 완성으로 죽음에 대한 동경과 열망이 나타나게 되는 것입니다. "이마를 짚어다오/ 산허리에 걸린 꽃 같은 무지개의/ 술에 젖으며/ 잠자는 돌처럼 나도 눕고 싶구나"라는 구절이 바로 그것이지요. 어차피 인생이란 허무한 것, 잃은 것도 얻은 것도 없이 빈 술잔과 같은 것이 아니겠습니까. "내 손을 잡아다오/ 눈부신 그대 살결도 정다운 목소리도/해와 함께 저물어서/ 머나먼 놀빛 숯이 되는 곳/ 애오라지 내가 죽고/ 그대 옥비녀 끝머리에 잠이 물들어"와 같이 죽음의 세계에 이르고 마는 것이지요. 그렇지만 이 시에서는 그러한 비극적 세계관 또는 허무의 인생관 그 자체만을 말하고자 하는 것은 아닌 듯싶습니다. '하늘 위의 하늘', 또는 '무덤에서 하늘까지'처럼 내생에의 기대, 또는 윤회의 불가적 세계관이 제시된다는 점에서 그러합니다. "반벙어리 가슴으로 하늘을 보면/ 밤눈도 눈에 들어 꽃처럼 지고/ 하늘 위의 하늘의 초록별도 이슥하여라"라거나 "무덤에서 하늘까지 등불을 다는/ 눈감고 천 년을 깨어 있는 봉황의 나라"라는 구절처럼 시작도 끝도 없는 것으로서의 무시무종, 안도 밖도 없는 것으로서의 무내무라는 불가적 시간관과 공간관이 제시돼 있기 때문입니다.

비극적인 세계인식을 구체적인 삶의 현장과 연결시켜 표현하면서 비장미를 심화하고, 불가적 세계관으로 이끌어 올림으로써 숭고미를 획득하고 있는 데서 박정만 시의 비극성이 드러난다고 할 겁니다. 새삼 먼 과수원의 배꽃이 눈부신 달빛에 소금처럼 하얗게 빛나는 밤입니다.

# 백곡선사·1

**석양에 깊은 산을 내려오는데**

석양에 깊은 산을 내려오는데
황혼이라 스님네는 절문을 닫네
저 산이 갑자기 달을 솟아올리니
자던 새 놀아 일어 퍼덕거리네
실바람은 때때로 그 소리 실어보내니
봄꿈 속의 내 넋을 위로하는데
사락사락 부딪혀 대숲은 시끄럽고
찰찰찰 샘물 솟아 그 소리 차가와라
내 혼자 노래하며 스스로 즐기나니
무엇하러 구태여 친구를 기다리리

이른 새벽에는 시원한 우물을 긷고

어스름 저녁에는 맑은 茶 달인다

그것 마셔 내 목을 적시려 하매

어쩌면 진한 맛은 그리 좋은가

문득 머리 돌리면 산봉우리마다

높고도 험상궂게 솟아 있는데

흰 바위에는 점점이 이끼가 드리우고

푸른 절벽에는 칡덩굴 드리워 있네

뜬 세상은 마침내 그 끝이 있거니

아름다움 이 풍광을 어찌하거나


## 뜬세상 마침내 그 끝이 있거니

어느 먼 과수원에서 배꽃 향기가 아슴히 풍겨오는 계절입니다. 문득 "梨花에 月 白하고 은한이 삼경인제/ 일지 춘심을 자규야 알랴마는/ 다정도 병인 양하여 잠 못 들어하노라"라는 이조년의 시조가 생각나는군요. 배꽃에 달빛이 어리고, 자규가 울어예는 모습 속에는 처연한 한국적인 자연의 아름다움과 함께 한의 사랑이 아로새겨져 있다고 할 겁니다.

앞의 시를 지은 백곡스님은 1617년 태어나서 1680년에 열반하신 분이시죠. 지리산 쌍계사에서 20여 년간 수도하시고 속리산 청룡사등에 주거하시다가 대둔산 안심암에서 오래 주석하셨습니다. 숙종 6년 봄 금산사에서 큰 법회를 연후 입적하셨는데, 저서로는 『백곡집』 2권이 있으시지요. 이분의 시는 물외한경이랄까, 한가로운 자연의 정경을 묘사하면서 그 속에 아주 짤막하게 자신의 감흥을 노래하는 게 특징이라 하겠습니다. 도덕이라든가 윤리 또 학식이나 교훈같은 인위적인 내용이 아니라, 자연스런 풍광을 그 자체로서 받아들여 즐기며 생명의 의미를 덧붙인다는 뜻입니다. 매우 서정적인 감각성이 뛰어나다고도 하겠지요.

먼저 이 시는 산사에 은거하는 은자가 바라보는 한적한 물외한인의 정경이 묘사돼 있습니다. "석양에 깊은 산을 내려오는데/황혼이라 스님네는 절문을 닫네"라는 구절이 그것이지요. '석양/황혼' 그리고 '산을 내려옴/절문을 닫네'라는 구절이 서로 대응되어 쓸쓸한 삶의 내면풍경을 잘 드러내고 있는 것입니다. 여기에 산과 달의 솟아오름, 그리고 새의 퍼덕거림으로 생명감각을 일깨워 주지요. 아울러 "실바람은 때때로 그 소리 실어보내/봄꿈 속의 내 넋을 위로 하는데"와 같이 자연과 인간의 교감을 노래하기도 하는 것입니다.

오로지 자연만이 영원한 벗이라는 자연귀의의 뜻이 담겨 있다고나 할까요. 그러기에 자연애의 관조가 더 섬세하게 펼쳐집니다. "사락사락 부딪쳐 대숲은 시끄럽고/찰찰찰 샘물 솟아 그 소리 차가와라"라는 구절에서 보듯이 시각과 청각, 촉각 이미지들이 서로 어울려 생명감각을 환기해 주는 것이지요. 그래서 삶의 고독은 더욱 깊어만 가면서 자족하는 마음, 달관하는 심정이 나타납니다. "내 혼자 노래하며 내 혼자 즐기자니/무엇하러 구태여 知音을 기다리리"처럼, 외로움과 적막을 길들이면서 속세를 멀리하고 안분지족, 무위자연하려는 은자의 심정이 드러난다고 하겠습니다. 그 다음 연도 마찬가지입니다. "이른 새벽에는 맛난 우물을 긷고/어스름저녁에는 좋은 茶 달인다"와 같이 무위자연의 청정심을 새벽 우물과 저녁차로서 표상하고 있는 것이지요. 오로지 맑은 우물물과 그로 빚은 차 한 잔이 삶의 외로움, 생명의 갈증을 위무해 주는 촉매가 되는 셈인 것입니다.

이처럼 외로운 가운데도 삶을 달관하고 청정심을 간직하려 하기에, 더욱 자연의 아름다운 풍광에 몰입하게 될 것이 자명한 이치이겠지요. 높이 솟은 기암절벽과 푸른 봉우리, 그리고 자연스레 드리워져 있는 칡넝쿨은 그것 자체가 하나의 아름다운 생명의 고향이라고 할 겁니다. 거기에 문득 자연과 인간과의 대조가 선연하게 대조됩니다. 자연의 아름다움과 영원함, 그리고 그에 대조되는 인간의 덧없음과 유연함이 절감돼 오는 것이지요. "뜬 세상은 마침내 그 끝이 있거니/아름다운 이 풍광을 다 어찌할꼬"라는 결구 속에는 이러한 삶의 유한성, 인생의 무상함에 대비되는 자연의 영원성이 담겨져 있다고 할 겁니다.

그러고 보면 이 시편들에는 자연의 영원성과 대조되는 인간의 유한성을 드러내면서, 자연 속에 귀의하여 스스로의 삶을 달관함으로써 삶의 영원성을 지향하는 뜻이 아로새겨져 있다고 할 수 있지 않을런지요.

# 백곡선사·2




## 온종일 떠서 날아가는 저 구름

온종일 떠서 날아가는 저 구름
날으고 또 날아 북녘으로 돌아간다
만고에 그 많은 영웅호걸들
얻고 잃음에 시비가 많구나

그 시비 아무리 많다 하여도
마침내 날아가는 뜬 구름과 같은데
뜬 구름 본래부터 자취 없나니
나와 저 구름은 의지해 있도다

내 손에 든 것은 붉은 대나무 가지인데
네 몸에 입은 것은 칡덩굴 옷일 뿐
내 일찍 스스로 큰 뜻을 품었나니
세상과 어긋남을 부질없이 슬퍼한다

**배꽃**

나무에 가득히 피어가는 첫 눈꽃이
바람을 따라서 가지를 떠나누나
시내 아래 위에 어지러이 깔려 있고
집의 이쪽 저쪽에 힘없이 흩날리누나
못쓰게 될 벌집을 애석히 여기지만
곤궁할 나비 길을 누가 가엾어 하리
한 봄철의 꽃소동이 이미 끝이 났느니
산위에 뜬 달만 몽롱하도다


## 뜬구름 원래 자취 없거늘

칠흑같이 어둔 밤이 되면, 산중 암혈이나 산사 승방에서 고통 속에 수행정진하던 옛 도사들의 모습이 아프게 부딪쳐옵니다. '우거진 풀밭길을 거치지 않고/꽃이 지는 마을에 가긴 어려워'라는 선시 한 구절이 있지요. 옛 선사들이 깊은 밤, 잠 이루지 못하고 참선하며 무언가 사색하거나 공부하는 것도 사실은 우리 자신의 진면목을 발견하고 보다 높고 그윽한 진리의 문, 깨달음의 세계에 도달해보려는 노력의 하나가 아니었겠습니까? 스스로 마음을 깨끗이 하여 참삶을 실천하려고 애쓴 것이지요.

어떤 분은 말씀하시더군요. 요즘같이 온갖 모순과 부조리가 판치는 세상, 맞서 싸워야할 불의와 폭력이 많은 시대에 음풍영월하거나 선문답을 일컫는 일이 무슨 의미를 갖는가 하구요. 물론 일리가 있는 말입니다. 시대와 사회, 역사와 현실에 맞서서 비판하고 저항하는 능동적인 사회참여야말로 올바른 정의사회를 구현하기 위해서 꼭 필요한 실천 덕목인 것입니다. 그렇지만 그와 아울러 중요한 게 또 있을 겁니다. 우선 자기부터 올바로 알고, 자기를 올바로 실천하는 일이 먼저 중요하다는 말씀입니다. 제 마음을 스승으로 삼아 자기를 먼저 올바로 깨치고, 참된 지혜를 얻고 깨달음을 실천하는 데서 정의 사회를 건설할 수 있는 윤리적 기초가 마련되는 것이기 때문입니다. 그래서 「열반경」에서도 "자기 자신을 우선 등불로 삼고 불법을 등불로 삼아라"라고 강조하는 게 아니겠습니까? 자신을 먼저 깨끗이 하고, 자신부터 올바로 살아가려 노력한다면 새삼 모순이나 악덕, 부조리가 생겨날 것이 무어있겠습니까? 우리가 선시나 옛 선현들의 경구를 통해서 나 자신에 대한 본바탕을 깨치고 사회와 역사 앞으로 나아가려고 하는 데서 올바른 사회가 건설될 것이라는 말씀입니다.

우리가 불교의 명시를 감상해 보는 것도 그런 것이지요. 우리의 몸과 마음을 깨끗이 하고 올바로 자신을 정립함으로써 사회적 삶, 역사적 삶을 바람직하게 이끌어 나가고자 하는 힘을 얻고자 하는 것이 아닐까 하는 말씀입니다.

백곡선사의 시에서 우리가 느끼는 것도 그것이지요. 세속을 멀리 하는 것 같지만, 그와 시 속에서 사실은 세속을 밝게 비추기 위한 명상의 샘물, 지혜의 빛을 발견할 수 있다는 얘기입니다. 온종일 떠서 하늘에 날아가는 구름을 보면서 인생의 무상함을 깨닫고, 살아있는 동안 우리가 옳게 깨닫고 바르게 살아가기를 기원하는 뜻이 담겨 있기 때문입니다. "그 시비 아무리 많다 하여도/마침내 날아가는 뜬 구름과 같은데/뜬 구름 본래부터 자취없나니/나와 저 구름은 의지해 있다"처럼 사람들의 부질없는 탐욕과 싸움을 경계하고, 사람들이 무위자연으로서의 본마음으로 돌아가기를 바라는 뜻이 담겨있지요.

시 「배꽃」은 그러한 무위자연으로서의 자연의 평화스런 정경이 잘 드러나 있다고 하겠습니다. 봄에 활짝 피어난 배꽃이 첫눈과 같다고 하고, 여기저기에 배꽃을 흩날리는 아름다운 모습에서 인생무상의 한 모습을 눈여겨보기도 하는 것이지요. 그러면서도 자연의 무궁함, 자연의 자연스러움 속에 몰입하여 삶을 달관하고자 하는 청정심이랄까 허심이 정결하게 물결치고 있는 것입니다.

# 허영자

## 관음보살님

보살님

누리 고즈넉이
잠든 밤
향을 돋우어
영접하옵니다

제일로 아파하는 마음에
제일로 소원하는 마음에
헌신하시는
보살님

그 자비로서 이 밤을
가난한 골방

형형히 타는
한 자루 촛불빛에 납시옵니까

살피소서
사바세계의 얼룩이를
어여쁨과

미움과
즐거움과
노여움

五體를 땅에 던져
몸부림치옵거니
어지러운 번뇌는
정작 탐욕에서 비롯이라 이르십니까

한낱 티끌의 일로서
가장 가까운 것을 멀리두고
가장 정다운 것에 이별하는
크낙한 누이야 어느새 뜨이리까

견딜 수 없는 일을
참고 견딤에
대낮 같이 열리는 사랑의 문이라면
매양 피흐르는
머리 검은 영혼을
어느 세월에 달래보리까

바늘구멍 만큼도 및이 안뵈는
칠흑 어둠의
울음 우는 여인을

함께 눈물지우시는
대자대비관세음보살

## 관음보살 그 공덕의 화신

온 세상이 모란꽃 향기에 아슴아슴 취해서 깊어가는 한밤입니다. 이렇게
깊은 밤이면 아름다운 음악이 듣고 싶고, 향기로운 시가 읽고 싶어지는 게 우
리들 마음일 겁니다. 시와, 음악, 다시 말해서 예술이란 우리에게 무엇을 가져
다주는 것일까요. 아마도 반드시 현실적인 어떤 교훈이나 힘만을 주는 것은
아닐 겁니다. 때로 그럴 수도 있고 그래야 하겠지만요, 대체로 예술의 본질은
인간을 원래의 인간다운 심성으로 맑게 되돌아가게 함으로써 인간의 삶과 그
인간정신을 고양시켜주는데 참뜻이 놓이는 것이 아닐런지요. "모란꽃이우는
하얀 해으름/강물 건너는 청모시 옷고름"이라는 목월의 시 「모란여정」이라도
한 편 읽고 있노라면 저절로 마음이 가라앉는 것이겠지요.

허영자 시인은 경남 함양에서 태어나 경기여고, 숙명여대 국문과를 나오고
지금은 성신여대 국문과에서 시를 강의하고 있는 여류시인이지요. 그분은 주
로 『어여쁨이야 어찌 꽃뿐이랴』, 『친전』, 『빈 들판을 걸어가면』 등의 시집처
럼 삶의 아픔과 외로움을 맑은 서정으로 추구하고 계신 분이지요. 불교에 대
해 깊은 관심도 갖고 계신 분이구요.

특히 허시인은 일상적인 삶의 소중함을 시로써 형상화하곤 하지요. 그러면
서도 불교적인 인생관을 즐겨 시속에 형상화하기도 합니다.

시 「관음보살님」은 허시인의 불교적 세계관을 잘 나타내주고 있는 듯합니
다. 관음보살님은 누구신가요. 관세음보살님은 대자비의 상징으로서 가장 널
리 숭앙되는 보살님이 아니십니까. 그래서 우리가 괴롭고 힘들어서 절망할
때, 그 이름을 높이 받들어 외이는 것이지요. 우리가 정성스럽게 그 이름을 외
이노라면, 관음보살님이 그에 감응하여 우리 중생들의 번뇌를 구원해주시는

것이지요. 또 극락정토에서 관음보살님은 아미타불의 협시불로서 부처님의 교화를 돕기도 합니다. 그래서 형상에 따라서 천수관음, 마두관음, 어람관은, 십일면관음, 백의관음, 여의륜관음 등으로 불리시기도 하는 것 아닙니까?

그러고 보면 이 시의 뜻이 자명하게 드러난다고 하겠지요. 그것은 바로 어둠과 거친 사바세계에서 사랑과 자비를 갈망하는 것입니다. 그러한 자비, 즉 사랑을 통해서 온갖 사바세계의 번뇌를 벗어나서 영혼의 구원을 얻고자 하는 소망이 담겨진 것이지요. 탐내는 마음과 성내는 마음, 어리석음으로 허둥대며 살아가는 이 세상에서 벗어나고자 하는 것입니다. 그러기에 관음보살님의 공덕을 빌음으로써 정신의 평화와 인간구원을 성취하여 현세를 건강하고 행복하게 살고자 하는 뜻이 담겨져 있다는 말씀입니다.

# V.
# 한 평생의 뜬 인연 서글퍼라

# 영호선사·1

**일흔 살 되는 아침에**

선정에서 깨어나 자신을 돌아봄

진흙 문 제비는 둥우리로 돌아가고
꽃을 진 벌은 집은 만든다
기러기는 눈 위에 발자국을 남기지만
왔다갔다 하다가 회양으로 쫓아가고
모래밭의 갈매기는 세상 일을 잊었으나
물굽이 돌아 다투어 한데 모인다
만물은 제각기 하는 일이 있으나
타고난 천성을 다 드러낸다
나는 사람 중에 태어났건만
어찌타 홀로 장기가 없는가
한갓 장기만이 없을 뿐 아니라
마침내 돌아갈 고향도 없구나

더구나 중의 도를 욕되게 하고
부질없이 음식만 소비함이랴
허깨비의 이 몸을 되돌아보면
앞길은 실로 아득한 수수께끼
이 늙바탕의 밤에 이르러

하늘 나루에는 아득히 다리 없다
주인공을 자주 불러 보지만
깊이 숨어 그 빛을 드러내지 않는다
지난 세상 그림자 돌이켜 생각하면
그 어찌 슬픈 말이 많지 않으랴

## 허깨비의 이 몸을 되돌아 보면

어느새 봄도 그 막바지에 접어들었습니다. 요즘은 신록이 푸르르고 싱그러워 생명감을 한껏 불러일으키는 계절인데요. 이제 얼마 남지 않은 봄은 우리가 최선을 다해, 성숙을 향해 뛰어야 할 계절이고, 많은 가능성을 지니면서도 금세 지나가버리는 계절이 분명할 겁니다.

이 시를 지은 영호 박한영스님은 누구시던가요. 1870년에 태어나서 1948년에 작고하신 근대의 학승이시지요. 법호는 映湖 또는 石顚이라고 하고 속명이 한영입니다. 열아홉에 전주 태조암에서 승려가 되었고 1896년부터 백양사, 법주사, 화엄사 등에서 불법을 강의하신 분입니다. 불교 교육과 계몽에도 힘써 불교전문학교 교장, 조선 불교월보사장 등을 역임하고, 조선불교 교정을 지내시는 등 근대불교발전에 힘쓴 분이십니다. 그러기에 당대의 한국의 화엄종주라고 불리기도 하셨고, 『석전시초』등의 뛰어난 시인이자 당대의 석학이고 문장가이기도 했습니다.

특히 만해스님과의 시문을 통한 친교는 널리 알려지기도 했었지요. "한 하늘 한 달이건만/그대 어디 계신지//단풍에 묻힌 산속/나 홀로 돌아왔네//밝은 달과 단풍을 잊기는 해도/마음만은 그대 따라 헤매는구나"라는 시처럼 만해스님은 시 「서울에서 오세암으로 돌아와 박한영에서 보내다(自京歸五歲庵贈 朴永)」를 짓기도 하셨던 것입니다. 영호스님의 시 「일흔살 되는 아침에」는 '선정에서 깨어나 자신을 돌아봄'이라는 부제가 붙어 있지요. 하나의 큰 주제로 여러 편을 쓰는 연작시 중의 하나라는 말씀입니다. 인생 70이면 자고로 고희라고 하지 않습니까? 이 고희라는 말을 원래 두보의 「人生七十古來稀」라는 「曲江詩」에서 유래한 것이라고 하지요. 그만큼 예전만큼 칠십나기가 쉽지 않다는 뜻일 겁니다. 그러니 고희를 맞으시는 노인들은 유달리 감회가 많을밖에요. 이 시에서는 한평생 불도를 닦아온 노스님으로서 깨닫고 생각한 바가 잘 드러나 있다고 하겠습니다.

먼저 이 시는 외계의 사물에 시선이 주어지지요. "진흙 문 제비는 둥우리로 돌아가고/꽃을 진 벌은 집을 만든다"라는 구절이 그것입니다. 미물처럼 보이는 제비나 꿀벌도 자신들의 삶을 위해 최선을 다해 헌신하는 모습이 제시된 것이라 할 겁니다. 그런가 하면 기러기와 갈매기도 각기의 본성과 형편에 따라 삶을 찾아 모여들고 헤어지기도 하는 것이지요. "만물은 제각기 하는 일이 있으며/타고난 천성을 드러낸다"라는 구절처럼 고유한 생명의 인과율에 따라 살아가는 것이라는 말씀입니다.

여기에서 자신에 대한 뒤돌아봄이 이루어지는 것이지요. "나는 사람중에 태어났건만/어찌 홀로 장기가 없는가"라는 자신의 인간적인 무능함에 대한 자책이 그 하나입니다. 그리고 "한갓 장기만이 없을 뿐 아니라/마침내 돌아갈 고향조차 없구나"와 같이 "출가자로 욕되게 하고/부질없이 옷가지와 음식만 소비함이랴"처럼 사문으로서도 최선을 다해 수행정진해오지 못했음을 비탄해하는 심정도 담겨져 있다고 할 겁니다. 말하자면 겸허하고 진실 되게 스스로를 바라봄으로써 진정한 자아와 대면하고 있는 것이지요. 그러기에 삶에 대한 미망이 다시 깨우쳐지는 것입니다. "허깨비의 이 몸을 되돌아보면/앞길은 실로 아득한 수수께끼"처럼 육신의 허망함이며 삶의 허허로움이 새삼 절감돼 오는 것입니다. 따라서 "이 늙바탕의 밤에 이르러/하늘나루에는 아득히 다리없다"와 같이 비관적인 세계인식이 드러나게 되는 것이지요. 아울러 한 생애 노력했지만 "나의 주인공인 마음을 자주 불러보지만/깊이 숨어 그 빛을 드러내지 않는다"처럼 아직도 道의 길, 깨우침의 길은 멀게만 느껴지는 것입니다. 새삼 "지난 세상 그림자 돌이켜 생각하면/그 어찌 슬픈 말이 많지 않으랴"라고 비감을 어쩔 수 없게 된다고 하겠지요.

그러고 보면 이 시는 선사로서의 겸허한 깨우침을 드러내는 가운데, 새삼 지난날에 대한 회한과 비탄에 사로잡히는 심정이 솔직하게 잘 표현돼 있다고 할 것입니다. 대체로 선사의 시들이 자신을 절제하고, 외계의 사물에 의탁해 자신의 심정이나 깨달음을 드러내는데 비해, 이 시에는 훨씬 인간적인 면모가 드러난다고 할 수 있지 않겠습니까? 바로 이처럼 인간적인 체취와 서정적인 표현이 함께 생동하는 데서 영호스님 선시가 주는 감동이 있다고 할 겁니다.

# 영호선사·2

## 쌍계사 불일폭에서

폭포를 바라보랴 봄인 줄 몰랐는데
떨어지는 복사꽃에 새삼 눈이 놀랐다
하늘에 나는 학은 돌기운을 뒤치고
못의 용은 비를 뿜어 천신을 홀대한다
반나절을 걸어서 절벽에서 읊나니
술을 보낸 쌍계의 벗에게 감사한다
시냇길에서 새삼 새긴 글자를 찾다가
나무를 감싼 붉은 놀에 돌아갈 나루를 잃었다.

## 백운산의 절에 자다

물을 따라 등나무 잡고 올라 백운 속에 앉았나니
우스워라, 신선 인연, 삼분 밖에 안 되네
약 캐는 늙은 스님 어디 간지 몰랐더니

고운 가지 맑은 노래에 문득 그대 만났네
동산지기 시내여자 어찌 그리 깨끗한가
옛 절벽의 푸른 이끼 모두 전자 무늬이네
한평생의 뜬 인연이 부끄럽고 또 슬픈데
겨울 산에 나뭇잎 지고 해는 막 저물려네

## 한 평생의 뜬 인연 부끄럽고 서글퍼라

빛나는 봄 하늘의 수천수만 별빛과 함께 지상위의 온갖 장미꽃 향기가 더욱 아름답고 애달프게 느껴지는 한밤입니다. 밤이 깊어 보던 책을 덮어두고 창을 열면, 낮에는 숨어있던 온세상 만물들이 잠을 깨어 수런대며 서로의 온갖 비밀을 털어놓고 얘기하는 듯만 싶습니다. 밤하늘이란 그처럼 아름답고 신비한 것이 아닐까 생각되기도 하는군요. 그러고 보면 문득 밤이 있기에 날마다 이 세상은 어둠 속에서 새로 태어나는 것이 아닐까 생각됩니다. 밤이라는 대자연의 거울에 자신을 비춰보고 하루하루 밝은 별빛같이 견성을 깨치면서 정각을 이루어 진정한 정신의 자유와 평화의 길로 나아가게 되는 것이라는 말씀이지요.

어떠십니까? 이 깊은 봄밤에 영호스님의 시를 읽으니 새삼 깊고 깊은 청산에 폭포소리 들리는 가운데 구름 속에서 한가로이 거니는 신선의 정취 또는 은자의 모습이 느껴지지는 않으십니까? 영호스님의 시에는 이러한 도가풍의 신선사상 내지는 무위자연으로서 자연친화사상이 엿보여서 관심을 환기합니다.

무엇보다도 영호스님의 시가 지닌 가장 중요한 특징은 시적 기교와 서정성이 매우 뛰어나는 점이라 하겠습니다. "폭포를 바라보랴 봄인줄 몰랐는데/흩날리는 복사꽃에 새삼 두 눈이 놀랐다"라는 구절에 보이는 기지 넘치는 표현도 그렇구요. "하늘에 나는 락은 돌기운을 뒤치고/못의 용은 비를 뿜어 하늘의 神을 홀대한다"라는 웅장하고 생동감 있는 수사법이 특히 그러합니다. 폭포와 그를 둘러싼 정경을 섬세하면서도 생동감 있게 묘사하여 사실감을 더해준다는 말씀이지요. 아울러 그의 시에는 솔직하면서도 소박한 인간적인 체취가 물씬 풍겨납니다. "반나절을 걸어서 절벽에서 읊나니/술을 보낸 쌍계의 벗에게 감사한다"라는 구절이 그것이지요. 스님의 시에 웬 술인가 하실 분도 계시겠지요. 그렇지만 이처럼 아름다운 자연의 풍광에 스스로 몰입되는데 술처럼 자연스럽게 어울리는 소재가 과연 무엇이 있겠습니까? 오히려 감정을 드러내지 않고 도사연하는 게 더 어리석어 보일 수 있는 것이지요. 이처럼 대자연의 웅장하고 아름다운 풍광에 몰입하여 자연과 내가 서로 일체와 조화를 이루는 그것이 바로 도를 깨치고 도에 접어드는 그윽한 순간이 되는 것은 아닐런지요. 그러기에 "나무를 감싼 붉은 노을에 돌아가는 나루를 잃었다"처럼 선계와 속계가 구별이 없이 하나로 그윽한 통일을 이루는 것인지도 모르겠습니다.

시「백운산의 절에 자다」라는 시는 이러한 무위자연이랄까 하는 초탈의 경지를 더 잘 보여주는 듯싶습니다. 이 시에서도 서정적인 표현이 매우 탁월한 것은 물론이구요. "물을 따라 등나무 잡고 올라 백운 속에 앉았나니/고운 가지 맑은 노래에 문득 그대 만났네"처럼 '물/등나무/흰구름/고운 가지 맑은 노래'등의 서정적인 소재가 서로 어울려 드맑은 미감을 돋워 주는 게 그 한 예라고 할 겁니다. 특히 신선사상이랄까, 무위자연의 은둔사상이 얼비쳐있는 것도 신선 해보이지요. 사바세상을 등지고 자연 속에 숨어 한적한 생활 속에서 허정의 마음을 갖고 살아가려는 태도가 담겨있다는 말씀이지요.

이점에서 이 시는 인위적인 행위를 부정하고 자연의 소박한 상태로 돌아가 살 것을 주장하는 도가사상과 연결되어 있다고도 할 겁니다. "물을 따라 등나무 잡고 올라 백운 속에 앉았나니/우스워라, 신선인연, 십분밖에 안되네/약캐는 늙은 스님 어디간지 몰랐더니/고운가지 맑은 노래에 문득 그대 만났네"라는 구절이 바로 그러한 무위 소요의 심경을 노래한 것이지요. '현명한 자는 세상을 피하고, 그 다음은 난국은 피하고, 그 다음은 기색을 피하고, 그 다음은 말을 피한다'라는 옛말도 바로 이러한 은둔사상으로서 바로 도가사상을 드러낸 것이라 할 겁니다.

그렇지만 이 시에서 이러한 도가사상은 그것이 다시 불교적인 세계관으로 연결되어 불교적 세계관 속에 녹아들어 있는 게 특징이라 하겠습니다. "한 평생의 뜬 인연이 부끄럽고 또 슬픈데/겨울 산에 나뭇잎 지고 해는 막 저물려네"처럼 불가적인 인연설과 인생무상으로 수렴된다는 말씀이지요. 신선사상이랄까 은둔사상으로써 선시로서의 모습을 확실하게 드러내준 데서 특징이 놓인다는 뜻이 되겠지요. 특히 "절벽의 푸른이끼 모두 전자 무늬이네"처럼 암벽 위의 이끼형상을 옛날 전자글씨로 읽어내는 놀라운 혜안이야말로 새삼 영호스님의 뛰어난 시재를 확인할 수 있는 게 될 겁니다.

# 김광섭

**저녁에**

저렇게 많은 중에서
별 하나가 나를 내려다 본다
이렇게 많은 사람 중에서
그 별 하나를 쳐다본다

밤이 깊을수록
별은 밝음 속에 사라지고
나는 어둠 속에 사라진다

이렇게 정다운
너 하나 나 하나는
어디서 무엇이 되어
다시 만나랴

**생의 감각**

여명의 종이 울린다
새벽별이 반짝이고 사람들이 같이 산다
닭이 운다 개가 짖는다
오는 사람이 있고 가는 사람이 있다

오는 사람이 내게로 오고
가는 사람이 내게서 간다

아픔에 하늘이 무너졌다
깨진 하늘이 아물 때에도
가슴에 뼈가 서지 못해서
푸른 빛은 장마에
넘쳐흐르는 흐린 강물 위에 떠서 황야에 갔다

나는 무너지는 뚝에 혼자 섰다
기슭에는 채송화가 무데기로 피어서
생의 감각을 흔들어 주었다


## 언제 어디서 무엇이 되어 다시 만나랴

"사랑과 평화의 새 비둘기는/이제 산도 잃고 사람도 잃고/사랑과 평화의 사상까지/낳지 못하는 쫓기는 새가 되었다"라는 시를 기억하시지요? 현대문명의 그늘을 비판하고 인간성의 회복을 주장한 이산 김광섭시인의 「성북동비둘기」라는 시 말입니다. 일제강점기 말 어두운 현실아래 독립운동 고취 혐의로 3년여를 옥중에서 고생하기도 했던 시인 김광섭, 그분은 해방 후에는 북쪽에 고향을 둔 실향민으로서 분단극복과 통일에의 열망을 적극 노래하기도 한 선구적인 문명비판의 시인이라고 할 겁니다.

이산 김광섭 시인은 1905년 국토의 최북단인 함북 경성의 어대진읍에서 출생하셨지요. 일본 와세다대 영문과를 졸업하시고 1935년 『시원』지에 시 「고독」을 발표하면서 시단생활을 시작하셨지요. 1941년에는 민족운동혐의로 피체되어 3년 8개월 동안 영어생활을 하였고, 해방 후에는 잠시 이승만대통령의 비서관을 역임하기도 하셨지요. 1968년에 고혈압으로 쓰러졌다가 재기한 뒤 「성북동 비둘기」 등 졸속한 근대화로 인한 인간상실을 노래한 문명비판시를 주로 쓰셨습니다. 경희대국문과 교수로 후진을 양성하기도 하셨으며, 시집으로 『동경』(1938), 『마음』(1949), 『해바라기』(1957), 『성북동 비둘기』(1969), 『김광섭시전집』(1974) 등을 남긴 시인입니다.

하루의 분주하고 고단한 일상에서 돌아온 저녁의 시간에는, 안식과 평화의 마음속에서 인생에 대한 새로운 깨달음이 자리잡기 시작하는 것이지요. 이러한 안식의 시간에 반짝이기 시작하는 하늘의 별들은 인간에게 지향 없는 외로움과 그리움을 불러일으키게 마련입니다. 그러면서 밤하늘에 빛나는 별들의 밝음과 상대적으로 인간의 마음은 고뇌와 어둠으로 물들어가는 것이지요. 어둠 속에서 비로소 빛나는 별들의 밝음과 그에 대조되는 인간삶의 어려움과 그 어둠은 "저렇게 많은 중에서 별 하나"와 "이렇게 많은 사람 중에서 나 하나"의 대응을 통해서 단독자로서의 인간적 고절감을 심화해 준다고 할 수 있을 겁니다. 어쩌면 이 구절에는 어둠 속에 빛나는 별빛의 밝음으로 인해서 인간세계의 온갖 불의와 부정의 어둠을 정화하고 싶다는 시인 자신의 애달픈 갈망이 담겨져 있는지도 모르지요. 특히 이 이 시에서 백미 중의 하나는 '밝음 속에 사라지는 별'과 '어둠 속에 사라지는 나'를 대조시킨 데서 드러난다고 볼 수 있을 겁니다. 여기에는 '별'이 표상하는 하늘의 질서와 '내'가 표상하는 지상의 질서와의 영원한 거리감이 표출되어 있는 것으로 해석되기 때문입니다.

그렇지만 별이 밤하늘의 어둠 속에서 더욱 그 밝음을 더해 가듯이, 인간의 삶 역시 역경과 시련을 헤쳐 나아가는 데서 비로소 참된 빛과 가치를 획득해 가는 게 아닐런지요. 아울러 별과 나의 거리는 그대로 영원히 하나가 될 수 없는 인간관계의 단절성 또는 고절성을 드러낸 것으로 이해되지요. 수많은 인간들로 둘러싸여 살아가면서도 우리는 영원히 혼자일 수밖에 없는 인간의 숙명성 또는 '군중 속의 고독'이 표현된 것이지요.

이러한 단독자로서의 숙명적인 고절감은 마침내 "이렇게 정다운/너 하나, 나 하나는/어디서 무엇이 되어/다시 만나랴"라고 하는 구절을 통해서 일회적 인생(einigen leben)으로서의 존재론적 생의 인식으로 연결된다고 볼 수 있겠지요. 인간들은 이 세상에 "무수한 별 중에서 별 하나", 즉 단독자로 세계 위에 던져져서 무수한 만남을 겪으며 공동체의 일원으로 살아가지요. 그렇지만 결국에는 자기만의 길을 가다가 홀로 죽어가는 일회적 존재에 불과하다는 생의 본질에 관한 깊은 투시가 깃들여 있는 것입니다. "어디서 무엇이 되어/다시 만나랴"라고 하는 구절 속에는, 언젠가는 헤어져야 하리라는 운명인식과 함께 살아 있는 한 언젠가는 만날 수 있을 것이며 설사 죽는다 하더라도 저세상 어디에선가는 또다시 만날 것이라는 아련한 기대와 안타까운 소망을 담고 있는 것이지요. 아울러 이것은 존재가 현상적인 소멸과 생성을 되풀이하지만, 그 본질로서의 불성은 영원한 것이어서 영원한 소멸도 영원한 생성도 없이 인과 연이 하나로 귀일된다고 하는 불교적인 인연설을 반영한 것일 수도 있겠지요.

실상 이 시가 수어 김환기 화백의 그림 <어디서 무엇이 되어 다시 만나랴>로서 형상화되어 성공을 거둔 것도 생에 대한 깊이 있는 단독자 의식과 일회적 존재의식이 인연설이라고 하는 동양적 삶의 철학으로 통합되고 고양되었기 때문인 것으로 풀이됩니다. 어둠 속에 홀로 빛나다가 밝음이 다가오면 사라지는 별의 외로운 모습은 바로 온갖 어둠을 헤쳐가며 살아가다가 홀로 죽어가는 인간의 숙명적인 고독과 운명성을 상징한다고 할 수 있기 때문입니다. 이렇게 볼 때 이 시에서 별과 나, 어둠과 밝음의 대조는 바로 영혼과 육신, 현실과 이상, 그리고 생과 사의 갈등 속에서 전개될 수밖에 없는 인간의 숙명적 비극성을 표출한 것이 분명할 겁니다.

바로 이 점에서 이 시는 「생의 감각」에서의 생명에 대한 깊이 있는 인식과 삶의 재발견이 이념적 형상성을 획득한 작품으로 이해됩니다. 아울러 물질문명에 밀려나서 점차로 인간적인 따뜻함과 진솔함을 상실해 가는 현대인의 외로운 자화상을 성공적으로 그려준 작품으로 여겨지기도 합니다.

# 일연선사

## 이차돈

義를 따르고 삶을 가벼이 여김은, 놀라운 일이거늘
하늘에서 떨어지는 꽃과 목에서 솟는 흰 피, 감격스럽다
갑자기 한 칼 아래 죽어간 뒤에
절마다의 종소리 서라벌을 뒤흔드누나

## 돌아오지 못한 스님네

천축의 하늘 멀고 산 첩첩한데
가여워라, 스님네는 힘겨운 길 떠났도다
몇 번이나 저 달은 외로운 배 보냈던가
구름 따라 돌아오는 한 사람도 볼 수 없구나

### 의상을 기리는 노래

잠목 헤치고 바다 건너 안개티끌 무릅쓰고
지상사 문 들어가 좋은 보배 받았었다
찬란한 온갖 꽃이 바로 우리 고향이라
종남산 태백산이 다같은 한 봄이다.

## 스님의 길, 고행의 길

깊은 산 숲속 어디선가, 사슴이라도 한 마리 밤꽃 향기를 따라와 달빛 아래 쉬고 있을 듯한 밤입니다. 이런 밤이면 그 옛날 먼 시골집의 희미한 호롱불과 마주하던 소박한 풍정이 마냥 그리워지곤 하지요.

그리고 문득 대자연에 안겨보고 싶은 생각도 들기 마련이구요. 그러고 보면 대자연은 우리들에게 포근한 어머니 같기도 하고, 다정한 친구 같고, 또 깨달음을 주는 스승 같다고 할 수 있겠지요. 그리고 우리를 포근하게 해주는 대자연처럼, 고승들의 시도 우리를 편안한 마음으로 인도해 주는 것이지요.

일연스님은 고려 충렬왕 때 승려이시지요. 호는 無極이었다가 뒤에 일연으로 개명했고 普覺은 그 시호입니다. 열네 살에 통·전대웅스님께 출가하여 승려가 된 후 구족계를 받고 54세에 대선사가 되어 정림사, 선월사, 운문사 등에 주거하시다가 84세로 입적하셨지요. 스님이 남긴 저서 『삼국유사』는 김부식이 찬술한 『삼국사기』와 함께 우리 역사를 알 수 있게 해주는 귀중한 역사서이지요. 모두 5권으로 짜인 이 『삼국유사』는 신라, 고구려, 백제의 역사와 연표를 싣고 신이영묘한 사적을 수록했는데요. 삼국사기에 빠진 단군신화와 각종 불교설화, 향가 등을 풍부하게 실어 문학적, 정신사적 가치가 높다고 할 명저인 것입니다.

일연스님의 시편들은 대체로 옛 선사들의 행적을 예찬한 경우가 많은데요.

앞에서 인용한 시들이 그 예가 됩니다.

먼저 시 「이차돈」에서는 이차돈스님의 순교를 통해 신성사적 이적과 그로 인한 감동을 노래하고 있지요. 다시 말해 신라 법흥왕 때 중국 승려 아도화상이 불법을 전파하려 신라에 오자 신하들이 반대하여 왕이 주저했지요. 그때 이차돈이 불교의 전파를 주장하여, "내가 불법을 위하여 형벌을 받사오니 불법이 신령하오면 내가 죽은 후에 이적이 있으리라"하고 목이 베어져 죽어간 것이지요. 이때 목을 베니 목에서 흰 젖이 솟아오르고 천지가 캄캄해지고 하늘에서 꽃비가 내렸다는 것입니다. 이러한 순교로 인한 이적의 결과로 마침내 신라에 불법이 융성하게 되었던 것입니다. 그러기에 이차돈은 '의를 따르고 삶을 가벼이 여겨' 기꺼이 불법을 위해 목숨을 바쳤고, 그러므로 '하늘에서 꽃이 떨어지고 목에서 흰 피가 솟는' 이적이 일어난 것이지요. 말하자면 신성사적 체험이 이 시에 드러났다는 뜻입니다. "절마다의 종소리 서라벌을 뒤흔들었나"라는 설의법은 결국 이러한 이차돈의 신성체험으로 인해 불교가 신라의 국교가 되고 신라인들의 근본 신앙이 됐음을 강조하는 뜻이 담겨져 있다고 할 겁니다.

시 「돌아오지 못한 스님네」는 스님들에 있어서 고행의 길, 구도를 위한 순례의 길이 얼마나 멀고 험한 역정인가를 강조하는 뜻이 담겨져 있다고 할 겁니다. "천축의 하늘 멀고 산 첩첩한데/가여워라, 스님네는 힘겹게 올랐도다"라는 구절이 그것이지요. "구름 따라 돌아오는 한 사람도 볼 수 없구나"처럼 구도의 길이 얼마나 외롭고 험난한 것인가를 말해주는 것입니다. 실상 이 시는, 천축으로 가는 순례의 역정이 어렵다는 뜻도 되겠지만, 비유적인 뜻으로 구도의 길이 멀고 험하다는 얘기도 될 것이 분명합니다.

세 번째 시 「의상을 기리는 노래」는 신라의 고승 의상대사를 예찬하고 있지요. 의상대사는 과연 어떤 분이시던가요? 의상대사는 신라 중기의 승려이시지요. 진덕왕 4년에 원효대사와 함께 당나라에 가려고 요동까지 갔다가 원효는 해골물을 마시고 깨달음을 얻어 먼저 돌아온 일이 유명하지요. 의상대사도 도중에 난리를 당해 뜻을 이루지 못했다가, 그 후 문무왕시대 당나라 사신의 배로 당에 건너가서 종남산 지상사에서 중국 화엄종시조인 지엄의 문하에서 현수스님과 함께 공부하셨죠. 귀국 후에 낙산사 관음굴에서 기도하고 태백산에 부석사를 창건하고 화엄을 강술하여 해동 화엄종의 시조가 된 것입니다. 78세로 입적할 때까지 표언, 능작 등 열 명의 큰스님을 길러냄으로써 이 땅 불교를 일으켜 세우는데 크게 전력한 분인 것이지요. 일연스님의 이「의상찬」은 바로 이 의상대사를 기리는 노래인 것입니다. "잡목 헤치고 바다건너 안개티끌 무릅쓰고/지상사 문 들어가 좋은 보배 받았었다"라는 구절은 바로 고난 끝에 당나라에 건너가 화엄종을 공부한 내용을 일컫는다고 하겠지요. 그리고 "찬란한 온갖 꽃이 바로 우리 고향이라/종남산 태백산이 다같은 한 봄이라"는 구절은 종남산 지상사의 중국 화엄종에 영향을 받아 의상대사가 우리 태백산 부석사에서 다시 장엄한 화엄의 바다를 열었음을 노래한 것이라 할 겁니다. 결국 이 시는 의상대사의 순례역정과 구도의 실천 내용을 짤막한 시 속에 잘 응축표현한데서 특징이 드러난다는 말씀이시지요.

이처럼 일연은 신라고승들의 험난한 구도의 역정과 그 빛나는 업적을 노래하여 불·법·승의 삼보를 널리 펼쳐 알리는 데 힘썼다고 하겠습니다.

가없는 화엄의 바다, 빛나는 소망 이루십시오.

# VI.
# 한 벌 옷에 바리때 하나

# 오현스님

### 계림사 가는 길

계림사 외길 4십리
허우단심 가노라면

草綠山 먹뻐꾸기가
옷섶에 배이누나

이마에 맺힌 땀방울
흰구름도 빛나고

물따라 山이 가고
山을 따라 흐르는 물

세월이 덧없거니
절로 이는 山水간에

말없이 풀어논 가슴
열릴 법도 하다마는

한 벌 먹물 옷도
내 어깨에 무거운데

눈감은 백팔 염주
罪일사 목에 걸어

이 밝은 날빛에서도
발길이 어두운가

어느 골 깊은 山꽃
홀로 피어 웃는 걸까

대숲에 이는 바람
솔숲에 와 잠든 날을

靑山에 큰 절 드리려
나 여기를 왔고나.


## 행운유수, 저 물과 흰구름 따라서

먼 산 달빛 깔린 영마루에 허위단심 가던 길을 멈추고 문득 떠가는 달을 쳐
다보는 스님 한 분 계신 듯한 밤입니다. 남 다 자는 깊은 밤, 무슨 사연이 있어
저 스님은 산을 넘어 홀로 저 달과 구름따라 어느 곳으로 가고 계시는지요.

이 시를 지은 오현스님은 1942년 경남 밀양에서 태어나 1967년『시조문학
』으로 작품 활동을 시작하신 분이시지요. 해운사, 신흥사 주지 등을 역임하시
고, 불교신문, 법보신문 논설위원 등으로 불교진흥에도 힘쓰시다가 지금은

낙산사의 회주로 계신 분이십니다. 시집으로는 자아를 발견하고 정각을 이뤄 가는 과정을 깊이있게 그린 『심우도』가 있습니다. "누가 내 이마에/좌우 무인을 찍어놓고//누가 나로 하여금 手配하게 하였는가//천만금 현상금으로도/찾지 못할 내 행방을/천개 눈으로도 볼 구 없는 화살이다/팔이 무릎까지 닿아도 잡지 못할 화살이다/도살장 쇠도끼 먹고 그 화살로 날아간 도둑이여"와 같이 소로서의 진정한 자아를 찾아 길떠나는 모습이 심도있게 묘사된 것입니다. 특히 "생선 비릿내가 좋아 /전대차고 나온 저자//장가들어 본처는 버리고/소실을 얻어 살아 볼가//나막신 그 나막신 하나/남 주고도 부자라네//일금 삼백원에 마누라를 팔아먹고/임금 삼백원에 두눈까지 빼 팔고/해돋는 보리밭머리 밥 얻으러가는 문둥이어, 진문둥이어"와 같이 입전수수, 즉 세속적 삶의 현장에서 삶의 생생한 본래 모습이 드러난다는 깨달음을 담고 있는 것이 관심을 끕니다. 전통적인 「심우십송」을 현대 시조로서 형상화하는 한 시범을 잘 보여준 것이라는 말씀이지요.

시 「계림사 가는 길」은 바로 「심우송」에서 암시돼 있는 것처럼 자아를 찾아 가는 길, 구도의 한 험난한 역정이 암유적으로 제시되어 있다고 하겠습니다. 이 시가 표면상 취하고 있는 것은 기행시의 형식이지요. 실상 스님들의 불교시에는 산사를 찾아가는 기행시 형식을 취한 것이 매우 많다고 할 겁니다. "십리도 반나절 쯤 구경하며 갈만도 하니/구름 속 오솔길이 이리도 그윽한 줄이야/시내따라 가노라니 물도 다한 곳/꽃도 없는데 숲에서 풍겨오는 아, 산의 향기여"라고 노래한 만해의 「약사암 가는 길에」도 그 한 예가 되겠지요. 오현 스님의 시 「계림사 가는 길」은 계림사 찾아가는 40리 보행길이 제시돼 있습니다. 허위단심 힘차게 40리 산길 가노라면 산속 뻐꾸기 울음소리도 아련히 들려오고, 온몸은 땀으로 목욕을 하겠지요. "초록산 뻐꾸기가 옷섶에 배이누나/이마에 맺힌 땀방울 흰구름도 빛나고"라는 빼어난 묘사는 이러한 모습을 표현한 것입니다. 그러노라면 "물따라 山이 가고/山을 따라 흐르는 물"과 같이 유유자적하는 무위자연의 심경도 될 거구요.

그러면서 새삼 깨닫는 것입니다. "한 벌 먹물 옷도/내 어깨에 무거운데/눈 감은 백팔염주/죄일사 목에 걸어"와 같이 수행승으로서의 번뇌와 고통이 다가오는 것이지요. 그러기에 "이 밝은 날빛에서도/발길이 어두운가"처럼 고행의 길 그것이 운명적인 것이며, 깨달으며 사는 삶이 얼마나 고달프고 힘든 것인가를 새삼 되새기게 마련입니다. 여기에 오로지 지친 몸과 마음에 위안을 주는 것은 "어느 골 깊은 山꽃/홀로 피어 웃는 걸까"나 "대숲에 이는 바람/솔숲에 와 잠든 날을"처럼 산꽃과 대숲, 솔숲 같은 대자연의 아름다운 풍광과 생명의 향기뿐이 아닐런지요.

이렇게 보면 시 「계림사 가는 길」은 단순한 서정적인 기행시가 아니라 그 속에 수행자의 번뇌와 고행의 고달픔을 담고 있는 구도의 시라고 할 것입니다. 그러면서도 빼어난 서정적인 표현이 그러한 내용의 무거움을 예술적으로 고양시켜주는 것이 오현시의 한 장점이라고 할 것입니다.

어느 먼 산등성이 달빛 한자락 구름따라 유유히 흘러가는 밤입니다.

### 절간이야기·3

강기자님, 어제 그끄저께 일입니다. 뭐 학체 선풍도골은 아니었지만 제법 곱게 늙은 어떤 초로의 신사 한 사람이 낙산사 의상대 그 깎아지른 절벽 그 백척간두의 맨 끄트머리 바위에 걸터앉아 천연덕스럽게 진종일 동해의 파도와 물빛을 바라보고 있기에

"노인장은 어디서 왔습니까?"

하고 물었더니

"아침나절에 갈매기 두 마리가 저 수평선 너머로 가물가물 날라가는 것을 분명히 보았는데 여태 돌아오지 않는군요."

하고 혼잣말로 중얼거리는 것이었습니다. 그런데 그 다음날도 초로의 그 신사는 역시 그 자리에서 그 자세 그대로 앉아있기에

"아직도 갈매기 두 마리가 돌아오지 않았습니까?"
했더니
"어제의 바다가 울었는데 오늘은 바다가 울지 않는군요."
하는 것이었습니다.

### 절간이야기·5

보화스님은 중국 당나라 선승인데 어느 때 이렇게 말했습니다.
"누가 나에게 옷을 한 벌 시주하십시오"
이 말을 들은 신도들은 너도나도 옷감을 떠다가 정성껏 지어 가지
고 갔지만 보화스님은 고개를 흔들며
"아니오. 나에게는 이런 옷이 필요 없으니 도로 가지고 가시오."
하고 그만 돌아앉아 버리는 것이었습니다.
이 소식을 들은 임제선사가 홀로 고개를 끄덕이더니 목수를 시켜
서 빨리 새 棺을 하나 만들게 하여 그 관을 가지고 보화스님 처소로 가
서
"자, 귀공을 위하여 새 의복을 한 벌 마련하였소이다."
하니 그때서야 보화스님은 희색이 만면하였답니다.


# 한 벌 옷에 바리때 하나

봄날엔 풀꽃들이 그리도 요란하기만 하더니, 초여름에 가까워선지 이즈막
엔 꽃지는 소리 가늘게 바람결에 실려옵니다. 문득 "유등제를 한 번 보고 싶
다/해 저문 강가로 나아가/수천, 수만개의 연꽃등불 밤하늘의 볓빛인 양 물
위에 떠서/아득히 행렬을 이루면서 어둠 속으로 흘러가는/그 눈물 글썽이는
축복의 祭儀를/나는 보고싶다"라는 이수익의 시 「유등제」가 떠오르는군요.
그처럼 바람결엔 흔들리는 꽃향기가, 강물결엔 유등이 흘러가는 모습이 바로
사라지는 것들의 아름다움이 아닐런지요.

그러고 보니 요즘 시인의 선시가 생각나는군요. 오현스님의 「절간이야기」 말입니다. 이 일련의 연작시들은 어차피 한 오라기 바람처럼 살다가 한 줄기 빛으로 사라져갈 인생인데 구태여 왜 물질에만, 현상계에만 집착하여 삶과 세계 속에 감추어진 참된 의미와 본질을 제대로 바라보지 못하는가 하는 데 대한 안타까움을 일깨워주기 때문입니다. 세속적 삶의 굴레와 초월적 삶의 모습을 섬세하게 대비하면서, 우리들로 하여금 진정한 자아의 발견을 성취하고 깨달음으로 나아가라는 암시가 담겨있는 것이지요.

먼저 「절간이야기」 2에서는 무언가에 집착하는 일, 일상적 논리의 틀에 갇혀 살아가는 미망의 삶에 대한 날카로운 비판이 내재돼 있는 게 특징입니다. 이야기시이자 산문시로 풀어 써서 시를 전개하는 것은 자칫 난해해지기 쉬운 시의 철학적 내용을 보다 쉽고 친근하게 하려는 의도라고 할 거구요. 그러기에 이 시는 배경과 등장인물, 그리고 사건의 제기라고 하는 서사적 구성을 취하고 있지요. 배경은 동해 바닷가의 낙산사 의상대 바위 끝이고 등장인물은 관차자로서 스님 한 분과 초로의 신사 한 분이라고 할 겁니다. 시의 내용인즉슨 매우 간단하지요. 의생대 깎아지른 절벽 그 백천간두의 맨 끄트머리에 앉아 진종일 동해의 파도와 물빛을 바라보고 있는 신사에게 스님이 얘기를 건네는 겁니다. '노인장은 어디서 왔는가' 하는 물음에 엉뚱하게도 그 신사는 '아침나절에 갈매기 두 마리가 저 수평선 너머로 가물가물 날아가는 것을 분명히 보았는데 여태 돌아오지 않는군요'라고 답하는 것이지요. 문답이 얼토당토않게 서로 어긋나는 겁니다. 다음날에도 '아직도 갈매기 두 마리가 돌아오지 않았습니까'하고 스님이 궁금하여 물어보는 데 대해 여전히 그 신사는 '어제는 바다가 울었는데 오늘은 바다가 울지 않는군요'라고 전혀 동문서답을 하는 게 아닙니까? 일상적인 논리의 연결이 아니라 그야말로 선문답이 제시돼 있는 것이지요.

바로 그것입니다. 이 시에서는 스님이 세간의 삶에, 그 무명의 바다에 삐쳐

상투적으로 살아가는 범부의 모습을 하고 있는데 비해 오히려 손님은 출세간의 삶 또는 출출세간으로서 나한이나 보살의 깨달음에 도달해 있는 아이러니를 보여주는 겁니다. 출가했다고 해서 깨달음이 그냥 이루어지는 것도 아니며, 재가라고 해서 무명의 삶·미망의 삶에 얽매여 사는 것만도 아니라는 소중한 깨달음이 제시돼 있다고나 할까요. 아니면 눈에 보이는 세계, 일상적 삶의 방식에만 집착하여 사물의 깊이있는 본질을 꿰뚫어 보지 못하고 살아가는 오늘날 우리의 상투적 삶에 대한 날카로운 풍자를 제기하고 있는지도 모르지요.

선이란 무엇이던가요? 한마디로 고요히 생각함으로써 마음을 닦고, 정신의 순수한 집중을 통해서 인간 존재의 본질을 깨닫는 일이 아니던가요. 아울러 이러한 깨달음을 통해서 '무명의 삶·삶의 온갖 질곡'으로부터 벗어나서 진정한 해탈에 도달하려는 노력, 그 자유에의 길이 아니겠습니까?

이렇게 본다면 이「절간이야기」에서 초로의 신사야말로 올바로 선을 실천하고 있는 분이 아닐런지요. 산간암혈에서 수행한다고 해서 반드시 깨달음을 이룰 수 있는 것은 아닐 겁니다. 오히려 어디에 있으나 반드시 깨달음을 이룰 수 있는 것은 아닐 겁니다. 오히려 어디에 있으나 자신의 삶을 올바로 살고 온갖 탐욕과 노여움, 어리석음을 바라밀이란 무엇이던가요? 바라밀이란 미혹의 이 언덕에서 깨달음의 저 언덕에 이른다는 뜻으로 깨달음의 실천방안인 것이지요. 완전한 자비를 베푸는 것으로서의 보시바라밀, 계율과 교리를 지키는 것으로서의 지계바라밀, 끊임없이 인내하는 것으로서의 통일로서 선정바라밀, 그리고 완전한 지혜에 도달하려는 노력으로서 지혜바라밀 등 육도를 말하는 것이 아니겠습니까? 결국 온갖 세간살이의 미망, 무명계의 미혹을 깨치고 정각에 도달하려는 깨달음의 길을 의미한다고 할 겁니다. 어떻게 이 여섯 바라밀을 성취하느냐 하는 것이 중요하지, 어디에 무엇이 되어 사는 게 무어 그리 대단한 일인가 하는 것이지요.

「절간이야기」 5도 마찬가지이지요. 보화스님과 신도들, 그리고 임제선사를 등장시켜 진정한 깨달음의 길, 삶의 본질을 꿰뚫어 보는 지혜의 소중함을 강조하고 있는 겁니다. 보화스님이 진정 강조한 것은 돈으로 지은 물질의 옷이 아니라 자유로워진 정신으로 지은 마음의 옷인 것이지요. 나아가서 이 지상에서 영원한 옷이란 결국 無라고 하는 옷, 즉 棺 이외에 어떤 게 있겠습니까?

그리고 보면 연작시 「절간이야기」는 세속적 삶의 미망에서 벗어나 자유롭게 살아가려는 노력을 보여주는 데서 참다운 삶의 의미가 드러난다는 깨달음을 담고 있다고 하겠습니다. 온갖 물질만능주의에 눈 멀고 배금주의에 빠져 허우적거리며 살아가는 대다수 오늘날 현대인들에게 진정한 인간해방의 길, 소중한 자유에의 길을 조용히 일깨워준다는 말씀이지요.

사실 한 벌 깨달음의 옷에 바리때 하나면 충분한 것이 바로 우리네 인생이 아니겠습니까?

# 원감선사·1

**숨어 삶**

어지러운 세상 밖에 숨어 살면서
아름다운 산 속에 시름없이 노니나니
소나무 행랑에는 봄빛 한결 고요한데
대나무 사립문은 낮에도 닫혀 있네

**한가할 때**

성질이 깊숙하고 고요함을 좋아해
푸른 산에 몸을 붙여 살고 있나니
세월은 흘러흘러 귀밑털이 하얀데
세상살이 방법은 단한벌 누더기뿐이네

비를 맞으며 솔모종을 옮기고
구름에 싸여서 대사립문 닫는다네

산에 핀 꽃은 금수장막보다 아름답고
뜰앞에 잣나무는 비단휘장이 된다네

고요히 피어오르는 향로연기 마주하고
한가하게 돌다리의 이끼를 바라보네
아무도 와서 내게 아무 것도 묻지 말라
나는 일찍부터 세상과 맞지 않으니

## 푸른 산에 숨어 살면서

원감충지스님은 고려 말기인 13세기 무렵의 승려시인이시죠. 속성은 위씨
이고, 원감은 법호이고 충지는 법명입니다. 열아홉 살에 문과에 장원하여 한
림이 되고 일본에 사신으로 가기도 했죠. 선원사에서 원오국사께 수계하고,
원오국사가 입적하자 그 뒤를 이어 조계 제6세가 되셨답니다. 원나라 세조가
북경으로 청하여 빈주로 모실 정도로 이름이 높았다고도 하지요. 시호는 원
감국사인데, 저서로는 『원감국사가송』한 권이 있고, 시와 글이 『동문선』에
많이 실려 있습니다.

위 시를 읽어보니 무언가 마음이 가라앉는 듯하지 않으신지요. 원감선사의
시에는 선정의 그윽함이 깃들여 있어서 우리에게 청정한 마음, 때묻지 않은
마음의 소중함을 일깨워준다고 하겠습니다. 먼저 "어지러운 세상 밖에 숨어
살면서"에는 속세의 온갖 번잡함을 벗어나서, 자연의 드맑음 속에 깨끗하게
살아가고자 하는 청정심이 잘 드러나 있습니다. "아름다운 산 속에 시름없이
노니나니/대나무 사립문은 낮에도 닫혀있네"라는 구절이 그것입니다. 허욕
이 없음, 노여움이 없음, 혼란된 마음이 없음, 졸음과 게으름이 없음, 의혹이
없음으로서 탐욕, 진에, 도회, 혼면, 의개로서의 다섯 가지 장애를 멀리하고
고요한 마음, 즉 정려를 닦으려는 『대바라밀경』의 마음이 '숨어살음/고요함/

닫혀있음'으로 표현돼 있는 것입니다. 고요 속에 아무것도 하지 않는 것 같으면서도 깊은 정려와 선정이 깃들어 있다는 말씀이지요. 시「한가할 때」에는 이러한 선정의 마음이 더욱 잘 나타나 있습니다. "성질이 깊숙하고 고요함을 좋아해/푸른 산에 몸을 붙여 살고 있나니/세월은 흘러 두 귀밑털이 하얀데/살아가는 방도는 한 벌 누더기 뿐이라네"라는 구절이 그것이지요. 여기에는 시각·청각, 후각·미각, 촉각과 인식능력으로서의 육근을 잘 지키려는 수행심이 표현돼 있는 것입니다. 말하자면 마음을 담백하고 고요하게 하여 흔들리거나 어지럽게 하지 않고, 일을 삼가고 근신하고자 하는 뜻이 새겨져 있다는 말씀이지요. 그러기에 한 벌 누더기 속에서도 만족하고 편안히 거처함으로써 육체를 청정하게 하고, 몸가짐을 삼가는 것입니다. "비를 맞으며 솔모종을 옮기고/구름에 싸여 대사립문을 닫네"에는 이러한 청정심이 잘 묘사돼 있다고 하겠지요. 아울러 "고요히 향로에서 피는 향기 마주하고/한가히 돌다리의 살진 이끼를 바라보네/아무도 내게 와서 무엇을 묻지말라/나는 일찍부터 세상과 맞지 않으니"라는 구절처럼 시끄러운 속세를 떠나서 자연 속에서 삶의 해탈을 이루고자 하는 선정의 그윽함이 펼쳐져 있는 것입니다.

그리고 보면 선사들이 속세를 멀리하여 산속이나 암혈에 은거하는 이유가 스스로 자명해진다고 할 겁니다. 이러한 고요적멸의 세계에서 모든 잡념을 끊고, 선정에 몰입함으로써 마음을 깨끗이 하여 스스로의 지혜를 깨치고자 한다는 말씀입니다. 이러한 과정을 거쳐서 자기해탈을 이룬 다음에 入泥入水로서 보다 크게 중생을 제도할 수가 있기 때문이지요. 스스로에게 깨달음의 빛, 덕의 빛이 흘러넘쳐서 이웃과 사회, 민족과 인류에게 전해질 수 있다는 뜻이 되겠지요.

먼 산 어디메, 그믐달 하나 무심히 어둔 산봉우리 넘어가는 밤입니다.

# 원감선사·2

**한가함에 띄우는 글**

절이 겹겹의 봉우리에 싸였나니
깊고 그윽하기 말조차 어려워라
창을 열며 거기 그대로 산빛이니
문을 닫아도 시냇물소리 그치지 않네

골이 깊어 맑은 날도 오히려 어둑하거니
누각은 높아서 밤이라도 밝기만 하네
대숲바람은 안석 끝에서 일어나는데
소나무 이슬은 추녀 끝에 떨어지누나

온 산이 고요하매 숨어 살기 편안하고
몸이 한가하거니 모든 행동 가쁜하네
피곤하면 때때로 비스듬히 누워서 쉬고
한참 자고 나면 조용히 거닐어 보네

번뇌가 다했거니 기쁨과 슬픔이 없고
찾는 사람 드물거니 배웅, 마중이 적네
배고프면 산나물의 속잎이 부드럽고
목마르면 돌 사이의 샘물이 맑기만 하네

늙고 병근 몸을 부지하려는 것뿐,
원래 道의 뜻을 기르는게 아니었거니
이 가운데 있는 무한한 뜻일랑은
부디 온세상 사람들 이러저러쿵 하지 마시오

## '번뇌가 다했으니 기쁨·슬픔 모두 없어라'

어디선가 밤꽃향기 이슥히 풍겨오는 듯하군요. 그리고 보니 이런 계절엔 문득 그런 시가 한편 생각나기도 합니다.

"밤나무숲 우거진/마을 먼 변두리/새하얀 여름달밤/얼마만큼이나 나란히/이슬을 맞으며 앉아 있었을가/손도 잡지 못한 수집음/짙은 밤꽃 냄새 아래/들리는 것은/천지를 진동하는 개구리소리/유월 논밭에 깔린/개구리 소리//아, 지금은 먼 옛날/하얀 달밤/밤꽃향기"는 가장 자연스런 대자연의 숨결이며 생명의 향내라고 할 수 있지 않을런지요.

시 「한가함에 띄우는 글」에서는 깊은 산속에 숨어 사는 은자의 마음이랄까, 편안하기 그지없는 무위자연의 심정이 느껴지지 않으시는지요? 원감선사의 시는 바로 이처럼 그윽한 은일의 정신이랄까, 선정에 드는 심경이 나타나 있어 우리를 편안하게 해줍니다. 서정성도 빼어난다고 할 거구요.

먼저 첫 연애는 첩첩 산속에 자리잡은 산사의 깊고 그윽한 풍정이 제시돼 있습니다. 그러면서 "창을 열면 거기 그대로 산빛이더니/문을 닫아도 거기에 또 시냇물 소리 들리네"처럼 대조법을 사용해서 그 맑고 청열한 자연 속에 자족하는 자신의 심성을 투영하고 있다고 할 겁니다. '열고/닫음'이라든지, '산빛'과 '시냇물소리'의 대조를 통해 마음을 닦는 모습이 제시된 것이지요.

둘째 연에서도 대조법이 사용되고 있습니다. "골이 깊어 맑은 날에도 오히려 어둑하고/누각이 높아 밤인데도 저절로 환하네"가 그것입니다. 또한 대숲 바람이 생기는 것과 소나무 이슬이 처마 끝에 떨어지는 것이 그것이지요. 어둠과 밝음, 생기는 것과 떨어지는 것을 통해 자연과 만상의 본모습을 비쳐보는 것이라 할 것입니다.

셋째 연에서는 은거의 심정이 드러납니다. "경계가 고요하매 숨어 살기 편안하고/몸이 한가하거니 모든 행동 가뿐하네"라는 구절이 있는 것이지요. 그러기에 넷째 연에서 "번뇌가 다했거니 기쁨·슬픔이 없고/찾는 손님이 드물거니 배웅·마중이 적네"처럼 산무위자연의 편안한 마음속에서 그윽한 선정에 몰입하는 모습이 드러나는 것입니다. 『문수불경계경』에 따르면 선정이란 보통 여덟 가지 착한 행위에 의해 청정해진다고 하지요. 그 여덟 가지란 무엇입니까? 첫째는 늘 아란야(Aranya),즉 깊은 산속 암자나 작은 승방에 살면서 고요히 사유하는 것이지요. 둘째는 여러 사람과 모여서 시끄럽게 떠들고 얘기하지 않음입니다. 셋째는 바깥 대상에 탐심을 갖지 않음이구요. 넷째는 몸이거나 마음이거나 온갖 화려함을 버리는 것입니다. 또한 다섯째는 음식에 대해 욕심을 크게 내지 않는 것이지요. "배고프면 산나물의 속잎이 부드럽고/목마르면 돌사이의 샘물이 맑네"라는 구절이 바로 그런 마음이 아니겠습니까?

여섯째는 집착하는 마음이 없음입니다. 이 시에서 "늙고 병든 몸을 부지하려는 것뿐/원래 도의 뜻을 기름이 아니거니"라는 역설적 표현이 바로 그것입니다. 도를 구하는 일이 바로 선의 수행과정이면서도 스스로 그런 집착마저도 끊어버리려는 모습을 보여주는 것입니다. 일곱 번째는 소란한 말과 글의 수식을 즐기지 않는 것이지요. "그 가운데 있는 무한한 이 뜻 일랑/부디 남들은 이러쿵 저러쿵 하지마시오"라는 마지막 구절 말입니다. 바로 자신의 마음으로 파고들려는 직지심이 담겨 있다고나 할까요. 마지막 여덟째는 남으로

하여금 대신 가르치게 함으로써 성스러운 즐거움을 얻고자 함이지요. 그 옛날 석가세존께서 수보리 등의 성문으로 하여금 『반야경』을 가르친 것과 같이 말입니다. 이 시에서도 스스로 말하지 아니하고 자연에 의탁해서 선정에 든 자신의 마음을 대신 표현하는 것도 그러한 뜻을 담고 있는 게 아닐런지요.

그렇게 보면 이 시는 깊은 자연 속에 묻혀 선정의 그윽함에 몰입하려는 시심을 잘 표현하고 있다고 할 겁니다. 이러한 청정한 선사들의 그윽한 선정의 경지야말로 오늘날 우리들의 혼탁한 마음을 씻어 주는 한 줄기 맑은 샘물이 될 수도 있지 않겠습니까?

# VII.

# 연꽃 만나고 가는 바람같이

# 서정주·1

### 귀촉도

눈물 아롱아롱
피리 불고 가신 님의 밟으신 길은
진달래 꽃비 오는 西域三萬里.
흰 옷깃 염여 염여 가옵신 님의
다신 오진 못하는 巴蜀三萬里.

신이나 삼어줄 걸 슬픈 사연의
올올이 아로새긴 육날 메투리.
은장도 푸른 날로 이냥 베혀서
부즐없은 이 머리털 엮어 드릴 걸

초롱에 불빛, 지친 밤 하늘
굽이굽이 은하 물 목이 젖은 새,
참하 아니 솟는 가락 눈이 감겨서

제 피에 취한 새가 귀촉도 운다.
그대 하늘 끝 호올로 가신 님아.

## 눈물 아롱아롱 피리불고 가신 님아

초 여름밤, 먼 산 모롱이에서 귀촉도 울음소리 아련하게 들려오는 듯합니다. 귀촉도 울음 하면 생각나는 것들이 많지요. 촉공, 두우, 망제혼, 접동새, 두견새, 소쩍새 등 여러 이름으로 불리울 만큼 슬프고도 애통한 한의 사연을 간직한 상징적인 새라고도 하지요. 그러면서 또 귀촉도를 노래한 시인들도 떠오르실 겁니다. "접동 접동 아우래비접동"의 김소월시인도 그렇고요. 또 "눈물 아롱 아롱 피리불고 가신 님의 밟으신 길"의 미당 서정주 시인도 떠오르시겠지요.

서정주시인의 「귀촉도」를 읽어보신 소감이 어떠십니까? 아마도 이 땅에서 미당 서정주 시인을 모르시는 분들은 그리 많지 않을 겁니다. 분단 후 이 땅에서 시인의 대명사라고 할 수 있을 만큼 널리 알려졌고, 주목할 만한 시를 많이 발표하셨었지요. 또 그만큼 화제를 많이 불러일으키기도 하셨구요.

아시다시피 서정주 시인은 1915년 전북 고창태생이시고, 1936년 동아일보신춘문에 시 「벽」이 당선되어 작품 활동을 시작했습니다. 해방 후 오랫동안 동국대학교 국문과 교수로서 수많은 후진을 양성하셨고, 한국문인협회이사장 등 많은 사회활동을 했지요. 시집으로 41년의 『화사』이후 『귀촉도』(1968), 『서정주시선』(1955), 『신라초』(1960), 『동천』(1968), 『질마재신화』(1975), 『떠돌이의 시』(1976) 등을 간행하면서 무려 50년 이상을 이 땅 현대시의 발전을 위해서 힘써오신 분이라고 할 겁니다. 일부에서는 그의 시를 우리시의 정상으로 높이 평가하는가 하면, 또 다른 편에선 그의 시가 관념의 유희 또는 반역사주의에 경사되어 있다고 비판하기도 하였죠. 또 그의 친일훼절이나, 역대 정권과의 밀착으로 인해 뜻있는 이들로부터 호된 비판을 받는 것도 사실이구요. 그렇지만 그가 분단 후 이 땅 최대 시인의 한 사람으로서 시를 통한 민족어의 완성에 진력한 공적을 부인하려는 분은 별로 없으리라고 생각합니다. 특히 미당시인은 현대시인 중에서 불교적 세계관을 시로 형상화하는데 가장 적극적이면서도 뛰어난 성과를 거둔 시인이라고 해도 지나친 말이 아닐 거라고 생각합니다.

시 「귀촉도」는 한국적인 소멸의 미학 또는 불교적인 세계관을 아름답게 형상화하고 있어서 관심을 끕니다. 이 시는 한국적인 애수의 미학 또는 한의 탐미주의를 제시하고 있기 때문입니다. 새 연으로 짜인 이 시는 첫 연에서 님의 떠남(죽음), 둘째 연에서 화자인 '나'의 회환과 탄식, 그리고 셋째 연에서 귀촉도의 한 맺힌 울음으로 각각 구성되어 있다고 하겠습니다. 먼저 첫 연은 이 시가 님과의 영원한 이별, 즉 죽음에 모티브를 두고 있음을 말해 주고 있습니다. "흰옷깃 염여염여 가옵신 님/다시 오진 못하는 파촉 삼만리"라는 구절에는 이 시가 님의 죽음으로부터 비롯됨을 말해 주는 것이지요. 그러면서도 이 비통한 죽음의 이별은 "눈물 아롱 아롱/피리 불고 가신님/진달래 꽃 비 오는" 등과 같이 탐미적인 아름다움의 이미저리로 채색됨으로써 비극적 황홀 감을 성취하고 있는 것으로 이해됩니다.

둘째 연에는 '신발'과 '머리털'로서 님 상실의 비탄과 그 애한을 드러냅니다. 흔히 신발은 죽음 또는 새로운 인생의 표상으로 받아들여진다고 하겠습니다. 다시 오지 못하는 파촉 삼만리, 즉 죽음의 세계로 떠나가신 님에게 살아 생전 다하지 못한 사랑의 한을 신발과 머리털로 표상한 것이지요. "슳은 사연의/올올이 아로색인 육날 메투리" 그 자체가 벌써 눈물과 한으로 얼룩진 인생을 의미하는 게 아닙니까. 생에 관한 비관적인 세계관이 담겨져 있다는 뜻입니다.

더구나 "은장도 푸른 날로 이냥 베혀서/부즐없은 이 머리털 엮어 드릴걸"이라는 탄식 속에는 인생의 허무와 부질없음에 대한 불교적인 깨달음이 깃들

여 있는 것으로 보입니다. 머리털은 흔히 생명적인 힘의 원천 또는 고귀함의
표상으로 이해되는 것이 일반적이지요. 이러한 머리털을 베어서 떠나가 버린
님의 신발을 삼아 주겠다는 시적 진술 속에는 실상 생명을 넘어선 영원한 사
랑의 하소연이 잠재해 있다고 할 겁니다. 이것은 어쩌면 서정주 초기시인 「화
사」에서의 동물적 사랑의 모습과는 상대편에 서는 것인지도 모릅니다. 현세
적이며, 동물적이며, 육감적인 「화사」의 사랑과는 달리 내세적이고, 정신적
이며, 비극적인 사랑의 모습이 「귀촉도」의 그것으로 나타나 있기 때문입니
다. 더구나 여기에 '육날 메투리/은장도/머리털' 등의 한국의 전통적 소재가
등장한 것은 주목할 만합니다. 「화사」의 많은 시들이 '이브/크레오파트라' 등
서구적 풍류에 물들었던 것과는 대조적으로 동양적 감수성이 그 바탕을 이루
고 있기 때문이라고 하겠지요.

셋째 연에는 「귀촉도」와 그의 울음이 등장하여 시의 비극성을 한껏 심화
해 줍니다. 또한 시간 배경이 밤이며 하늘인 것도 상징적이지요. 이것은 「화
사」가 낮이 주가 되며, 땅에서의 사건이 대부분을 차지하는 것과 좋은 대조를
이룬다고 볼 수 있습니다. 이 연은 비관적 세계인식과 정신화된 사랑의 모습
을 암시해 준다는 점에서 의미를 지니는 것이지요. 그러면서도 여기에는 아
직도 피의 냄새가 짙게 배어 있기도 합니다. "제 피에 취한 새가 귀촉도 운다"
라는 구절 등이 그것이지요. 「귀촉도」에는 사랑을 노래하는 데 있어서 아직
피의 이미저리가 그대로 착색되어 있는 것으로 보이는 것입니다. 이 점에서
「귀촉도」는 정신과 육체 사이의 화해의 몸짓을 보여 준 것으로 이해할 수도
있을 것이지요. 그런데 이 셋째 연에서 중요한 것은 <귀촉도>가 단순한 대
상이 아니라, 떠나간 님의 대리 자아이자 한의 상징이 되고 있다는 점일 겁니
다. 귀촉도는 "하늘 끝 호올로 가신 님"의 표상이며, 동시에 님과 나를 연결해
주는 사랑의 촉매이자 한의 상징인 것이지요.

이렇게 볼 때 이 시는 '님의 떠남-나의 회환-귀촉도 울음'이라는 기본 구조

로 짜여 있음을 알 수 있습니다. 아울러 이 시는 사랑의 본질이 비극적인 것에 바탕을 두고 있으며, 나아가서 생의 본질이 허무와 내세적 세계관, 즉 불교적 세계관에 자리 잡고 있다는 깨달음을 반영한 것으로 이해할 수도 있겠지요. 특히 이 시에 '서역'과 같은 불교적 이미저리가 착색된 것은 중요한 일이 아닐 수 없습니다. 한과 허무로서의 사랑과 인생의 불교적인 세계관으로부터 연유한 것으로 이해된다는 점에서 그러할 겁니다. 아울러 이별과 상실이라는 전통적인 사랑의 대위법이 시의 전면에 등장한 것도 새로운 의미를 지니는 것으로 볼 수 있습니다.

어디선가 바람에 풀잎 스치우는 소리가 아련하게 들리는 듯합니다.

# 서정주·2

## 춘향유문

안녕히 계세요
도련님.

지난 오월 단오 날, 처음 만나던 날
우리 둘이서 그늘 밑에 서잇던
그 무성하고 푸르던 나무같이
늘 안녕히 계세요.

저승이 어딘지는 똑똑히 모르지만
춘향의 사랑보단 오히려 더 먼
딴 나라는 아마 아닐 것입니다.

천길 땅밑을 검은 물로 흐르거나
도솔천의 하늘을 구름으로 날드래도

그건 결국 도련님 곁 아니예요?

더구나 그 구름이 쏘내기돼야 퍼부울 때
춘향은 틀림없이 거기 있을거예요!

## 도솔천의 사랑, 영원한 사랑에게

밤바람이 싱그럽기만한 초여름 밤입니다. 문득 "유월의 꿈이 빛나는 작은
뜰을/이제 미풍이 지나간 뒤/감나무 가지가 흔들리우고/살찐 암록색 잎새 속
으로/보이는 열매는 아직 푸르다"라는 월하 김달진 선생의 시「청시」가 생각
나는군요. 온갖 풀이며 나무들 모든 지상의 식물들은 이 계절에 부지런히 생
명작업을 하느라고 너무나도 분주한 듯합니다. 우리도 이처럼 다가오는 가을
의 결실을 위해 이 초여름에 전심전력 노력해야 하지 않을런지요.

서정주 시인의『화사집』에서는 "사향 박하의 뒤안길이다/아름다운 배암
(…)/을마나 커다란 슬픔으로 태어났기에, 저리도 징그라운 몸뚱아리냐"라는
시「화사」즉, 꽃뱀이나 수캐, 능구렁이 등을 통해서 삶의 모순성, 양면성, 원
죄성 등을 묘파한 것이지요. 둘째 시집『귀촉도』에선 "눈물 아롱아롱/피리불
고 가옵신 님의 밟으신 길은/진달래 꽃비 오는 서역 삼만리"와 같이 불교적인
한의 탐미주의를 보여주었다고 할 겁니다. 특히 이 시기는 "잔치는 끝났드라,
마지막 앉어서 국밥들을 마시고/빠알간 불 사루고/재를 남기고//포장을 거드
면 저무는 하늘"이라는 시「행진곡」의 시구처럼 소멸의 미학을 보여주기도
한 것이지요. 그러다가 불혹의 나이인 40대인 1956년에 펴낸 셋째 시집인『서
정주 시선』에서는「국화 옆에서」처럼 식물적인 상상력 또는 생명의 문제를
주로 다루게 됐지요. 식물이나 산 등과 같이 대지로부터 일어섬의 이미지를
획득하게 된 것입니다. "가난이야 한낱 남루에 지나지 않는다/저 눈부신 햇빛
속에 갈매빛의 등성이를 드러내고 서있는/여름 산같은/우리들의 타고난 마음

씨까지야 다 다 가릴 수 있으랴"라는 시「무드등을 보며」도 그 한 예가 될 겁니다.

이 셋째 시집에는 바로 서정주의 시가 땅에서부터 솟아오르기 시작하는 모습이 담겨 있어 관심을 끕니다. "향단아 그넷줄을 밀어라/머언 바다로 배를 내어 밀 듯이/향단아//산호도 섬도 없는 저 하늘로/나를 밀어다오/채색한 구름같이 나를 밀어 올려다오/이 울렁이는 가슴을 밀어올려다오"라는 시「추천사」도 그렇구요. 앞에서 감상한 시「춘향유문」도 그렇습니다. 특히 이「춘향유문」은 드디어 하늘로 올라가서 다시 땅과 연결되는 불교적 윤회의 세계관을 보여주어서 주목되는 것입니다. 드디어 서정주의 시가 지상의 괴로움을 벗어나면서 하늘의 세계, 정신의 세계 또는 내세의 세계와 서로 교감을 이루기 시작했다는 말씀입니다.

시「춘향유문」은「추천사」의 연장선상에 놓여있는 시라고 할 겁니다. 먼저「추천사」에서는 그네(단오)와 나무, 그리고 구름과 하늘의 이미지가 중심이 되어 있습니다. 여기에서 나무는 "무성하고 푸르른 나무"와 같이 생명력과 수직상승의 표상성을 지닌다고 할 겁니다. 그리고 이것은 사랑의 의미를 담고 있는 것이지요. 어쩌면 이것은 그네가 상징하는 상승과 하강이라는 반복운동, 그리고 나무가 표상하는 소멸과 생성이라는 순환법칙이 사랑의 그것과 맞닿아 있는데서 필연적으로 나타나는 게 시적 상관물인지도 모릅니다. 그렇기 때문에 이「춘향유무」에서는 이별이 그 모티브가 되어 있는 것이지요. 춘향과 이도령의 이승에서 사랑이 이별을 맞아 내세로 연결되는 것이지요. 그러나 이 이별은 영원한 것이 아니라 현상적인 것, 순간적인 것에 불과하다는 인식이 드러나 있다 할 겁니다. 그것은 이 시에서의 사랑이 '구름'과 '하늘'이라는 정신적인 것 내지는 영원한 것으로 상승되어 있다는 점에서 그렇다고 하겠습니다. 다시 말해서 이 시에서의 사랑은 이미 육체적인 것, 대지적인 것으로부터 정신적인 것, 천상적인 것으로 상승해 가고 있음으로 해서 영원성을 획득하기 시작한 것으로 보입니다. 특히 요계의 정토인 제4천, 즉 도솔천이라는 불교적 하늘의 이미지가 등장한 것은 중요하다고 하겠지요. 이것은 『서정주 시선』에서의 사랑의 의미가 나무와 그네를 통해서 구름과 하늘로 솟아오르기 시작함으로써 삶의 정신화 내지 정신의 투명화를 획득하기 시작한 것으로 이해되기 때문입니다. 여기에서 고전적인 테마와 불교적인 상상력 및 그 전통적 세계관이 시를 지배하기 시작한 것은 의미심장한 일이 아닐 수 없습니다.

이렇게 볼 때 시 「춘향유문」은 지상에서의 사랑이 하늘의 사랑, 저승에서의 사랑으로 연결되어 불교적 사랑의 영원성을 노래한 시라고 볼 것입니다. 이러한 『서정주 시선』에서의 변모는 어쩌면 "피에 이끌이며, 피에 시달리며, 그것을 달래며 맑히어 나가는" 과정의 한 반영인지도 모릅니다. 실상 『서정주 시선』에 실려 있는 「학」이나 「광화문」 등의 시편들에서도 이러한 생명의 정신화 및 정신의 투명화 지향성을 읽을 수 있으며, 이것들이 불교적 세계관과 고전적 감수성에 맞닿아 있음을 쉽게 확인할 수 있습니다. 「춘향유문」은 「화사」로부터의 획기적 변모를 확인하게 해 주며, 동시에 앞으로의 새로운 변모 가능성을 예견케 해준다는 점에서 의미 있다 할 겁니다.

어디서 배꽃 향기 달빛에 날카로이 빛나는 듯한 밤입니다.

# 서정주·3

**禪雲寺洞口**

선운사 고랑으로
선운사 동백꽃을 보러 갔더니
동백꽃은 아직 일러 피지 않았고
막걸릿집 여자의 육자배기 가락에
작년 것만 오히려 남았읍디다
그것도 목이 쉬어 남았읍디다

**蓮꽃 만나고 가는 바람같이**

섭섭하게,
그러나
아조 섭섭해하지는 말고
좀 섭섭한 듯만 하게,

이별에게,
그러나
아주 영 이별은 말고
어디 내생에서라도
다시 만나기로 하는 이별이게,
蓮꽃
만나러 가는
바람 아니라
만나고 가는 바람같이……

엊그제
만나고 가는 바람 아니라
한 두 철 전
만나고 가는 바람같이……


## 섭섭하게, 좀 섭섭한 듯만 하게

바람 자는 밤하늘에 초생달이 숲 끄트머리에 기울고, 어디 밤뻐꾸기라도 울어예는 듯한 초여름의 한밤입니다. 이처럼 깊은 밤, 천근만근 정적 속에 무연히 잠 못들고 있노라니 문득 쓸쓸한 생각이 드는군요. 그러고 보면 깊은 산 산사에서 산 같은 적막 속에 홀로 용맹정진하고 있을 스님들의 모습이 경건하게 떠오릅니다. 눈섶 끝에 안갯발처럼 어둠을 달고, 어둠 속에 홀로 지혜의 등불 밝히려는 선사들, 그 외로운 허무와의 격투가 새삼 안타까와 보이기도 합니다.

『中部經傳』에 보면 재미있는 비유가 하나 전해져 오지요. 뗏목의 비유 말입니다. 어느 날 세존께서 제자들에게 말씀하셨지요. "손수 만든 뗏목으로 매우 물살이 빠른 강을 건넌 사나이가 있었다. 그는 강을 건너고도 들인 공이 아까웠다. 그래서 그는 뗏목을 짊어지고 갔다. 이 사나이의 행동이 옳은가, 그른

가?" 그러자 한 제자가 답했지요. "뗏목을 두고 가면 다른 사람이 이용할 수 있으나, 지고 가면 고통스런 짐만 될 뿐 무슨 이로움이 있겠습니까?" 세존께서 "그렇다, 버릴 것은 일찌감치 버릴 줄 알아야 하느니라" 하셨다는 겁니다.

저는 살아가면서 이 일화를 자주 떠올립니다. 쓸데없는 것에 부질없이 집착하거나 허욕을 부리는 일이 많기 때문이겠지요. 그러면 이 두 편의 시가 문득 생각나기도 합니다. 선운사 고랑으로 선운사 동백꽃을 보러갔지만, 꽃은 일러 보지 못하고 작년 것만 보고 온다는 내용이 우선 그렇고요. 연꽃 만나러 가는 바람이 아니라, 연꽃 만나고 가는 바람같이 허심탄회한 마음, 욕심과 집착을 버리고 만족 할 줄 아는 지혜의 마음이 느껴지기 때문일 겁니다. 세상만사가 그럴 때가 있지요. 기대하는 마음, 소망이 크면 클수록 그에 비해 번뇌와 고통이 커지는 법이고, 실망이나 좌절 또한 큰 법이 아닙니까? 부질없는 것, 지나친 것을 제대로 버릴 줄 아는 지혜, 청정심의 마음속에서 우리는 평화와 기쁨을 느낄 수 있다는 말입니다.

"섭섭하게/그러나 아주 섭섭해하지는 말고/좀 섭섭한 듯만 하게//이별이게, 그러나/아주 영 이별은 말고/어디 내생에라도/다시 만나기로 하는 이별이게"라는 구절처럼 다소 아쉬운 것, 모자란 듯한데서 만족할 줄 알고 물러설 줄 아는 지혜와 결단이 참으로 필요한 것이라는 뜻입니다. 세상을 살다보면 지나친 욕심 때문에, 헛된 야망 때문에 스스로를 망치고 세상을 어지럽히는 사람들이 어디 한 둘입니까? 분단 후 이 땅에서만 하더라도 몇몇 집권자들의 지나친 야욕 때문에 스스로를 망신하고, 나라마저 곤경에 빠뜨린 경우가 되풀이해서 잊지 않았습니까? 진정한 깨침, 올바른 불심이 없었던 것이지요. "연꽃/만나러 가는/바람 아니라/만나고 가는 바람같이/엊그제/만나고 가는 바람 아니라/한 두 철전/만나고 가는 바람같이"라는 구절 속에는 그러한 탐욕과 허욕을 버리고 참된 깨달음, 올바른 부처의 마음에 이르고자 하는 청정한 소망이 담겨 있다고 할 겁니다.

거울의 때를 닦아내면 자기의 본 모습이 잘 보이듯이, 허욕을 버리고 마음을 비우면 참된 도를 깨우칠 수 있다는 깨달음이 깃들여 있다는 말씀입니다.

# 조지훈·1

## 승무

얇은 紗 하이얀 고깔은
고이 접어서 나빌네라.

파르라니 깎은 머리
薄紗 고깔에 감추오고

두 볼에 흐르는 빛이
정작으로 고아서 서러워라

빈 臺에 黃燭불이 말없이 녹는 밤에
오동잎 잎새마다 달이 지는데

소매는 길어서 하늘은 넓고
돌아설 듯 날아가며 사뿐이 접어올린 외씨 보선이여.

까만 눈동자 살포시 들어
먼 하늘 한 개 별빛에 모두오고

복사꽃 고운 뺨에 아롱질 듯 두 방울이야.
세사에 시달려도 번뇌는 별빛이라.

휘여져 감기우고 다시 접어 뻗는 손이
깊은 마음속 거룩한 合掌인 양하고

이밤사 귀또리도 지새는 三更인데
얇은 紗 하이얀 고깔은 고이 접어서 나빌레라.


## 세사에 시달려도 번뇌는 별빛이라

먼 들녘 어디선가 아카시아 향기가 날카롭게 풍겨오는 듯합니다. 이런 고즈넉한 밤이 되니 "처마끝 곱게 늘이운 주렴에 半月이 숨어/아른아른 봄밤이 두견이 소리처럼 깊어가는 밤//나는 이밤에 옛날에 살아/눈감고 거문고줄 골라보리니/가는 버들인양 가락에 맞추어/흰 손을 흔들어지이다"라는 조지훈 시인이 생각나는군요. 자연과 생명의식에 바탕을 두고 온고이지신이랄까 고전적인 정감을 주로 노래하면서도 사회와 역사의식을 형상화하던 그 시인 말씀입니다.

조지훈 시인은 새삼 소개가 필요 없을 정도로 널리 알려진 분이시지요. 1920년 경북 영양에서 태어나 혜화전문에서 공부하셨지요. 1939년에 「고풍의상」이 정지용에 의해 『문장』지에 추천되어 문단생활을 시작하셨습니다. 박목월·박두진과 더불어 세 시인이 1946년 『청록집』을 내어 청록파로 불리게 되었지요. 한 때 오대산월정사 불교 전문강원 강사로 일하기도 하였지만요. 1948년 이후로는 주로 고려대 국문학교수로서 「시론」등을 강의하면서 후진을 양성하다가 1968년 48세를 일기로 작고하신 분이시지요. 선생께서는 시집 『풀잎단장』등을 펴낸 분단 이래 남쪽의 최대시인의 한사람이면서 수많은 시인과 학자를 길러낸 교육자이시고, 동시에 『한국문화사설』등 역저를 펴낸 탁월한 한국학학자였다고 할 겁니다.

말하자면 지사형 학자이고, 교육자이자, 문인이었던 셈이지요.

시 「승무」는 오랫동안 국정교과서에도 수록됐었기 때문에 더욱 널리 알려진 작품입니다. 지훈의 데뷔작이자 출세작인 셈이지요. 원래 승무란 불교의 식에서 승무복을 입고 범패가락에 맞춰 추는 춤을 일컫는 것이지요. 특히 춤이 고조되었을 때 법고를 치는데, 이것은 수행과정에서의 고통과 번뇌를 잊으려는 몸부림을 반영한다고 하지요. 말하자면 온갖 세속과 신성사이의 번뇌를 초극하려 노력하는 것입니다.

대체로 이 시는 "두 볼에 흐르는 빛이/정작으로 고와서 서러워라"까지의 첫째 연, 그리고 "세사에 시달려도 번뇌는 별빛이라"까지의 둘째 연, 그리고 끝행 "얇은 사 하이얀 고깔은 고이 접어서 나빌레라"까지의 세 연으로 나눠볼 수 있습니다.

먼저 첫째 연에는 승무자의 모습이 묘사돼 있지요. "하이얀 박사고깔/파르라니 깎은 머리/두볼"과 같이 승무자의 상체 머리 부분이 잘 묘사돼 있습니다. 특히 여기에서 승무자는 "두볼에 흐르는 빛이/정작으로 고아서 서러워라"처럼 비교적 젊은 여성, 즉 비구니로 나타나 있지요. 그러면서 '나빌레라/서러워라' 등처럼, '~러라'라는 운치 있는 시적 종지법을 활용해서 멋을 더해줍니다.

둘째 단락에서는 시적 배경이 제시되면서 승무의 동작이 구체적으로 펼쳐집니다. 시의 배경은 "빈 대에 황촉불이 말없이 녹는 밤에/오동잎 잎새마다" 정적이랄까 불교적인 선미가 그윽하게 깔려있는 것입니다. 여기에 소매와 외씨보선을 통해서 춤추는 동작이 묘사됩니다. "소매는 길어서 하늘은 넓고/돌아설 듯 날아가며 사뿐히 접어올린 외씨보선이여"라는 구절이 그것이지요. 유장함과 급박함이 교차되는 승무의 동작미를 연출하고 있는 것입니다. 이점에서 분위기의 정적미와 함께 승무동작의 동작미가 서로 얼크러져 갈등과 오뇌의 분위기를 형성한다고 하겠지요. 아마도 이러한 정적미와 율동미의 교차 속에는 바로 신성과 세속, 또는 정신과 육신간의 갈등이 내재돼 있다고 할 수 있을 겁니다. 실상 "복사꽃 고운뺨에 아롱질 듯 두방울이야/세사에 시달려도 번뇌는 별빛이라"라는 구절은 신성사와 세속사 사이의 갈등에서 오는 번뇌와 그 초극의지를 형상화한 것이라고 할 수 있기 때문입니다. 세속사에 대한 미련과 헛된 욕망을 끊어버리려 하면서도 그것이 잘 끊어지지 않는 데 대한 괴로움이 "아롱질 듯 두 방울"의 눈물로 표현된 것이지요. 말하자면 '煩惱無盡誓願斷'으로서 사홍서원의 煩惱斷, 즉 번뇌를 이겨내라는 데에 대한 안타까운 갈망이 드러난 것입니다. 그렇지만 끝내 한줄기 눈물을 통해 고뇌와 참회의 순간을 겪으면서 번개처럼 일순간에 깨달음 또는 초극이 이루어진다고 하겠지요. 세속사의 온갖 번뇌, 육신의 질곡으로부터 벗어나고자 하는 초극의지 또는 자유로운 정신의 해탈을 얻고자 하는 끈질긴 갈망의 재동작이 펼쳐집니다. "휘어져 감기우고 다시 접어서 뻗는 손이/깊은 마음 속 합장인양하고"라는 구절은 수행과 구도에 대한 새로운 각오가 담겨져 있는 것이지요.

이렇게 보면 이 「승무」는 번뇌의 초극이나 해탈을 성취한 완성의 시, 해탈의 시라고 하기는 어려울 듯싶습니다. 그러한 세속적인 질곡 속에서 신성사적인 해탈을 갈망하는 구도의 시, 갈망의 시라고 볼 수 있을 겁니다. 온갖 육신의 미망, 지상의 질곡으로부터 벗어나서, 자유로움으로서 붙타의 세계, 해탈에 이르고자 하는 갈망과 희원을 담고 있는 것이지요. 아울러 이 시는 전통적인 사찰 건축에서 보이는 추녀 곡선의 미, 소매와 보선에서 나타나는 곡선의 아름다움이 잘 형상화된 것도 기억할 만하다고 할 겁니다.

# 조지훈·2

## 낙화·1

꽃이 지기로소니
바람을 탓하랴.

주렴밖에 성긴 별이
하나 둘 스러지고

귀촉도 울음 뒤에
머언 산이 다가서다.

촛불을 꺼야 하리
꽃이 지는데

꽃 지는 그림자
뜰에 어리어

하이얀 미닫이가
우런 붉어라.

묻혀서 사는 이의
고운 마음을

아는 이 있을까
저허하노니

꽃이 지는 아침은
울고 싶어라.

## 낙화·2

피었다 몰래 지는
고운 마음을

흰무리 쓴 촛불이
홀로 아노니

꽃 지는 소리
하도 가늘어

귀 기울여 듣기에도
조심스러라

杜鵑이도 한목청
울고 지친 밤

나 혼자만 잠 들기
못내 설어라.

## '꽃이 지기로서니 바람을 탓하랴'

먼산에 아롱아롱 두견이 우는 계절입니다. 어느덧 봄철도 막바지에 이르렀습니다. 이제 봄꽃들은 거의 다 떨어져 옛 향기의 자취만 남기고 어디론가 숨어가고 있지요. 마치 이 세상에 살아가던 수천수만 사람들이 세월이 지나면서 모두가 지상을 떠나 어디론가 사라져 가버렸듯이 말입니다. 그래서 그런지 문득 "오월 어느날 그 하루 무덥던 날/떨어져 누운 꽃잎마저 시들어버리고는/천지에 모란은 자취도 없어지고/뻗쳐오르던 내 보람 서운케 무너졌느니/모란이 지고말면 그 뿐 내 한 해는 다 가고 말아"라는 영랑의 시구가 가슴에 다가오는 듯싶습니다.

새봄이 마무리돼가는 이즈음 조지훈의 시 「낙화」를 한번 감상해 봅니다.

이 「낙화」를 읽어보니 새삼 지나간 봄날 그리도 화사하게 피어났다가 어디론가 사라져간 그 꽃들이 새삼 눈앞에 아롱거리지 않으시는지요.

조지훈 시의 미학은 다양한 감각을 사용해서 심미적, 서정적 아름다움을 유발하고, 여기에 생명의 숨결을 불어넣는 데서 찾을 수 있을 듯합니다. 그리고 그러한 내용들이 규칙적인 행과 연구성을 통해 구조적인 안정감을 확보하고 있는 것도 돋보이지요. 아마도 이것은 한시나 시조 등 전통적인 흐름에 영향을 받은 것일시 분명합니다. 말하자면 시어의 서정성과 탐미성, 그리고 시적 구조의 안정성은 지훈의 한시적 교양과 훈련에서 체득된 것으로 보인다는 말씀이지요. 무엇보다 지훈의 시는 우리시의 중요한 특성이라고 할 소멸의 미학을 추구하고 있어서 관심을 끕니다. 사라져가는 것으로서의 자연사, 소멸해가는 것으로서의 인간생명의 애잔한 아름다움을 노래하고 있는 것이지요.

먼저 「낙화」 1에는 이러한 지훈시의 특징이 잘 드러나 있습니다. 먼저 이 시는 "꽃이 지기로서니/별이 하나 둘 스러지고/촛불을 꺼야하리/꽃 지는 그림자/꽃이 지는 아침" 등과 같이 '떨어지는 것, 그러지는 것, 사라져가는 것' 등

낙하의 상상력 또는 소멸의 시학이미지, '바람'이라는 청각·촉각이미지, '귀촉도 울음'이라는 청각이미지, '하이얀 미닫이 우련 불어라'와 같은 시각이미지가 공감각적으로 함께 결합되어 서정적인 아름다움을 돋워 주는 것이지요. 그러면서 "묻혀서 사는 이의/고운 마음을/아는 이 있을까 저허하노니"처럼 은자의 사상, 은일의 정신을 애잔하게 드러내 주는 것입니다.

「낙화」 2도 마찬가지입니다. "피었다 몰래 지는/고운 마음을/흰 무리 쓴 촛불이 홀로 아느니/꽃지는 소리 하도 가늘어" 등과 같이 사라지는 것에 대한 안타까움과 애잔한 그리움을 노래하고 있는 것이지요. 특히 이 시에서는 "꽃지는 소리/하도 가늘어/귀 기울여 듣기에도/조심스러라"에서처럼 미세한 감각으로서 미시적 상상력이 발휘되고 있는 점도 주목할 만합니다. 섬세하면서도 아름다운 감각, 다소 애상적이면서도 부드러운 가락이 함께 어울려서 풀꽃 하나라도 소중하게 생각하는 불교적인 자비사상 또는 생명사상을 잘 형상화한 것입니다. 아울러 「낙화」 1에서 "묻혀 사는 이의 고운 마음을/아는 이 있을까/저허하노니"처럼 여기에서도 "피었다 몰래 자는/고운 마음을"과 같이 겸허하고 청정한 은둔의 사상을 드러내고 있는 것이지요.

사실 이 시 「낙화」에서 '피었다가 몰래 지는 꽃'이란 결국 이 지상 어디에선가 생명을 받아 태어났다가 이슬처럼 사라져가는 사람들의 모습을 암시하는지도 모르지요. 풀꽃 같은 생명, 초로와 같은 인생에 대한 따뜻하면서도 섬세하고 깊이 있는 사랑을 표현한 데서 이 시의 의미가 드러난다고 할 겁니다.

어디선가 마지막 남은 봄꽃 몇 잎이 바람에 흔들리는 모습이 보이는 듯한 깊은 밤입니다.

# 조지훈·3

## 古寺·1

大魚를 두드리다
졸음에 겨워

고오운 상좌아이도
잠이 들었다.

부처님은 말이 없이
웃으시는데

西域 萬里길
눈부신 노을 아래
모란이 진다.

## 古寺·2

大蓮꽃 향기로운 그늘아래
물로 씻은 듯이 조약돌 빛나고

흰 옷깃 매무새의 구층탑 위로
파르라니 돌아가는 新羅千年의 꽃구름이여

한나절 조찰히 구르던
여흘 물소리 그치고

비인 골에 은은히 울려 오는 낮 종소리.

바람도 잠자는 언덕에서 복사꽃잎은
종소리에 새삼 놀라 떨어지노니

무지갯빛 햇살 속에
의회한 丹靑은 말이 없고……


## 눈부신 노을아래 모란이 진다.

머언 산사 어디선가 실바람에 풍경 소리 은은하게 묻어오는 듯한 밤입니다. "빈 절은 문이 닫혀 적적한데/낙화는 석자나 쌓였어라/동풍은 오락가락/달빛은 사라의 마음을 에이는구나//꽃지도록 스님은 두문불출한지 오래인데//봄을 찾아온 객은 돌아가지 않누나/바람은 둥우리 속 학의 그림자를 흔들고/구름은 홀로 앉아 선정에 든 스님의 옷길을 적시네"라던 서산대사 시의 「옛 절을 지나며」가 문득 떠오르는군요.

어떻습니까? 그 옛날 서산대사의 시정신과 오늘의 지훈의 그것이 서로 혈연적인 맥락을 지니고 있는 것 같지는 않으십니까? 그것은 아마도 선미랄까 하는 고전적인 정적미, 또는 진·선·미 합체에 의한 불교적 멋의 한 구현이라고 할 수 있을 겁니다. 지훈은 그의 저서인 『멋의 연구』에서 멋을 '진리발견의 의지와 선의지를 미의식으로 이끌어올림으로써 진·선·미가 함께 합체되어 어울림의 아름다움을 빚어내는 것'이라고 정의한 바 있지요.

바로 이 시「고사」즉, '옛절'에는 이러한 선미랄까 정적미 또는 불교적인 멋스러움이 잘 표현돼 있다고 할 겁니다. 먼저「고사」1에서 기본시상은 "목어를 두드리다/상좌 아이도 잠이 들었다/부처님은 말이 없이/웃으시는데/눈부신 노을아래/모란이 진다"처럼 동작적인 것과 정지적인 것의 조응이 빚어내는 아름다운 울림에 있다고 하겠습니다. 고오운 상좌아이가 암시하는 천진무구함 또는 선의 의지, 부처님의 미소가 뜻하는 자비의 마음과 불교적 진리의 빛, 그리고 눈부신 노을에 한잎 두잎 떨어지는 소멸의 심상들이 서로 어울려 아름다운 서정적 울림을 빚어내는 것이지요. 특히 여기로 어울려 아름다운 서정적 울림을 빚어내는 것이지요. 특히 여기에서 '말이 없음'으로 표상되는 不立文字 또는 적멸의 세계와 "눈부신 노을아래/모란이 진다"로 나타나는 서정적 자연의 대조 속에는 조화스런 모습이 간결하게 함축돼 있는 것입니다. 말 그대로 설명하느라고 헛되이 시간을 낭비하거나 장황하게 둘러대지 않는 것으로 선의 참모습을 아름답게 구현하고 있는 것이라고 하겠지요.

「낙화」2도 마찬가지이지요. "목련꽃 향기로운 그늘아래/물로 씻은 듯이 조약돌/빛나고//한나절 조찰히 구르던 여흘 물소리 그치고/비인 골에 은은히 울려오는 낮종소리"와 같이 자연스러움 또는 어울리는 것으로서 선감각이 잘 드러나 있는 것입니다. "바람도 잠자는 언덕에서 복사꽃잎은/종소리에 새삼 놀라 떨어지노니//무지개빛 햇살 속에/의희한 단청은 말이 없고"처럼 선정의 그윽함이 스며들어 있는 것입니다.

그리고 보면 지훈의 시는 대자연에 대한 미시적 응시를 통하여 생명 하나에 대한 깊고 그윽한 사랑을 노래하는데 집중돼 있다고 할 겁니다. 아울러 사라져가는 것으로서의 생명, 소명해가는 것으로서의 삼라만상에 대한 무한한 관심과 애정을 선감각과 멋의 아름다움으로 형상화하는데 한 시범을 보여준 것이지요.

이러한 조지훈의 자연에 대한 응시, 생명에 대한 사랑이 훗날 분단상황하에서는 차츰 사회와 역사로 상승하여 사회의식, 역사에의 참여로 옮겨간 것은 잘 알려진 일이지요.

먼 들녘 어둠 속에서 한줄기 바람에 나무며 풀잎들이 조찰히 몸을 씻고 있는 모습이 보이는 듯합니다.

# Ⅷ.

# 빛살이란 안과 밖이 모두 없어서

# 묵암선사

## 봄을 즐기며

이슬맺혀 꽃잎마다 눈물이요
바람은 불어서 대숲을 휩쓰누나
푸른 버들 날리는 풀밭언덕
진종일 홀로 앉아 거울 닦는 저 늙은이

## 빛살이란 안과 밖이 모두 없어서

빛살이란 안과 밖이 모두 없어서
바람과 달빛 온누리에 가득 차도다
모양따라 나뉘어 길거나 짧기도 하고
어느 때는 굽어졌다 때로 펴지네
모두 풀면 저 허공도 비좁다지만
거두어 다시보면 티끌 속도 허공이로다
깨달음이란 본시 「그대와 나」 차별없거니
어찌 감히 사사로움 용납하리요

# 홀로 앉아 거울 닦는 저 늙은이

어디선가 어둠 속에 외로운 사람의 한숨소리, 아픈 사람의 신음 소리가 들려오는 듯한 밤입니다. 아마 깊은 밤에 잠 못이루는 일만큼 괴로운 일도 없을 겁니다. 어느 먼 산 산사 근처 숲속에 이름 모를 산새 한 마리가 잠 못이루고 구슬피 울어대는 것도 그러한 무슨 애절한 사연이 있어서 그런 거나 아닐런지요. "누가 눈뜨고 있는가/누가 눈물없이 울고 있는가/이 한밤에//어둠 속 마른 나뭇가지 사이/지나가는 바람소리/가늘한 쇳소리//또렷하게 반짝이는 별하나 보인다/바람에 떨고 있는 별 하나 보인다//누가 눈뜨고 있는가/누가 눈물없이 울고 있는가/이 한밤에"라는 정한모 시인의 시가 새삼 생각나기도 하는군요. 그리고 보면 이러한 슬픔과, 외로움, 고통과 좌절도 모두 우리가 어쩔 수 없이 감내해야 할 자기 스스로의 운명의 몫이 아닌가 싶습니다. 너무 절망하거나 비탄하지 말고 그러한 고통도 뜨겁게 껴안은 자세가 또한 필요하지 않을런지요.

어떻습니까? 이 묵암선사의 시들은 비교적 이해하기가 어려운 면이 있으실 겁니다. 기성적인 사고의 굴레나 인식의 틀을 뛰어넘은 심화한 표현 때문에 그렇지요.

이 시를 쓰신 묵암최눌스님은 이조 숙종조의 시인이지요. 열아홉살에 조계의 풍암스님에게 경을 배우고는 여러 곳의 높은 스님들을 두루 찾아다니며 공부했습니다. 선교 양쪽에 두드러진 깨달음과 업적을 보여주셨지요. 앞의 시 외에도 "버들 눈썹 바람일어 마음가지 혼들고/골마다 구름피어 거울에 흙 비온다/파도 이는 겉모습 좇아 해매지 말라/삼라만상 낱낱이 내 그림자 아니더냐"라는 「제야음」이라는 선시가 널리 알려져 있는 분입니다. 정종 14년인 1790년 조계산 보조암에서 세수 74세로 조용히 입적하셨지요.

먼저 시 「봄을 즐기며」에는 대자연의 풍정이 묘사되면서, 그 대자연의 거울에 인간의 삶을 비춰보고자 하는 자아성찰의 뜻이 담겨 있습니다. "이슬 맺혀 꽃잎마다 눈물이요/바람은 불어서 대숲을 휩쓰누나"라는 구절에는 이슬과 바람으로서 모든 존재의 덧없음을 비유하고 있는데요. 자연에다가 자연스럽게 삶의 본모습을 투영시킨다는 말씀입니다. 그러면서 이 시의 핵심이 제시됩니다. "진종일 홀로 앉아 거울닦는 저 늙은이"라는 결구가 그것이지요. 말하자면 대자연이라는 거울 속에 자신의 모습을 비춰보면서 진정한 자아, 참된 삶의 본성을 탐구한다는 말씀입니다.

시 「빛살이란 안과 밖이 모두 없어서」는 보다 완숙하고 깊이 있는 비유를 보여줍니다. 여기에서는 빛과 그림자의 상징이 중요하다고 하겠습니다. 빛이란 무엇입니까? 그것은 삶과 세계를 비추어주는 거울과 같은 모습이라 할 겁니다. 빛은 온 세계를 다 비춰서 삼라만상의 온갖 자취를 바라볼 수 있게 만들어 주는 것이지요. 그렇지만 빛은 어둠에 의해서만 그 존재가 드러납니다. 빛과 어둠이란 모든 삼라만상의 본질적인 양측면이라고 할 수 있다는 말씀입니다. 어둠이 있기에 빛이 돋보이고, 빛이 있기에 어둠은 비로소 어둠이 되는 것이지요. 그러기에 빛과 어둠은 모순의 존재이면서 상호보완의 존재로서 서로 표리를 이룬다는 말씀이지요. 그렇지만 이 밝음과 어둠, 또는 빛과 그림자도 결국은 모두 공한 것일 뿐입니다. 만상은 빛과 어둠 속에 존재하지만 그것들로 결국은 허공 속으로 사라져갈 것이 분명하다는 뜻입니다. "거두고 다시보면 티끌 속도 허공이다/이것 본시 그대와 나 차별없거니/어찌 감히 사사로움 용납하리요"라는 구절 속에는 삼라만상이 모두 공한 것일 뿐이라는 깨달음이 담겨 있는 것입니다. 바로 이처럼 남이 미처 보지 못하는 빛의 안과 밖을 꿰뚫어 볼 수 있었던 데서 묵암스님의 혜안이랄까 선적직관이 돋보인다고 할 수 있지 않겠습니까?

선 수행의 한 목적은 사물의 본질을 올바로 꿰뚫어 볼 수 있는 새로운 눈을 얻는 데 있는 게 아닙니까? 바로 이처럼 묵암선사의 선시는 '이다'·'아니다'라거나, '좋다'·'나쁘다', 또는 '너와 나'라는 논리적인 양분법 또는 이원론 꿰뚫어 보면서 새로운 정신의 열림을 보여준 한 예가 된다고 하겠습니다.

# 오세영·1

**님은 가시고**

님은 가시고
꿈은 깨었다.

뿌리치며 뿌리치며 사라진 흰 옷,
빈 손에 움켜쥔 옷고름 한 짝,
맺힌 인연 풀 길이 없어
보름달 보듬고 밤새 울었다

열은 내리고
땀에 젖었다

휘적휘적 사라진 님의 발자국,
江가에 벗어 논 헌 신발 한짝,
풀린 인연 맺을 길 없어

초승달 보듬고 밤새 울었다.

베갯머리 놓여진 약탕기 하나,
이승의 봄밤은 열에 끓는데,
님은 가시고
꿈은 깨이고.


## 고·집·멸·도, 강물은 몇천리

어느새 달이 바뀌어 유월이 되었습니다. 이제 곧 초여름의 열기가 온 세상의 만물들을 풍성하게 가꾸어 주지 않겠습니까? 그러고 보니 유월을 노래한 서양시가 한 편 생각나는 군요. "유월이 오면 그때 온종일 나는/향긋한 건초 속에 그리운 님과 마주 앉아/산들바람 부는 하늘에 흰 구름이 지어놓은/눈부시게 드높은 궁전을 바라보려네/그녀는 노래 부르고 나는 노래 지어주고/아름다운 시를 온종일 읽어보려네/남몰래 우리집 건초더미 속에 누워 있을 때/오! 인생은 즐거워라/유월이 오면"이라는 R.브리지즈의 시「유월이 오면」이 바로 그것입니다. 그만큼 유월은 모든 만물이 생명의 열기로 풍성해져서 전성기에 이른다는 뜻이 담겨 있다고 할 겁니다.

오세영 시인은 전남 영광출생이고 서울대 국문과와 대학원을 졸업하고 1967년 현대문학을 통해 등단하여 활약하고 있는 중진시인의 한 분이시지요. 특히 오세영시인은 시집『무명연시』,『가장 어두운 날 저녁에』,『사랑의 저쪽』등을 펴내는 한편『한국낭만주의시연구』등 무게 있는 시연구를 함께 진행해 가고 있는 시론가이기도 하지요. 지금은 서울대 국문과 교수로 재직하면서 불교적인 내용에 기반을 둔 서정시를 주로 창작하고 있는 시인이십니다.

이 시가 실린 시집『무명연시』는 84편의 시가 기·승·전·결의 구성으로 전개되고 있는 연작시집인데요. 이 기·승·전·결은 춘·하·추·동이라는 4계절의 순환구조와 서로 맞물려 있다고 할 겁니다. 낭송한 시는 바로 84편의 첫 편, 즉 기부분에 해당하지요. 이 시에서 "님은 가시고/꿈은 깨었다"라는 시집의 첫 구절은 "화로에 불을 지핀다/빈 방 섣달 하순 어두운 밤/기다려도 그대는 오지를 않고/뒷문 밖에는 눈오는 소리/갈잎소리/빈 방 섣달 하순 어두운 밤/그대의 찬 손 녹여 주려고/빈 가슴에 지피는 외로운/불"이라는 끝시「화로」의 내용으로 연결되는 것이지요. 말하자면 이 시집은 '님이 떠남·님이 떠난 후의 외로움·고통·허무의 깨달음·님이 올 것을 믿고 기다림'이라는 기·승·전·결 구조를 지니고 있는 것입니다. 그러고 보면 이 시집의 기·승·전·결 구조는 불교에서 말하는 고·집·멸·도의 四諦를 반영하고 있는 게 아닐까 생각되는군요. 4제란 과연 무엇입니까? 4제란 四聖諦라고도 하는 불교의 성스러운 네 가지 진리를 일컫는 것이지요. 석가세존께서 처음 깨달아 다섯 비구를 상대로 한 첫 설법에서 제시하신 불교의 교리랄까 골격 말입니다.

그것은 첫째 苦諦라고 하지요. 인생은 고통이라고 하는 진실 말입니다. "태어나는 것은 고다, 늙는 것은 고다. 병은 고다. 죽는 것은 고다. 그 모든 인생의 모습은 고다"라고 하는『雜阿含經』말씀대로 온갖 삶은 모두 괴로움이다라고 하는 부처님의 인생에 대한 총결론인 셈이지요.

그러면 이러한 괴로움의 원인은 무엇인가요. 그것이 바로 두 번째 集諦라고 하는 것이지요. 이러한 괴로움은 바로 번뇌·망집이 모여서 일으킨 집착이라는 깨달음인 것입니다. 미망과 집착에서 벗어나지 못하기에 괴로울 수밖에 없는 것입니다. 그러기에 여기에서 벗어나려고 세 번째 滅諦가 생기는 것이지요. 멸제란 괴로움의 원인인 온갖 미혹과 집착을 없애야 한다는 진실인 것입니다. 말하자면 집착을 완전히 끊어 없애버림으로 고를 멸한 때가 궁극적 이상경이라는 뜻이지요. 그러면 어떻게 이것들을 없앨 것인가요? 그래서 생겨난 것이 네 번째 道諦이지요. 말하자면 고가 없는 열반경에 도달하기 위하여 수행해야 하는 팔정도의 길을 의미하는 것입니다. 즉 8정도란 바르게 사제의 도리를 보는 정견, 바르게 사제의 도리를 사유하는 正思惟, 바른 말을 하는 정언, 바로 행동을 하는 정업, 바른 생활을 하는 정명, 수도에 힘쓰는 정정진, 정도를 마음에 두어 사념이 없는 일로서 정념, 바른 정진 통일에 들어가는 正定 등 여덟 가지 수양덕목을 일컫는 것이지요.

이처럼 시집 『무명연시』는 우리들의 존재의 밑바닥에 깔려 있는 근본적인 무지, 또는 어둠으로서의 무명에 사로잡히기 쉬운 사랑을 통해서 삶의 고통을 맛보고 그 속에서 해탈을 이루려는 뜻을 노래한 시집이지요. 그러기에 시「님은 가시고」에서는 사랑의 번뇌, 번뇌의 열병을 노래하고 있는 것입니다. "보름달 보듬고 밤새 울었다/초승달 보듬고 밤새 울었다"처럼 생성과 소멸, 충만과 소실을 통해서 끊일 줄 모르는 사랑의 오뇌를 안타까워한다고 하겠지요. 특히 '님은 가시고/꿈은 깨이고'에서는 사랑의 좌절에서 오는 고통과 절망을 노래한 것입니다. 사랑은 '님이 가심'으로 해서 번뇌가 없어지는 게 아니라 오히려 큰 오뇌가 시작되는 것이라는 말씀입니다. 바로 이러한 님과의 이별을 통해 시작되는 것이라는 말씀입니다. 바로 이러한 님과의 이별을 통해 시작되는 번뇌의 아픔을 이 시는 노래하고 있는 것이지요. 바로 이처럼 이 시는 사랑의 오뇌와 슬픔을 불교적인 가락으로 노래한 데서 그 특징이 드러난다고 할 겁니다.

# 오세영·2

## 소금밭

부처를 만나면 부처를 죽이고,
아버지를 만나면 아버지를 죽이고,
꽃을 죽이고, 꽃인 아내를 죽이고,
부처를 찾아서, 아버지를 찾아서,
꽃을 찾아서,
이승의 소금밭을 헤매고 있다.
부처를 만나면 부처를 죽이고,
아버지를 만나면 아버지를 죽이고,
꽃을 죽이고, 꽃인 아내를 죽이고,

## 강물은 몇 천리

나룻배 한 척
빈 강변 모래밭에 매여 있다.

철없는 어린 것이 잠들어 있다.
보리수 그늘 아랜 꽃잎 두어 닢,
물결에 실려 흔들려 가고
깊은 잠 흘러흘러
江물은 몇천리,
귀먼 사공은 돌아간 지 오래인데
여어이, 여어이,
갈대밭 彼岸에선 갈바람 소리

## 진정한 나, 깨달음의 나를 찾아서

초여름에 접어들어선 지 어디선가 바람결에 묻어오는 신록의 향기가 물향기처럼 청신하게 느껴집니다. 새봄에 활짝 피어나는 꽃의 향기도 좋지만요, 사실은 초여름의 신록이 뿜어내는 싱그런 향기야말로 생명의 향기와 열기를 담고 있는 것 같아서 깊은 맛이 느껴지기도 하지요.

앞에서는 오세영시인의 시 「님은 가시고」를 살펴보았는데요. 얼핏 보기에 사랑을 노래한 단순 서정시 같은데도, 그 속에 불교적인 형이상학이 담겨 있어서 관심을 끌었지요. 이번엔 오시인의 「강물은 몇천리」, 「소금밭」을 통해 그러한 불교적 인생관을 살펴보겠습니다.

먼저 「강물은 몇천리」에는 강과 나룻배, 어린아이와 잠, 보리수와 꽃잎, 그리고 갈대밭과 갈바람 소리 속에 불교적인 생의 인식이 담겨져 있다고 하겠습니다. 특히 나룻배 한 척과 강물에는 삶의 두 본질적인 측면이 표상돼 있다고 하겠지요. 나룻배는 흔히 인간 존재를 표상하지요. 고생스런 삶의 바다, 즉 중생고해를 노질해가는 가엾은 존재의 모습을 담고 있는 것이지요. 그런데 여기에서는 배가 "나룻배 한 척/빈 강변 모래밭에 매어 있다"처럼 묶여있음의 존재, 다시 말해 구속의 존재로 나타나 있습니다.

아울러 "보릿 그늘 아랜 꽃잎 두어잎/물결에 실려 흔들려가지고/깊은 잠 흘러 흘러/江물은 몇천리"처럼 인간 존재가 '꽃잎'과 '강물'로 표상되기도 하지요. 보리수나무에서 떨어진 나뭇잎 하나처럼, 전체 인생에서 개체로 분화해 나온 인간존재의 모습이 꽃잎으로 제시된 겁니다. 그만큼 인생이란 아름다우면서도 덧없다는 뜻이 담겨져 있다고나 할까요. 또한 강물은 끊임없이 과거쪽으로만 흘러간다는 세월의 무궁함, 시간의 존재로서 인생을 표상한 것이지요.

불교에서 시간은 어떻게 인식된다고 하겠습니까? 아마도 불교에서 시간관은 無始無終, 즉 시작도 끝도 없는 영원무궁의 모습이라 할 겁니다. 그러한 영원무궁의 시간 속에서 고작 길어야 백년으로서 인생이란 한 순간이고 찰나에 불과한 것이지요. 그러기에 인생이란 한없이 가엾고 덧없는 존재일 수밖에요. 또한 이 시에서 "피안의 갈바람소리"란 인간 존재의 또 다른 표상이라 할 겁니다. 그것은 갈대처럼 그지없이 허약한 것이고, 바람처럼 덧없는 것이라는 뜻입니다. 가엾은 중생으로서 인간존재의 또 다른 한 측면이 엿보이는 것이지요. 이렇게 보면 시「강물은 몇천리」는 바로 인간존재의 허약함 또는 덧없음 노래한 것이라고 할 수 있지 않을까요. 그것은 마치 "물은 흘러 언제까지/가득차 있지 않고//타오르다간 머지않아/꺼지는 불꽃//보게나, 해는 뜨되/금시에 지며//보름달은 어느새/이러짐을/부귀가 하늘 끝 뻗친/사람에게도//무상의 바람은 한결같아라"라고 하는 「죄업보응경」의 한 구절을 떠오르게 한다고 할 것입니다.

시「소금밭」에선 보다 능동적인 불교적 세계인식이 드러납니다. 그것은 殺佛殺祖, 즉 '부처를 죽이고 아비를 죽이고'라는 역설을 통해 진정한 자아, 삶의 본질에 다가가려는 노력인 것입니다. "부처를 만나면 부처를 죽이고,/아버지를 만나면 아버지를 죽이고,/꽃을 죽이고, 꽃인 아내를 죽이고,"라는 구절이 그것이지요. 말하자면 삶의 온갖 미망, 허상을 깨치고 그 본모습에 도달하려는 안타까움이 담겨 있다고나 할까요. 그러기에 이러한 살불살조는 다시 '부처를 찾아서/아버지를 찾아서/꽃을 찾아서'와 같이 진정한 자아, 삶의 해방을 추구하게 되는 겁니다. 말하자면 '죽이고'가 뜻하는 해탈에의 갈망세계를 통해 '찾아서'로서의 긍정적 세계에 이르고자 하는 열린 정신이랄까, 불교적 변증법이 담겨있다고 하겠지요. 아울러 이 시에는 이승의 삶이 '소금밭' 즉 쓰라린 고통의 세계로 제시돼 있기도 합니다. 온갖 고통과 죄업의 사바세계에서 진정한 자아를 찾아 헤매는 모습이 "부처를 찾아서, 아버지를 찾아서, 꽃을 찾아서/이승의 소금밭을 헤매고 있다/부처를 만나면 부처를 죽이고/아버지를 만나면 아버지를 죽이고"처럼 살불살조라는 부정과 긍정, 긍정과 부정의 불교적 변증법으로 형상된 것입니다.

근년에 오세영시인은 「그릇」 연작시 등을 통해서 인간의 원초적 질료인 흙과 그 존재의 형상을 통해서 인간에 대한 형이상적 탐구를 계속하고 있어서 관심을 끌고 있다고 할 겁니다 말하자면 오시인은 서정시의 형이상학을 불교적 세계관으로 천착하고 있는 데서 그 특유의 개성이 드러난다는 말씀이지요.

# IX.

# 갈지 않으면 먹지 않는 늙은이에게

# 문정희


「편지」


-어머니에게


하나만 사랑하시고 모두 버리셔요
그 하나 그것은 생이 아니라 약속이에요
모두가 혼자 가지만 한 곳으로 갑니다
그것은 즐거운 약속입니다. 어머니
조금 먼저 오심 어머니는 조금 먼저 그곳에 가시고

조금 나중 온 우리들은 조금 나중 그곳에 갑니다
약속도 없이 태어난 우리 약속 하나 지키며 가는 것
그것은 참으로 외롭지 않은 일입니다.
어머니 울지 마셔요
어머니는 좋은 낙엽이었습니다.

# 인연의 강물따라, 약속의 그날 그리며

어디선가 바람 부는 대숲에 달빛 수런대는 소리라도 들려오는 듯한 초여름 한 밤입니다. 깊은 밤이 되니 문득 어느 시인의 시구가 하나 떠오르는군요. "지금 너와 내가 살고 있는/이 시간은/죽어간 사람들이 다 하지 못한/그 시간 이다//아! 그리고 너와 나는/너와 내가 다하지 못한 채/이 시간을 두고/이 세상을 떠나야 하리//오! 시간을 잡는 자여/내일을 갖는 자여"라는 조병화시인의 시가 그것입니다. 그렇지요. 우리 모두는 시간 속에서 태어나서 시간 위를 살아가다가, 그 어느 날인가에는 시간 밖으로 사라져가야 하는 한계적 운명을 지닌 존재이지요. 그래서 철학자들은 인간을 시간의 형존재, 또는 죽음의 존재라고 규정하는 것입니다. 또 서양신화에서는 신 중에서 가장 위대한 신, 모든 신을 지배하는 것도 결국 시간의 새턴(Saturn)이라고 하지 않습니까?

이 시를 쓴 문정희 시인은 진명여고, 동국대학교 국문과를 졸업한 중견 여류시인이시지요. 1969년 문단에 등장한 이래 시집 『꽃숨』, 『새떼』, 『아우내의 새』 등을 내면서 주로 삶과 존재에 대한 근원적인 탐구를 지속하고 있는 분입니다. 또 문시인은 시극 『나비의 탄생』으로도 널리 알려졌고, 최근에는 수필집으로 또 방송 MC로도 대중과 친근한 시인으로 자리잡았지요.

이 시는 임종이 머지않은 어머님께 올리는 애절한 하소연을 담고 있어 가슴을 울려줍니다. 그래서 제목도 「편지」이고, 내용도 하소여의 서간체로 쓰여진 것이지요. "하나만 사랑하고 모두 버리셔요/어머니 울지마셔요/어머니는 좋은 낙엽입니다"라는 한 구절에서 볼 수 있듯이 인생을 하나의 낙엽으로 비유하면서, 삶에 대한 부질없는 애착을 버릴 것을 하소연하는 것이지요. 사실 낙엽을 죽음으로 비유하는 것은 흔한 일이었지요. 특히 월명사의 「제망매가」에도 이 비유가 그다지 진부해 보이지 않는 것은, 어머니께서 삶에 대한 미련을 낙엽처럼 가벼이 떨쳐버리시고 차라리 편히 가셨으면 좋겠다는 그러한 안타깝고 애절한 소망을 담고 있기 때문일 겁니다. 우리에게 어머니란 과연 무엇입니까? 어머니는 우리 인간에게 육신의 고향이면서 동시에 영원한 정신의 요람과 같은 것이지요. 어머니는 역경 속에서 현실적인 생활을 지탱하고 이끌어갈 수 있게 하는 힘의 원천이 되기도 하는 것입니다. 어머니는 우리에게 편안함과 따뜻함의 상징으로서 구원의 등불이 되기도 하는 것이지요. 그 옛날 괴테가 "영원히 여성적인 것, 그것이 우리를 구원한다"(Ewig Weibliche Zieht uns hinan)라고 한 것도 결국은 모성으로서 여성의 위대함을 강조한 것이 분명합니다.

그러한 어머니가 지상 위에서 사라져간다는 것은, 결국 자식들에겐 사랑의 등불이 꺼져버리고 어둠 속에 자식들만 오롯하니 남아버린다는 뜻이 되지 않겠습니까? 그래서 시인은 하나의 마지막 약속을 간직하고자 하는 것입니다. 그것은 바로 내세에 서방정토에서 다시 만날 약속인 것입니다. 불교적인 윤회를 믿는 것이지요. 윤회란 과연 무엇입니까? 말뜻 그대로는 차례로 돌아간다는 뜻이지요. 나고 죽고, 죽고 나고 한다는 말입니다. 사바중생이 필요한 수업의 결과 해탈을 얻을 때까지 그의 영혼이 육신과 함께 업에 의하여 다른 생을 받아 끝없이 생사를 반복한다는 사상인 것이지요. 그러기에 사악한 정념이나, 그릇된 생각, 부질없는 번뇌와 악업을 짓지 말아야 하는 것이지요. "그것은 즐거운 약속입니다/어머니/조금 먼저 오신 어머니는 조금 먼저 그곳에 가시고/조금 나중 온 우리들은 조금 나중 그곳에 갑니다/약속도 없이 태어난 우리 약속하나 지키며 가는 것/그것은 참으로 외롭지 않은 일입니다"라는 구절이 그것입니다.

내세의 삶과 죽음이라는 번뇌의 미망을 깨치고 영원 속에서 다시 만나기를 소망하는 것이지요. 약속이 있기에 희망이 있고, 희망이 있기에 기다리며 사는 삶이 즐거운 것이지요. 그리고 보면 이 시는 평범한 듯하면서도 깊은 뜻이 있는 거지요. 삶과 죽음을 하나로 보고, 어머니의 얼마 남지 않은 목숨을 안타까워하면서 절망으로부터 일어나려는 애절한 몸부림과 극복의지를 담고 있는 것입니다.

# 김달진·1

**雨後**

비온 뒤 山에 올랐다가
아무 것도 없어
松花가루 젖은 채 어지러이 깔려 있는 붉은 흙 보고
그저 무심한 양 汎燃한 양 시름없이 돌아온다

**古寺**

밤이 깊어가서
비는 언제 멎어지었다.
꽃향기 나직히
새어들고 있었다.

모기장 밖으로
잣나무 숲 끝으로
달이 나와 있었다.
구름이 떠 있었다.

풍경소리에 꿈이 놀란 듯
작약꽃 두어 잎이 떨어지고 있었다.
의희한 탑 그늘에
천 년 세월이 흘러가고, 흘러오고……

이, 모든 것
속절없었다.
멀리 어디서
뻐꾸기가 울고 있었다

## 대자연의 아름다운 질서 속에서

어느 먼 산모롱이에서 아카시아 향기가 바람결에 문득문득 실려 오는 봄밤
입니다. 이런 깊은 밤이 되니 시 한 편이 떠오르는군요. "밤깊어 혼자 돌아오
는/郊外의 어두운 山기슭 외로운 길/얼컥 한기는 내음새 있다/향긋이 젖은 날
카로운 향기―//다발다발 드리운 아카시아 꽃이/右랍 등불처럼 희뿌엿이 빛
난다"라는 김달진 시인의 시가 그것입니다. 승려시인으로 개성적인 시세계
를 개척하던 김달진 시인의 시를 감상해보기로 하겠습니다.

아마 이 시를 지은 김달진 시인에 대해서는 잘 모르는 분들이 많으실 겁니
다. 1930년대에 주로 활약하시던 분이시고, 근년에는 시창작과 발표에는 그
다지 힘을 기울이지 않으셨기 때문이지요. 그야말로 청빈하다고 할까요. 허
정의 세계를 초탈한 심정으로 살다가셨기에 그리 소문이 날 이치가 없었을
겁니다. 사실 생각해보면 시인의 허명을 날린들 그 무에 대수이겠습니까? 진
실을 탐구하고 노래하는 일이 시정신의 근본일진대 오히려 허명이란 시인이
가장 경계해야 할 일이겠지요.

김시인은 1907년 경남 창원에서 출생하여, 1929년 문예공론지에 양주동
선생의 추천으로 등단하였습니다. 1934년에는 금강산 유점사에서 김운악 스

님을 은사로 하여 득도하셨지요. 이후 백용성스님을 모시고, 백운산에서 수도생활을 하기도 하였고, 불교전문학교에서 수학도 하셨지요. 그런가 하면 서정주 등과 '시인부락' 동인으로 활동하기도 하였습니다. 해방 후에는 얼마 동안 중고교에서 교편을 잡기도 했지만 이후에는 주로 불경역경사업과 한시 번역에 힘쓰셨지요. 「한산시」, 「장자」, 「한국한시」, 「한국선시」 등은 그 한 성과라고 할 겁니다. 시집으로는 『靑柿』와 『올빼미의 노래』가 있고, 1989년에 작고하신 분이지요. 그러고 보면 김시인의 생애는 불교와 시에서 떼려야 뗄 수 없는 관계를 지니고 있다고 할 겁니다. 그만큼 개성적인 모습을 지닌다는 말씀이지요.

무엇보다 선생의 시세계는 불교적 세계관 또는 노장적 세계관을 지니고 있어서 관심을 끈다고 하겠습니다. 먼저 시「비온 뒤」와 「고사」에는 이러한 모습이 잘 드러나 있다고 하겠습니다. 시「비온 뒤」는 그야말로 비온 뒤의 산보길에서 숲속에 널려있는 송화가루를 보고 느낀 감회를 묘사하고 있다고 할 겁니다. 여기에는 無爲·無欲·無私로서의 맑고 깨끗한 분위기가 감돌고 있다고 하겠지요. '윤리'라든가 '도덕', '지식'이나 '강요', '나'라든가 '너'라든가 하는 인위적 관점에 얽매임이 없는 것이지요. 그저 송화가루만이 비온 뒤 숲속에 널려있는 모습을 보면서, "그저 무심한양 범연한 양 시름없이 돌아온다"라는 구절처럼 질서 속에 인간자신을 맡겨버리고, 자연스럽게 살아가는 초탈한 선사의 모습이 잘 묘사돼 있다고 할 겁니다.

시「고사」, 즉 '옛절'도 마찬가지입니다. 옛절에 비가 내린 뒤 꽃향기가 은은히 새어드는 모습이 묘사돼 있지요. 그러면서 잣나무 숲 끝으로는 달이 나와 있고, 구름이 떠가고 있는 자연그대로의 풍경이 제시돼 있는 겁니다. 그야말로 저절로 그러한 것, 또는 스스로 그러한 것으로서 무위자연의 모습이 잘 드러나 있다고 할까요. 그러면서 "아, 모든 것/속절없었다/멀리 어디서/뻐꾸기가 울고 있었다"라고 해거 자연과 인생무상을 대비시키고 있어서 관심을 끄는 것이지요. 말하자면 불교적 세계관 속에 무위자연으로서 노장적 세계인식을 섭수해 들이고 있다는 말씀입니다.

이렇게 본다면 김달진 선생의 시 속에는 불교적 세계관과 함께 도가의 노장적 세계관이 은연중 스며들어 있음을 확인할 수 있게 됩니다. 이러한 면모야말로 김달진 시인이 개성적인 시인으로서 우리시사에 자리잡을 수 있는 큰 힘이 된다고 하겠지요.

# 김달진·2

六月

고요한 이웃집의
하얗게 빛나는 빈 뜰 우에
작은 벚나무 그늘 아래
외론 암탉 한 마리 自畵와 함께 조을고 있는 것
판자 너머로 가만히 엿보인다.

빨간 蜀葵花 한낮에 지친 울타리에
빨래 두세 조각 시름없이 널어두고 시름없이 서 있다가
그저 호젓이
도로 들어가는 젊은 시악시 있다.

깊은 숲 속에서 나오니
六月 햇빛이 밝다
열무우 꽃밭 한 귀에 눈부시며 섰다가

열무우 꽃과 함께 흔들리우다.

### 샘물

숲 속의 샘물을 들여다본다
물 속에 하늘이 있고 흰 구름이 떠가고 바람이 가고
조그만 샘물은 바다같이 넓어진다
나는 조그만 샘물을 들여다보며
동그란 地球의 섬 우에 앉았다

### 씬냉이꽃

사람들 모두
산으로 바다로
新綠철 놀이 간다 야단들인데
나는 혼자 뜰 앞을 거닐다가
그늘 밑의 조그만 씬냉이꽃 보았다.

이 宇宙
여기에
지금
씬냉이꽃이 피고
나비 날은다.


## 무위자연 또는 허정의 마음을 찾아서

어디서 이른 바람에 나뭇잎하나가 고요히 파문을 내이며 떨어지고 있는 것
같은 초여름 밤입니다.

어떻습니까? 이 「유월」과 「샘물」, 「씬냉이꽃」 등의 시에서는 무언가 이

근래의 시인들에게서 느낄 수 없는 허적의 세계랄까, 그윽하고 맑은 정신의 세계를 맛볼 수 있지 않으신지요.

　우리 시인 가운데는 좋은 작품을 썼지만, 또 쓰고 계시지만 두루 널리 잘 알려지지 않은 분들이 의외로 많습니다. 그런 시인 중의 한 분이 바로 월하 김 달진 시인(1907~1989)이라고 할 겁니다. 우리 시사, 특히 현대시사에만 하 더라도 높고 우람한 산맥들이 즐비하다고 해도 과언이 아니겠지요. 아마도 김시인을 그러한 우람한 산봉우리라고 하기는 어려울 겁니다. 그렇지만 가만 히 들여다보면 들여다볼수록 깊고 맑은 우물이 아닌가 생각되는 소중한 시인 의 한분입니다. 소란한 시대엔 별반 눈에 잘 띄지 않는 그러한, 숲속 오솔길에 숨겨진 깊은 샘이라는 말씀이지요.

　하기야 그렇지 않습니까? 일제강점기는 물론 분단이래 특히 고단한 시대 를 살아온 우리이고, 더군다나 소문난 시인이나 시가 아니면 잘 언급되기도 어려운 문단풍토가 작용해 온 탓에 그저 묵묵히 산촌에 묻혀 시를 써온 분들 은 소외되기 일쑤였다고 해도 과언이 아닐 겁니다. 말하자면 문단적인 편견 이나 미신, 혹은 상업주의나 정치역량(?)이 시인의 사회적 출세와 무관하다고 하기는 어렵다는 말씀이지요. 새삼 김시인께서 작고하고 나서야 저 자신은 "왜 내가 진즉에 이 시인의 시에 주목하지 못했을까"하고 저의 게으름과 어리 석음을 뉘우쳐 본 적이 있습니다. 그만큼 월하선생의 시는 개성적인 세계를 간직하고 있다고 하겠습니다. 노장적인 세계관이랄까, 동양적인 貿爲自然의 세계 또는 虛靜의 그윽함이 짙게 깔려 있다는 말씀입니다.

　무위자연이란 과연 무엇입니까? 그것은 아마도 무위와 자연이 합쳐진 말 이라고 하겠지요. 그렇다면 무위는 무엇이고, 자연은 또 무엇입니까? 무위란 문자 그대로 행동하지 않는 것을 의미할 겁니다. 그렇지만 그것은 아무것도 하지 않는다는 뜻이 아니고, '아무것도 하지 않으면서도 하지 않는 일이 없다 (至於無不爲)'는 뜻이 될 겁니다. 따라서 무위란 道에 따라 있는 그대로 살아가는 것, 또는 자연과의 조화를 구하는 실천적이 행위라고 할 것입니다. 그러면 자연은 또 무엇입니까? 자연이란 인위적이고 의식적인 모든 것으로부터 완전히 벗어난 상태, 즉 '스스로 그러한 것'이며, '저절로 그러한 것'을 의미한다고 하겠지요. 따라서 무위자연이란 無爲·無欲·無私·無我의 상태에서 자연과의 완전한 조화를 이루고자 하는 태도라고 할 겁니다. "비온 뒤 山에 올랐다가/아무것도 없어/松花가루 젖은 채 어지러이 깔려있는 붉은 흙 보고/그저 무심한양 범연한양 시름없이 돌아온다"(「우후」 전문)라는 심정이라고 하겠지요. 이처럼 자연을 따르는 것으로서 무위·무사·무욕을 통해서 정신의 자유를 누리는 그윽한 경지라고 할 겁니다.

시 「유월」에는 이러한 무위자연의 심정이 잘 드러나 있다고 하겠지요. '고요한/빈/작은/외론/지친/깊은'과 같이 관형어로 빚어지는 조용하면서도 내밀한 풍정, '벗나무 그늘/암닭 한 마리/촉규화/젊은 시악시/햇빛/열무우 꽃밭'처럼 자연스런 삶의 풍경, 그리고 '조을고 있는/시름없이 서 있다가/호젓이 들어가는/눈부시게 섰다가 꽃과 함께 흔들리우다'라는 무심한 심사가 함께 조응을 이루면서 무위·무욕·무사·무아로서의 허심의 세계를 형성하고 있는 것입니다. 온갖 세상의 번잡한 대립과 갈등이 해소되고 인간과 세계가 하나로 합일되는 조화로운 모습이 아름답게 형상화됐다는 말씀입니다.

시 「샘물」과 「씬냉이꽃」은 이러한 무위자연의 세계인식이 우주적 관점으로 확대되어 관심을 끈다고 하겠습니다. 표현 그대로 "숲속의 샘물을 들여다본다/물속에 하늘이 있고 흰구름이 떠가고 바람이 지나가고"처럼 변화무궁한 자연의 모습을 자연 그대로 받아들이는 태도가 기본을 이룬다고 하겠지요. 말하자면 '쉬면서 천지 사이에서 유유히 소요하고 마음을 한가로이 자득하여이다. 어찌하여 천하 따위를 일삼겠소이까'라는 노장적 소요의 경지를 드러낸 것이지요. 그렇다면 어떻게 이러한 소요의 경지에 이르게 될 것인가요? 그것은 사람들이 자기의 자아라는 작은 관점에서 벗어나서 우주라는 대국적인 입장, 초월의 관점에 섬으로써 가능해진다고 할 겁니다. "조그마한 샘물은 바다같이 넓어진다/나는 조그마한 샘물을 들여다보면/동그란 지구의 섬 우에 앉았다"라거나 "이 宇宙/여기에/지금/씬냉이꽃이 피고/나비 날은다"라는 내용이 바로 이러한 우주적 관점의 획득이라고 할 수 있지 않겠습니까? 지구와 우주라고 하는 대자연의 거울에 '나'를 비춰볼 때 삶의 온갖 번뇌와 질곡은 어느새 뜬구름처럼 사라져버리고 초월과 청정심의 경지에 접어들게 된다는 말씀이지요.

이처럼 노장의 세계관 혹은 허정의 세계를 내밀하고 깊이 있게 천착한 김달진의 시세계는 요즘같이 훤소하고 잡답한 세상에서는 하나의 깊고 그윽한 샘물로서 소중한 의미를 지닌다고 할 것이 분명합니다.

# 돈연

**벽암록·39**

늙은이는 밭을 갈았다
갈지 않으면 먹지 않는 늙은이
늙은이의 평생은 밭가는 일
밭에서 한 발자국도 떠나지 않았지만
밭에 얽매인 적이 한 번도 없었다

**벽암록·7**

아침에 해뜨는 것이
사랑이다
새들이 묻는 것이
사랑이다
그러나 아무도 사랑을 말하지 않는다

**벽암록·44**

길은 외줄기
북소리 하나
저녁 연기조차 끊기고
형체없는 사람들이
북소리를 듣는다

## 길지 않으면 먹지 않는 늙은이에게

어느 머언 산사에서 솔바람소리 아련히 들려오는 듯, 싱그러운 초여름 밤
입니다.

이런 고즈넉한 밤에 그윽이 앉아서 옛 선인들의 시라도 읽을라치면, 마음
이 깊은 물속처럼 맑고 고요해옵니다. 그리고는 온 세상에 나 혼자 있는 듯이,
온 천하만물이 내 것인 듯이 그 아무것도 부럽지 않습니다. "처음으로 내어다
놓은 솜이불/새로 바른 하얀 미닫이//얌전하게 타내리는 黃촛불 앞에/캐묵은
唐版詩集을 대해 앉는다"라는 김달진의 시구처럼 편안해지는 것이지요.

어디 옛 선사들의 시만 그러한가요. 요즘에 활동하는 스님이신들의 선시에
서도 우리들은 깊은 명상과 편안한 마음을 느끼게 됩니다. "나그네는 술잔에
산을 담아들고/길을 떠난다/길이란 길들은 모두 녹아버려서/아무도 나그네에
게 길을 가르쳐 줄 수 없다/그러나 길은 어디에나 있다"라고 노래한 돈연스님
이 그 중의 한 분입니다.

저는 연전에 그분이 펴냈던 시집 『벽암록』의 해설을 쓴 적이 있었기에 그
분의 시와 비교적 오래 전부터 인연을 맺어왔다고 할 겁니다. 시집 『벽암록』
에는 귀가 열린 사람만이 들을 수 있고, 눈을 올바로 뜬 사람만이 볼 수 있는
그윽한 명상과 깨달음이 담겨있는 것으로 보입니다. 먼저 「벽암록」 39, 「늙

은이는 밭을 갈았다」라는 시는 인간의 가치를 일하는 삶, 노동하는 모습에서 찾을 수 있다는 생각이 담겨 있어 관심을 끕니다. 또한 자유의 본질을 선명하게 제시해 주는 것도 주목할 만한 일이라고 하겠지요. 다시 말해서 이 시는 노동과 자유에서 인간의 본원적인 가치와 보람을 찾는 뜻이 담겨있는 것입니다.

먼저 노동사상은 "늙은이는 밭을 갈았다/갈지 않으면 먹지 않는 늙은이/늙은이의 평생은 밭가는 일"이라는 구절에 선명하게 제시 됩니다. 노동이란 무엇입니까? 그것은 사람들이 자연과 관계를 맺고 자연을 개조하는, 창조의 행위입니다. 자연을 사람들의 요구와 지향대로 변모시키면서 세상의 주인으로서 자신을 고양시킬 수 있는 원동력이 되는 행위이지요. 그러기에 노동은 자주적이며 생산적이고 창조적인 행위인 것입니다. 『전등록』에 이런 얘기가 하나 전해오더군요. 옛날 백장화상은 노년에 이르러서도 결코 일을 놓지 않았다는 겁니다. 이를 본 제자들이 공양을 올렸으나 그는 하나도 입에 대지 않고 다음같이 말한 겁니다. "너희들의 마음은 고마우나 하루일을 하지 않았으니, 하루 굶는게 당연하다"는 것입니다.

저는 두고두고 이 구절을 좋아합니다. 더구나 요즘같이 무위도식하거나, 남을 해롭게 하는 악한들이 많은 세상에 이러한 노동의 사상은 아름답고 숭고하기까지 하다고 할 수 있기 때문입니다.

또한 이 시에 나타난 자유의 사상도 주목할 만합니다. "늙은이의 평생은 밭가는 일/밭에서 한 발자국도 떠나지 않았지만/밭에 얽매인 적이 한번도 없었다"라는 구절이 바로 그것이지요. 자유란 과연 무엇입니까? 소박하게 말해서 자유란 남에게 구속을 받거나 무엇에 얽매이지 않고, 자기가 세계와 운명의 주인이 되어 행동하는 것을 말하지요. 남으로부터 장제나 구속, 규정이나 지배를 받지 않는 것을 말하는 것입니다. 그러기에 그것은 주체성, 자발성, 자율성의 원리를 기초로 성립하는 것입니다. "밭에서 한 발자욱도 떠나지 않았지만/밭에 얽매인 적이 한번도 없었다"라는 구절 속에는 이러한 자유의 본성이 잘 나타나 있는 것입니다. 얽매이지 않으면서도 크게 벗어나지 않고, 얽매여 살면서도 그에만 매달려 살지 않는 그야말로 자유자재로운 생각이 깃들어 있다고 하겠지요. 칸트가 평생 자기 마을을 크게 벗어나 보지 않았지만 온 세계를 자기 자신 속에 지니고 있었던 바로 그것이 그러한 자유의 올바른 실천이라고 할 겁니다. 실상 또 앞에서 예를 든 시구처럼, '나그네가 술잔 속에 산을 담아들고 갈 수 있게 되는' 게 바로 자유로워진 사람의 무애자재로운 정신의 힘일 겁니다.

다시 말해서 선이란 무엇입니까? 그것은 마음을 닦는 일이기도 하지만, 기성적 사골의 틀을 벗어나 세계를 새롭게 바라보고자 하는 자유로운 정신의 발현인 것이지요. 그것은 신앙만도 아니고, 학술연구도 아니며, 명상 그 자체도 아닌 겁니다. 누구든지 해야 하고, 할 수 있는 평범하면서도 본질적인 사유이며, 자유의 실천인 것이지요. 농사짓는 사람이나, 장사하는 사람, 공부하는 사람이나 벼슬하는 사람 그 누구에게나 필요하고 또 할 수 있는 것이라는 말씀입니다. 앞의 시에서 밭가는 늙은이는 바로 밭을 갈면서 참답게 선을 실천하고 있는 것이지요.

이렇게 보면 돈연의 시「벽암록」 연작시는 삶과 세계의 감춰진 모습을 새롭게 봄으로써 올바른 깨우침에 이르고자 하는 끈질긴 구도의 과정을 보여준다고 하겠습니다. 그러면서 삶의 본질이 바로 노동하는 삶에서 실존적 의미가 드러나고, 자유로운 정신을 갖는데서 본질적인 가치가 구현된다는 소중한 메시지를 담고 있다고 할 겁니다.

나뭇잎 갈리는 소리가 애잔하기만 합니다. 이제 그만 사색의 등불을 낮추시지요.

# X.

## 중생의 바다, 화엄의 바다로

# 확암선사·1

### 십우송·1

아득히 풀헤치며
소를 찾아도

물 넓고 산은 멀어
길은 끝없네

몸과 마음 지쳤는데
찾을 길 없고

들리느니 단풍나무
늦매미소리!

## 십우송·2

물가의 숲아래
흔한 것 소 발자취……

풀 우거진 그 속에
보는가, 못 보는가

산이 깊고 또 다시
깊고 깊은 들

하늘 닿는 소 콧구멍
어찌 숨기랴

## 무명의 바다, 어둠 속에서

어디 먼 숲속에서 청향의 바람 한자락이 조용조용 나뭇잎을 흔들고 있는 듯
합니다. 나무 그늘 아래 수정의 푸른 어스름이 깊어만가는 듯도 하구요. 밤이
되면 낮에 잠들었던 나무며 풀꽃들, 숨어 지내던 온갖 사물들이 제 세상을 만난
듯 살아나는 것 같아서 신기하기만 합니다. 그래서 서구 낭만주의자들은 밤을
사랑의 시간이니 생명의 탄생의 시간이니 하여 예천하기도 한 것이겠지요.

이런 시간이면 어느 먼 산사에서 천근만근 허무와 적막을 꿰뚫어보며 용맹
정진하고 있을 스님들의 모습이 고즈넉이 떠오르기 마련이지요. "무엇을 웃
고 기뻐하랴!/세상은 쉴새없이 타고 있는데/너희들은 어둠 속에 덮여 있구나/
어찌하여 등불을 찾지 않으냐'라는 법구경의 구절처럼 깨우침을 이루기 위
해 정진하고 있는 것입니다. 이러한 자아의 발견과 올바른 깨우침의 과정을
참으로 깊이있게 잘 묘파한 선시가 있지요. 바로 송나라의 승려 확암선사의

「尋牛頌」또는「十牛頌」이 그것입니다.

그러면 먼저 「십우송」의 첫 수와 둘째 수를 감상해 보기로 하시지요. 이 십우송은 첫째 심우, 즉 소를 찾는 데서 시작하여 열 번째 入泥入水, 즉 세속의 삶으로 돌아오기까지의 열 단계 깨달음의 모습을 노래한 것이지요. 이것은 원래 확암선사가 처음 지은 것은 아니라고 하지요. 『중일아함경』에 '목우품'이 있어 知色, 知相, 知摩刷 등의 12법으로 비구의 수습선법을 강설한 것도 있구요. 『불유교경』에도 "너희들 비구는 이미 계율을 받은 바에는 마땅히 다섯 감각을 통어하여, 방일을 일삼아 오욕에 들어가지 말도록 해라, 비유컨대 소를 치는 사람이 지팡이를 들고 감시하여 소가 멋대로 굴어 남의 곡식을 침해하는 일이 없도록 하는 것과 같으니라" 라는 내용이 들어 있기도 하지요. 특히 확암선사의 「십우송」은 선사와 소치는 일을 예로 들어 깨달음의 과정을 그린 '목우장'이라고 불렀다는 것은 잘 알려진 일이지요. 그런데 재미나는 것은 만해선생이 살아계실 때, 집 앞을 지나던 사람들이 '심우장'이라는 문패를 보고는 '심우장? 아마 여기가 소 기르는 곳인가보다'라고 얘기하며 지나치더라는 얘깁니다. 만해선생이 택호를 '심우장'이라고 한 것은 그곳이 소를 키우는 집이라서가 아니지요. '소를 찾는 집', 즉 심우장이란 말은 바로 진정한 자아를 찾는 집 또는 깨달음을 얻기 위해 노력하는 수행의 장소라는 뜻을 담고 있다고 할 겁니다.

그렇다면 왜 소가 불교에서 그리 많이 등장하는 것이겠습니까? 흔히 불경에서는 소가 비우의 뜻으로 사용되곤 하지요. 『열반경』에서는 부처님을 찬양하여 '사람 중에 소의 왕(人中牛王)'이라고 하였고, 『무량수경』에서는 '높은 것은 소의 왕(尊者牛王)'이라고도 하였지요. 또 『승만경』이나 『석가보살계』에도 소를 중히 여기는 뜻이 담겨있는 것입니다. 그래서 소는 많은 선사들에게서 자아를 찾는 뜻의 비유로 사용되곤 했던 것이지요. 『전등록』에 이런 이야기가 전해오더군요. 옛날 대안선사는 백장화상을 찾아뵙고 물었답니다.

"배우는 사람이 부처를 알려면 어떻게 해야합니까?"하고 말입니다. 그랬더니 백장화상이 "소를 타고서 소를 찾는 것과 크게 비슷하다"라고 말했다는 것이 지요. 다시 대안 선사가 "안 다음엔 어떻게 해야 합니까"하고 물어 보았지요. 그러자 백장화상은 "사람이 소를 타고 집에 도달한 것과 같다"라고 말씀하셨다는 겁니다. 그리고 보면 소를 찾는 일이란 바로 깨달음의 과정 또는 자아발견의 모습을 암유한다고 할 수 있지 않겠습니까? 이처럼 소를 존중하였기에 우두산의 법융선사의 선파를 우두천왕이 있어서 기원정사의 수호신으로 여겨지기도 하는 것이지요.

확암선사의 「십우송」 첫째 수는 바로 이처럼 소를 찾아나서는 데서 시작됩니다. "아득히 풀헤치며/소를 찾아도//물넓고 산은 멀어 길이 끝없네/몸과 마음 지쳤는데/찾을 길 없고/들리느니 단풍나무/늦매미소리"라는 구절이 그 것입니다. 들판에서 분주히 소를 찾아 헤매는 모습 속에서, 원래의 견성을 상실하고 그것을 찾기 위해 분주히 노력하는 모습을 표현한 것이라고 하겠지요. 둘째 수는 점차로 소의 발자취를 발견해가는 모습을 그린 겁니다. 열심히 소를 찾아 헤맨 나머지, 조금씩 마음의 눈이 열리기 시작한다는 뜻이지요. "물가의 숲 아래/흔한 것 소발자취/풀 우거진 그 속에/보는가, 못 보는가"라는 구절이 그것입니다.

그리고 보면 「십우송」은 바로 진정한 자아를 찾기 위해 분주한 순례의 과정을 차례대로 묘사한 자아발견의 시라고 할 겁니다. 그 첫 수가 바로 「심우」이고 둘째 수가 「우적」인 것이지요. 다음에는 셋째 수 「견우」와 넷째 수 「득우」, 다섯째 수 「목우」를 감상하시겠습니다.

# 확암선사·2

## 십우송·3

가지에 앉아
꾀꼬리 울음 울고

따스한 햇볕
기슭에는 버들 푸르러……

이제는 피하려야
피치 못하는가

보이네, 뚜렷한 저 뿔!
그려도 못 미치리라.

### 십우송·4

온갖 힘 기울여서
붙잡은 이 소

힘이 세어 다루기
진정 어렵네
高原 위로
겨우 끌고 가도 보건만

안개 구름 깊은 속
헤매이기도……

### 십우송·5

고삐를 부여 잡고
놓지 않음은

행여나 제멋대로
달아날세라

돌보는 중 소의 성미
차차 순해져

안 끌어도 제 먼저
사람 따르네.

## 소를 찾아 길들이면서

먼 들판 어디메에선가 보리 익어가는 내음새 향기롭게 풍겨오는 밤입니다.

한낮에는 벌써 초여름의 열기가 은근히 끼쳐들기도 하는 모습이구요. 새로운 마음가짐으로 이 계절을 잘 보내셔야 하겠지요. 밝아오는 아침은 어디 야외라도 나와서 일렁이는 보리밭이며, 신록을 눈이 시리도록 바라보시면 어떠실런지요. 앞에서 확암선사의 「십우송」 첫째 수 「심우」, 즉 소를 찾아헤매는 모습과 둘째 수 「우적」, 즉 소발자취를 발견하기까지를 감상해 보았었지요. 이번에는 세 번째 「견우」, 즉 소를 봄과 네 번째 「득우」, 즉 소를 얻음, 그리고 다섯 번째 「목우」, 즉 소를 기름, 이 세 수를 살펴보도록 하겠습니다.

먼저 셋째 수 「심우」는 소를 찾아 헤매다가 드디어 소를 발견하는 모습을 노래한 것입니다. 발자취만을 발견했다가 한참 만에 드디어 저 멀리서 소의 실물을 확인하게 된 것이지요. "가지에 앉아/꾀꼬리 울음 울고/따스한 햇빛/기슭에는 버들 푸르러/이제는 피하려야/피치 못하는/보이네, 뚜렷한 저 뿔!/그래도 못 미치나라"라는 구절이 그것입니다. 뿔로 표상되는 소의 실체를 발견한 것이지요. 이처럼 셋째 수 「견우」는 소를 찾다가 드디어 만나게 된 감회를 노래한 것입니다. 꾸준히 노력해서 마침내 마음속에서 소를, 즉 자기의 진면목을 조금씩 바라보게 된 것이라 할 겁니다. 참고로 만해의 「확암의 십우송을 치운하다」에서 이 대목을 "이젠 꼭 그 소리를/들어야 하랴//푸른 풀밭 딛고 선/희고 흰 모습//한 걸음을 안옮긴 채/그를 보느니//저 털 저 뿔 오늘에/됨은 아닐세"라고 노래했지요.

네 번째 「득우」 즉 '소를 얻음'에서는 소를 획득한 순간에 엄습하는 불안과 번뇌가 드러나 있다고 하겠습니다. "온갖 힘 기울여서/붙잡은 이 소/힘이 세어 다루기 진정 어렵네"라는 구절이 그것이지요. 우리가 우리자신을 발견하게 된다고 해서 해탈을 얻는 것은 아니라는 뜻입니다. 그러기에 "고원 위로/겨우 끌고가도 보건만//안개구름 깊은 속/헤매이기도"처럼 새로운 번뇌가 일어나는 것이지요. 말하자면 꾸준한 노력, 고된 수학의 힘으로 자기를 조금씩 알게 됐지만, 오히려 그것이 새로운 번뇌의 시작이라는 점을 새롭게 깨닫게 됐다는 얘기입니다. 이 부분을 만해는 "보고는 못 붙들까/애태웠듯이//잃을세라 이 걱정/끊기 어려워//깨달으니 그 재갈 손에 있는데//본디 같이 있은 득함/이상도 해라"라고 해서 번뇌의 습기를 벗어나지 못함을 노래했지요. 또 김지하는 "있는 힘 다해서 코를 꿰었건만/못된 버릇 사나운 힘 숙여지지 않는다/어떤 때는 언덕 위로 끌려 올라가다가/또 다시 안개 속에 깊이 숨어 버리네"라고 묘사하기도 하는 것입니다.

다섯 번째 노래 「목우」, 즉 길들임이란 말 그대로 소의 코뚜레를 붙잡고 소를 길들이고 훈련시키는 과정을 보여줍니다. "고삐를 부려잡고/놓지 않음을//행여나 제멋대로/달아날세라"라는 구절이 그것이지요. 그래서 "돌보는 중/소의 성미 차차 순해져//이끌어도 제먼저 사람 따르네"라는 구절처럼 길들임과 깨달음으로 제시돼 있는 것입니다. 말하자면 습성을 수련해서 소와 내가 하나가 되기 시작하는 모습이지요. 이 대목을 만해는 "기르고 길들이기 잊지 안음을/행여나 옛버릇 나서/달아날세라//어느덧 굴레 씌워/끌지 않아도//온갖 일 따르게 됨/신기하여라"라고 해서 깨달음을 심화해가는 모습을 보여주고 있지요. 이처럼 제 3, 4, 5수는 각각 견우, 득우, 목우의 과정을 통해서 자아를 발견하고 길들여가는 모습을 잘 보여준다고 하겠습니다.

이제 사색의 등불을 낮추시고 편히 쉬시지요.

# 확암선사·3

## 십우송·6

멀리 소를 타고
돌아 가는 길

피리 소리 들려오네
저녁 노을빛!

한 박자 한 곡조의
무한한 뜻은

아는 이면 어이 꼭
입을 놀리랴

**십우송·7**

소타고 이미 집에
이르고 보니

마음에서 소 떠나고
한가하기만……

해가 높이 떠서애
일어나는 잠.

고삐는 草堂 안에
딩굴고 있고

**십우송·8**

채찍·고삐·사람과 소
모두 공이매

넓은 하늘, 소식도
전키 어려워……

화롯불의 봄눈을
용납하리요.

여기에서 祖와 宗이
하나 되나니!

## 진정한 나를 찾아, 공을 깨치고

밤안개가 아른아른 눈부신 봄밤, 온하늘이 풀냄새로 아련하게 흔들리고 있습니다. 어디선가 풀잎 몇 오라기 실바람에 이리저리 얼크러지는 모습도 보이구요. 그리고 보면 때로는 어둠이 오히려 등불처럼 빛나는 것 같다는 생각이 들기도 합니다.

앞에서는 「십우송」 셋째와 넷째, 다섯째가지 살펴보았지요. 소를 발견해서, 붙잡고, 기르는 見牛, 得牛, 牧牛의 과정을 살펴본 것입니다. 이제는 여섯째 수 '騎牛歸家', 즉 말을 타고 돌아오는 노래와 일곱째 수 '忘牛存人', 즉 수중의 소는 망각했으나 득우의 상을 잊지 못하는 내용, 그리고 여덟 번째 '人牛俱忘', 즉 소도 잊고 자기까지도 잊어버리는 모습을 더듬어 보기로 하지요.

먼저 '기우귀가'란 말 그대로 소를 타고 집으로 돌아온다는 뜻입니다. 얻은 소를 잘 길들여서 순화를 이룬 다음에, 편안하게 소를 타고 노래 부르며 풀피리를 불면서 집으로 돌아온다는 얘기인 것이지요. 이미 많은 것을 깨닫고 닦으매, 온갖 집착과 미망으로부터 벗어나 어느 정도 해탈을 이루기 시작해서 본래 마음속의 소, 진짜 자기에 도달해 가는 모습을 노래한 것입니다. "멀리 소를 타고/돌아가는 길//피리 소리 들려오네/저녁노을 빛!//한 박자 한 곡조의 무한한 뜻은/아는 이면 어이 꼭 입을 놀려라"처럼 어느 정도 깨달음을 이뤄가는 상태의 편안함을 드러낸 것이지요.

일곱째 '망우존인'은 고향집에 돌아오매 수중의 소를 노래하고 있습니다. 다시 말해서 근본은 깨닫게 됨으로써, 아무것도 하지 않으면서도 편안한 본각무위의 경지에 도달함과 동시에 여러 모습이 모두 공한 것을 깨달았으나 오히려 我空이 되지 못하는 상태를 일컫는 것이지요. "소타고 이미 집에/이르고 보니//마음에서 소 떠나고/한가하지만//해가 높이 떠서야/일어나는 잠//마음에서 소 떠나고/한가하지만//해가 높이 떠서야/일어나는 잠//고삐는 초당

안에/뒹굴고 있고"처럼 무위자연이랄까, 자연 그대로 편안한 상태에 놓이게 된 것입니다. 그래서 만해도 "빠른 걸음 소에 맡겨/산이며 물을//달리느니 세월은/한가롭기만//복숭아 숲 속 휘돌던 일/잊고 난뒤도//간간이 창밖으로/꿈은 달리네"라고 하여, 개공을 깨달았으나 아공은 이루지 못한 모습을 노래하지요.

여덟째는 '인우구망, 즉 소를 잊고 자기까지도 잊은 것이니 모든 정감이 탈락하고 세상과 내가 함께 공한 것임을 깨닫게 됨을 말하는 것이지요. 말하자면 세계의 본질로서 공을 깨닫는 순간을 노래한 것이라 할 겁니다. "채찍·고삐·사람과 소/모두 공이매//넓은 하늘 소식도/전키 어려워//화롯불의 봄눈을 용납하리요//여기에서 祖와 宗이/ 하나 되느니!"라는 내용이 그것이지요. 색만이 공이 아니라, 공도 또한 공이니 막힘도 없으며 통합인들 어찌 있을 것인가 하는 깨달음을 드러낸 것이지요. 그러기에 시작도 끝도 없는 참된 공의 경지에 들게 되는 것이라 할 겁니다. 말하자면 모든 존재의 본래 모습이 공하다는 반야의 진리를 새삼 확인한 것이라고나 할까요. 이렇게 보면 이 여섯째부터 여덟째까지 부분은 소로서 스스로의 마음을 길들여서 편안히 귀가하고, 세상의 공함을 깨우쳤으나 자신을 비우지는 못했다가, 마침내 모든 것이 공하다는 깨달음을 얻기까지를 노래한 것이라고 하겠습니다. 진정한 자아를 발견하는 길이란 결국 나와 세계가 모두 공한 것이라는 깨달음에 도달한다는 뜻이 담겨있는 것이겠지요.

# 확암선사·4

## 십우송·9

근본으로 돌아오려
수고해 본들

바로 소경 벙어린 양
됨만야 하랴

안에서는 못보느니
암자 앞 물건

꽃은 스스로 흐르고
꽃은 스스로 붉어……

**십우송·10**

가슴 헤쳐 발 벗은 채
저자에 들러

흙투성이, 그 볼에는
웃음이 가득!

신선의 비결 따위
쓰는 일 없이

바로 마른 가지에
꽃 피우느니……


## 중생의 바다, 화엄의 바다로

어느 먼 들녘 수풀에 숨어서 작은 벌레 한 마리가 우는 소리조차 들릴 듯
고요한 밤입니다. 가느다란 바람 한줄기가 고요히 파문을 일으키며 쏜살같이
어디론가 사라져가는 모습이 보이구요. 저 멀리 과거쪽으로만 달려가는 시간
의 하얀 물보라도 아스라이 떠오르고 있습니다. 앞에서 우리는 확암선사의
「십우송」 여섯 번째 기우귀가와 일곱 번째 망우존인, 그리고 여덟 번째 인우
구망을 통해서 만물의 본원으로서 공을 깨쳐가는 과정을 살펴보았지요. 이어
서 이번엔 아홉 번째 '返本還源'이란 사람과 소를 함께 잊어버리고 一法不存,
즉 '산은 산이요 물은 물이로다'라는 山自山水自水의 경지에 도달함을 말하
는 것입니다. 그야말로 산은 스스로 산이요. 물은 스스로 물일 수밖에 없는 이
치랄까, 스스로의 마음이 본래 맑고 그윽하여 얻을 것도 없고 잃는 것도 없는
허정의 경지에 도달함을 뜻하는 거지요. 자기를 발견하고 깨우쳐서 마침내

자기해탈과 함께 인간해방을 이룬 것입니다. 부정과 긍정의 논리를 넘어서고, 나와 너의 세계도 넘어서서 모든 것이 공 하나로 귀일되는 모습이지요. '그렇다'와 '아니다', '나'냐 '너'냐 하는 대립을 넘어서서 참다운 깨우침으로써 자유로움의 세계, 즉 차원 높은 공의 경지에 도달한다는 말입니다. 그러기에 얻는 것도 없고 잃을 것도 없는 무실무득의 경지/반본화원으로 되돌아가게 되는 것이지요. "근본으로 돌아오려/수고해본들//바로 소경 벙어린양 됨만야 하랴//안에서는 못보느니/암자 앞 물건//물은 스스로 흐르고/꽃은 스스로 붉어"라는 내용이 그것입니다. 말하자면 무위·무욕·무명을 주장하면서 청허함으로써, 스스로의 근본을 지키고 자유로이 본성 또는 이상적인 깨우침의 세계에 머물려고 하는 것이지요. 모든 것을 공으로 돌리고 비움으로써, 맑고 고요하며 텅 빈 모습, 원래 자연의 본원으로 돌아가려고 하는 것입니다. 모든 것을 끊어버리고 무사·무심을 거쳐 마침내 공으로서 무사·무아의 경지에 이르렀다는 말씀입니다.

마지막 열 번째 입전수수 또는 入泥入水는 다시 자비의 손을 드리우고 온갖 티끌과 번뇌로 가득 찬 속세의 거리로 들어가는 모습입니다. 시정에 들어가 중생을 제도하는 모습인 것이지요. 깨달음의 궁극적인 목적은 깨우침 자체에 있는 것이기도 하지만 나아가서 중생제도로서 인간해방과 구원에 있다는 강력한 메시지를 담고 있다고 할 것입니다. 사실 이러함에 의해 진정한 메시지를 담고 있다고 할 것입니다. 사실 이러함에 의해 진정한 자아를 찾는 사색의 과정을 우리는 선이라고 불러볼 수도 있을 겁니다. 그렇게 보면 선도 결국은 산간 암혈에서 고적묵수하는 사선이 되어서는 안 되고, 반드시 사람의 삶에 뿌리내리는 활선이 되어야 한다는 뜻이 담겨 있는 것이지요. 산속에서 용맹정진하는 일도 중요하지만 어느 정도 선학을 이룬 다음엔 반드시 입니입수, 즉 티끌세상에서 돌아와서 중생제도를 위해 선을 활용해야 된다는 말씀입니다. 그래서 선은 흔히 몇 가지로 그 단계를 구분하지 않습니까. 상하존비

랄까 차별적 호오관념이 있는 외도선이 그 첫째 단계요, 선악응보의 인과를 따지는 범부선이 그 다음 단계이지요. 또 내가 공하다는 我空을 깨우쳤으나 法空이 부족한 소승선이 있지요. 그리고 마지막으로 마음이 바로 부처요, 깨달음을 실천하는 최상승선이 있지 않습니까?

바로 그것이지요. 선이 활불사상, 또는 중생제도로서 민중과 함께 하는데서 참된 깨달음 또는 실천의 완성이 있다고 생각하는 것입니다.

"가슴 헤쳐 발벗은 채/저자에 들러//흙투성이 그 볼에는/웃음이 가득//신선의 비결따위/쓰는일 없이//바로 마른 가지에 꽃 피우느니"라는 내용처럼 목표가 있다고 보는 것입니다. 괴로움의 바다 속, 중생고해 속에서, 그 뜨거운 고통과 번뇌의 불길 속에서 연꽃을 피우고자 하는 데서 「심우송」이 완결된다고 할 것입니다. 실상 위대한 사상 커다란 업적을 끼친 많은 고승대덕들이란 이처럼 올바로 자신 소의 소를 찾으면서 한 생애를 살다간 것이 아닐까 합니다.

## 김재홍

1947년 충남 천안 출생으로 서울대학교 사범대학 국어교육과를 졸업한 후, 동 대학원 국어국문학과에서 박사학위를 취득했다. 1972년 육군사관학교 전임강사를 시작으로 충북대학교, 인하대학교, 경희대학교에서 교수로 재직했으며, 2012년 경희대학교 문과대학에서 정년 연장 명예교수로 퇴직하였다. 현재는 경희대학교 명예교수이자 백석대학교 석좌교수로 있다.

1969년 서울신문 신춘문예에 평론이 당선되면서 본격적인 문단활동을 시작했다. 이후 시인론, 작품론 등의 실제비평 및 문학사와 문학이론 연구 분야에서 독자적인 학문적 영역을 구축했다. 이 과정에서 『한국 현대 시인 연구 1,2,3』, 『카프시인 비평』, 『한국 현대 시인 비판』, 『한국 현대시의 사적 탐구』, 『현대시와 삶의 진실』, 『생명·사랑·평등의 시학 탐구』, 『한국 현대시 시어사전』을 비롯한 40여권의 저서를 발표했다. 이외에도 국내 최장수 시전문지 계간 『시와시학』과 한국현대시박물관을 창간 및 설립, 사단법인 만해사상실천선양회 상임대표와 만해학술원장 등을 역임하며 시의 대중화 작업 및 인문정신의 실천적 활동을 주도했다.

<제1회 녹원문학상>, <제33회 현대문학상>, <제1회 편운문학상>, <김환태문학상>, <후광문학상>, <현대불교문학상>, <유심문학상>, <만해대상>, <서울특별시 문화상> <보관문화훈장> 등을 수상했다.

누가 눈물없이 울고 있는가

그대 왜 그리 허둥대는가

# 김재홍 문학전집 ⑨

| | |
|---|---|
| 초판 1쇄 인쇄일 | 2020년 3월 05일 |
| 초판 1쇄 발행일 | 2020년 3월 14일 |

| | |
|---|---|
| 엮은이 | 김재홍 문학전집 간행위원회 |
| 펴낸이 | 정진이 |
| 편집/디자인 | 우정민 우민지 |
| 마케팅 | 정찬용 정구형 |
| 영업관리 | 한선희 최재희 |
| 책임편집 | 정구형 |
| 인쇄처 | 으뜸사 |
| 펴낸곳 | 국학자료원 새미(주) |
| | 등록일 2005 03 15 제25100−2005−000008호 |
| | 경기도 고양시 일산동구 중앙로 1261번길 79 하이베라스 405호 |
| | Tel 442−4623 Fax 6499−3082 |
| | www.kookhak.co.kr |
| | kookhak2001@hanmail.net |

| | |
|---|---|
| ISBN | 979-11-90476-21-8 *94800 |
| | 979-11-90476-12-6 (set) |
| 가격 | 300,000원 |